# Bientôt 30 ans, toujours célibataire!

POONAM SHARMA

# Bientôt 30 ans, toujours célibataire!

RED
DRESS
INK®

Cet ouvrage a été publié en langue anglaise
sous le titre :
GIRL MOST LIKELY TO


Traduction française de
NADINE GINAPE-MERCIER


HARLEQUIN®

et Red Dress Ink® sont des marques déposées du Groupe Harlequin


*Réalisation graphique couverture :* V. JACQUIOT

© 2007, Poonam Sharma. © 2010, Traduction française : Harlequin S.A.
83-85, boulevard Vincent-Auriol, 75013 PARIS — Tél. : 01 42 16 63 63
Service Lectrices — Tél. : 01 45 82 47 47
www.harlequin.fr
ISBN 978-2-2808-1527-7 — ISSN 1761-4007

*Pour un certain Michael, qui un jour m'a connue*
*et pensait que je devrais écrire un livre.*

# 1

— Le célibat t'a dérangé le cerveau.

Cristina se récriait dans mon portable, tandis que mon taxi zigzaguait dans la Cinquième Avenue. Elle avait peut-être raison, mais de la part de ma meilleure amie, c'était un sale coup.

A mon âge – âge que mon père ne ratait jamais une occasion de me rappeler avec la subtilité d'un ministre cirant les pompes du président –, ma mère gérait de front une gamine pleurnicharde, un chien hyperactif, un mari aimant et son internat de médecine. Le tout depuis un pavillon de quatre pièces à Great Neck, à Long Island. Moi, à vingt-sept ans, célibataire, je pouvais me vanter de bosser soixante-dix heures par semaine à Wall Street. Un job lucratif mais peu enviable. J'avais également un lourd passif, involontaire mais révélateur, de cadavres de plantes vertes fourrés dans le vide-ordures quand les voisins dormaient. Et je possédais un lit très grand, très cher et très vide, source de ma vulnérabilité. De toutes les erreurs commises ce samedi soir, la première avait été d'espérer que Cristina comprenne tout ça.

— J'ai décidé de me montrer rationnelle et de prendre ma vie en main. Cela ne signifie pas que je sois folle.

Contrariée, j'ai consulté ma montre. Drapée dans mon traditionnel *salwar kameez* de soie bleue et mes escarpins de satin Charles David assortis, je me rendais une fois de plus, les mains nues, à un somptueux mariage indien où seraient présents mes parents, sans personne que je puisse qualifier d'homme de ma vie. Dix ans consacrés à hanter les bars branchés, les fêtes et les soirées réservées aux jeunes célibataires, à ne mépriser aucun crapaud et errer dans un nombre respectable de pays à travers le monde ne me portaient pas à l'indulgence. Mes talons de dix centimètres me valaient des cors aux pieds, aussi réclamais-je le droit au cynisme envers mon énième rendez-vous avec un prince dont le château allait déclencher chez moi une crise d'urticaire.

— Un mariage arrangé ? Toi, Vina ?

Sa voix avait grimpé dans les aigus, et reflétait la réprobation d'une mère coincée arrachant des mains de sa fille une teinture pour cheveux de sa composition personnelle.

— … Impossible.

— Tu vois ? C'est pour ça que je ne voulais pas t'en parler. Il ne s'agit pas d'un mariage arrangé. Mais d'un… *rendez-vous* arrangé, qui se trouve avoir lieu lors d'un mariage.

Depuis que j'avais rencontré Cristina, seule autre stagiaire de sexe féminin chez J.P. Morgan, elle se refusait à prendre des gants avec moi. Et je l'en remerciais. Malheureusement, elle se refusait aussi à comprendre que ses origines immigrées (cubaines, et encore, de Miami) ne lui suffisaient pas à comprendre ma situation. Pour la convaincre du bien-fondé de ce rendez-vous arrangé par mes parents avec un avocat d'origine punjabi, je devais m'adresser à la zone rationnelle de son cerveau. Comme nous étions toutes deux spécialistes des investissements boursiers, je savais en quels termes présenter la situation.

— Ecoute…

Mon portable coincé entre l'oreille et l'épaule, je traquais mon eye-liner en cavale à l'aide de mon poudrier.

— Dans trente mois, j'aurai trente ans. Je sais : ta mère avait plus de *quarante* ans à ta naissance. Mais les Indiennes ne jouissent pas des mêmes gènes que les Cubaines. Nos hanches ont été créées pour porter des enfants, mais les similitudes s'arrêtent là. Imaginons que je sois fertile jusqu'à environ trente-cinq ans. On calcule l'âge idéal de conception en retranchant vingt ans de l'âge moyen auquel les femmes de ta famille sont ménopausées. Le résultat t'indique l'âge auquel ta fertilité effectue un sérieux plongeon. Ma mère a été ménopausée à cinquante ans, donc je suis censée accoucher avant trente ans.

— Mais…

— Considère qu'il faut au moins six mois pour tomber amoureuse d'un mec et se renseigner sur lui, neuf mois de plus pour les fiançailles, et un an pour organiser le mariage. Mon mari et moi voudrons profiter de la vie commune au moins un an avant d'avoir un enfant – c'est-à-dire s'en donner à cœur joie avant que les lois de la gravité ne me rattrapent. Total : trente-neuf mois. Même si je rencontre le mec idéal à la minute même, c'est encore juste.

— Où es-tu allée chercher tout ça ?

Mon raisonnement l'avait impressionnée.

— Le talk-show d'Oprah Winfrey est rediffusé tous les matins à 2 heures…

J'ai fermé mon poudrier d'un coup sec et découvert qu'un de mes talons était collé au plancher du taxi par un chewing-gum.

— … Or tu sais que je ne dors pas bien ces jours-ci.

Décidée à sauver la lisière de mon *salwar kameez*, j'ai pris appui sur ma hanche pour décoller ma chaussure. Evidemment, dans la manœuvre, la banquette en Skaï a émis un grincement suspect. Mon regard a croisé celui du chauffeur de taxi dans le rétroviseur. Jusque-là, il ne m'avait jeté que de brefs coups d'œil mêlés d'ennui et de curiosité, mais du coup il s'est redressé et m'a décoché un regard hautain – lui qui semblait ignorer l'existence des déodorants. J'ai tourné le regard par la fenêtre.

— D'ailleurs c'est quoi ce nom, Prakash ? a repris Cristina.

— Euh… Je ne sais pas… Un nom indien ?

— Je ne t'imagine pas crier ce nom dans un élan de passion.

— La vie n'est pas un élan de passion, Cristy…

12

Je lui en ai voulu de me forcer à parler comme ma mère.

— … À mon âge, je suis censée le savoir. Vois les choses ainsi. Rencontrer un mec par l'intermédiaire de mes parents signifie que l'enquête préliminaire a été effectuée. D'office, je sais qu'il est célibataire, diplômé, désire fonder une famille, et qu'il ne possède ni casier judiciaire ni enfant illégitime.

— Et s'il ressemble à un crapaud ?

— Il ne ressemblera pas à un crapaud.

— Vina, s'il ressemble tout de même à un crapaud ? A un gros crapaud tout gluant… qui aurait reçu une poêle à frire en pleine figure… *Plusieurs fois* ?

— Dans ce cas, je devrai me consoler avec l'idée de sa très longue…

— Vina, je suis sérieuse ! As-tu bien réfléchi ? Es-tu prête à accepter un compromis ? Rencontrer un mec par l'intermédiaire de ses parents est beaucoup plus lourd de conséquences. Tout prend un tour plus sérieux. Tu me l'as toujours dit.

— Il y a les hommes avec qui on sort et ceux qu'on épouse.

Le taxi a tourné à l'est sur la 47ᵉ et j'ai pioché un billet de vingt dollars dans mon porte-monnaie.

— Et que jamais les deux ne se rencontrassent.

J'en étais restée muette.

— Tu as vraiment dit « rencontrassent » ?

— Pardon. J'ai envie de plaisanter. J'ai rendez-vous avec mon cow-boy ce soir. Peut-être qu'inconsciemment je m'entraîne à parler rétro pour le mettre à l'aise.

— Tous les mecs du Midwest ne sont pas des cow-boys, Cristy.

J'ai fait signe au taxi que j'attendais mes huit dollars de monnaie.

— Celui-là si. Sérieusement. Il porte un chapeau de cow-boy et tout et tout. Il a même été élevé dans un ranch.

— Et… il s'est perdu en allant au saloon et a atterri à New York ?

— Apparemment. Et il a dû demander le chemin du point d'eau le plus proche parce que je l'ai rencontré au Denial, un bar sur Grand Street.

— C'est vraiment idiot.

J'ai arraché les billets froissés d'un dollar que me tendait le chauffeur par la vitre en plastique et les ai glissés dans mon porte-monnaie.

— Allez ! Pourquoi ne pas laisser tomber ce mariage et nous rejoindre ? Je lui demanderai d'emmener un copain.

Elle parlait d'une voix chantante pour m'appâter.

— Si tentante que soit l'idée de jouer aux cow-boys et aux Indiens vingt ans après la fin de la récré, je crois que je vais refuser.

— Oh, je comprends. Que toi tu fasses joujou avec des pompiers, c'est acceptable, mais que je m'offre un petit rodéo, c'est *idiot* ?

J'ai refoulé le souvenir de Village People chantant *YMCA* et ai feint l'indignation.

— Je croyais que nous étions d'accord pour ne plus jamais évoquer cette soirée.

Elle ne s'est pas démontée.

— Nous n'avons jamais rien dit de tel.

— J'étais jeune.

J'ai consulté ma montre pour la dixième fois depuis Union Square.

— Cette histoire appartient au passé.

— C'était l'année dernière.

Elle a marqué une pause, probablement pour souligner son effet.

— Et si je me souviens bien tes paroles exactes pour aborder ce type ont été « Si je cours chez moi allumer un incendie, vous promettez de venir l'éteindre ? »

— C'est toi qui m'avais soufflé les paroles.

J'ai esquissé un sourire.

— … Mais bon, on s'est bien amusées.

Nous avons gloussé en chœur.

— Vina, je cherche simplement à t'empêcher de te marier avec un mec qui ne serait pas ton « prince ».

Coup bas. Cristina a parodié notre amie Paméla, qui ne pouvait pas se défendre.

— Ces derniers temps, tu es bien trop obsédée par ton avenir.

— Qu'est-ce que tu racontes, Cristina ? Je suis une nana d'origine indienne de Strong Island. Je suis *née* obsédée par mon avenir.

— Je ne parle pas de ton avenir professionnel mais personnel. Tu deviens comme… Eh bien, ça m'ennuie de le dire, mais… tu deviens comme Pam.

— C'est méchant. Tu commences par me rappeler que je n'ai pas fait l'amour depuis une éternité, et maintenant tu me compares à Pam. Et d'ailleurs, elle, tu ne lui casserais pas les pieds si ses parents lui arrangeaient un rendez-vous avec un gentil petit avocat juif.

— Je sais que tu n'as pas envie que je me lance dans un discours au sujet de Pam.

Elle avait raison.

J'ai soupiré. Le taxi a ralenti et s'est s'arrêté devant le Waldorf Astoria. Un portier en uniforme s'est précipité pour ouvrir la portière.

— Je préfère que tu ne te lances dans rien du tout pour l'instant parce que mon carrosse vient d'arriver au bal. Les princes romantiques vivent dans les contes de fées, Cristy, un prince bien de ce monde me suffira.

atteinte de la même folie furieuse que moi – ils s'étaient installés à Manhattan dans des appartements solitaires, refusant de reconnaître que « célibataire à trente ans » soit une maladie.

— Entre la fac et mon mariage, j'ai vécu trois années merveilleuses, vraiment, a repris Neha. Je me suis beaucoup amusée. Le week-end je sortais dîner, j'allais au cinéma avec mes amis. Stamford, dans le Connecticut, est agréable, un peu froid pour nous peut-être. Le matin, Vinny et moi partons travailler ensemble en voiture, et le soir si je n'ai pas envie de cuisiner, nous dînons dans un restaurant du coin.

Au lieu de transpercer Neha entre les deux yeux, le tranchant de mon regard s'est transformé en simple pique à cocktail en plastique avant même d'atteindre l'autre côté de la table. La pique a rebondi sur le bouclier matrimonial de Neha et atterri en un petit tas sur son assiette à dessert. Mon martini et moi avons observé le petit tas sur le point de s'effondrer, ensevelissant le reste de mon amour-propre. Quand la troisième « tante » (toute femme sans lien consanguin mais en âge d'être ma mère ne m'ayant pas revue depuis que j'étais « haute comme ça ») m'a demandé, avant de me saluer, la date de mon mariage, mon martini a disparu comme par enchantement. « Dès qu'il aura obtenu la liberté conditionnelle », ai-je envisagé de répondre. Ou encore : « Mardi. Mais tu n'es pas invitée. Contente-toi d'envoyer un cadeau à mon appartement. J'ai déposé ma liste de mariage chez Les Dessous du Crazy Horse. »

— Neha chérie, dis-moi…, s'est renseignée une autre

tante à ma droite. Avez-vous rencontré d'autres jeunes couples avec qui vous lier ?

Qu'on s'intéresse tant à ma cousine demeurait un mystère à mes yeux.

— Oh, oui ! Nous avons rencontré plusieurs autres couples très sympathiques ! s'est exclamé Neha avec un regard ravi vers son mari, Vineet.

Vineet a avalé son thé et m'a adressé un clin d'œil, en signe d'encouragement, en dépit de mon statut tragique de vieille fille.

— Mais tu sais… beaucoup de célibataires habitent aussi Stamford. Je connais même quelques filles originaires d'Inde. Je les plains sincèrement… Seules dans un pays étranger, elles passent leurs journées seules et regagnent un appartement vide. Mais elles prétendent aller très bien. Elles travaillent, vivent seules et ne s'intéressent pas du tout au mariage. Elles n'ont même pas envie d'en parler. Tu imagines !

*Une nana pesant quatre-vingt-quinze kilos qui habite au milieu de nulle part et n'a d'autre ami que son mari me plaint,* ai-je raconté en riant à Marty – j'avais décidé de baptiser mon martini Marty, en remerciement de sa loyauté, et je communiquais avec lui par télépathie. *Tu imagines !*

La tante s'est penchée vers moi pour me hurler dans l'oreille :

— Et toi Vina ? *Koi nehy milha ?*

J'ai supposé qu'elle haussait la voix afin de parler plus fort que les voix censées résonner dans ma tête, comme dans celle de toutes les femmes célibataires indépendantes qui habitent un appartement vide. Mais je n'ai pas compris pourquoi elle agitait la main devant son visage comme un tambourin. Ses doigts cherchaient-ils à éviter que ma guigne sentimentale ne contamine l'un des heureux couples présents ? Super. J'ai secoué la tête à l'intention de Marty. *Ils croient mon cas tellement désespéré qu'ils m'envoient une exorciste.*

Les mariés sont passés devant nous, virevoltant sur la piste de danse. Nikhil, vingt-sept ans, et Suraya – un ingénieur du MIT et une interne en médecine de la faculté de New York – s'étaient rencontrés l'été précédent lors d'un dîner chez un ami. Derrière les sculptures de glace, j'ai aperçu plusieurs célibataires de sexe féminin qui se cachaient uniquement pour éviter la sempiternelle question posée dans les mariages du monde entier. Existait-il une réponse appropriée à *koi nehy milha ?* Ai-je enfin rencontré quelqu'un ? Répondre simplement « Non, je n'ai rencontré personne » sonne un peu désespéré. La vérité vous ferait passer pour une dévergondée. « En fait, j'ai couché avec quelques mecs. J'en recommanderais même certains à une amie. Mais personne avec qui j'aie envie de vieillir et perdre mes charmes. »

J'avais choisi d'arborer une apparence nonchalante, familière à toutes les femmes indiennes « en âge de se marier » encore célibataires. Donc je mentais. « Oh tante, je n'ai pas le temps de penser au mariage en ce moment. Mon métier me passionne trop. »

— Vina est trop timide, a interrompu mon père.

On ne pourra jamais reprocher à cet homme de ne pas intervenir au bon moment.

— … Mais ce soir, nous sommes convaincus que les choses vont changer. Nous lui avons trouvé un charmant garçon.

— Oh ? Le docteur de Pittsburgh ? Celui dont vous m'avez parlé ? a questionné tante Meenakshi, pleine d'espoir.

Quel docteur ? Elle a dit Pittsburgh ? Avec combien d'autres personnes mes parents discutent-ils de ma vie privée ?

— Non, non.

Mon père a secoué la tête.

— Nous avons découvert que cette famille de Pittsburgh avait connu de nombreux divorces. Ce garçon, Prakash, est âgé de trente ans, ce qui est parfait pour Vina. Il est né dans le New Jersey, mais vit à Manhattan. C'est un avocat doté d'un curriculum impressionnant. Il mesure un mètre quatre-vingt-un et ses parents sont tous deux ingénieurs. Nous regrettons qu'ils ne soient pas originaires du Punjab – ils viennent du Gujarat – mais, de nos jours, il faut savoir se montrer large d'esprit sur ce point. De plus, son père a étudié à ITT dans la même promo que le beau-frère de mon cousin au troisième degré, Prem, qui vit maintenant à Bombay. Tout le monde s'accorde sur le fait qu'il s'agit d'une bonne famille. Prakash est l'aîné de trois frères, et ils ont tous fait de grandes études.

La table 21 a acquiescé d'un hochement de tête collectif. *Lady in Red* a égrené ses premières notes. J'ai avalé ce qui restait de mon dernier martini et cherché du regard les sorties de secours.

— Pourquoi tout le monde discute-t-il de cette affaire ? est intervenue en hindi ma grand-mère maternelle (appelée Nani selon la tradition). Nous avons rempli notre rôle. Maintenant laissons les enfants décider. Où est passé ce Prakash d'ailleurs ? Qui est cet homme qui fait attendre ma Vina ?


Mon premier souvenir était un souvenir de ma Nani confectionnant des gulab jamuns dans notre cuisine. Je la regardais les frire et les saupoudrer de sirop doré. Je devais avoir six ans. J'avais tiré mon tabouret près de la cuisinière et m'étais juchée dessus. Les coudes sur la table, j'avais patienté en silence, attendant qu'elle arrache un morceau de la pâte crue et sucrée pour me le tendre. Je n'avais jamais compris comment elle faisait pour prendre toujours la bonne quantité de pâte et la rouler si vite entre ses paumes en une boule parfaite. Je lui avais posé des questions sur mon grand-père, que je n'avais jamais connu.

— Ton grand-père était un homme très bon.

Elle avait secoué la tête et repris de la pâte.

— *Ithna shareef !* Ici on l'aurait traité de naïf, mais il était bien davantage que ça. Il prenait soin de tout le monde. Il portait ta mère sur ses épaules et lui faisait faire l'avion. Elle était trop petite pour s'en souvenir, encore plus petite que tu ne l'es aujourd'hui.

— Il aimait les gulab jamuns ?

Je balançais mes pieds dans le vide, me régalant de pâte.

— *C'était* un gulab jamun, ma petite.

Elle s'était arrêtée pour me regarder.

— … *mon* gulab jamun.

J'avais penché la tête de côté.

— Est-ce qu'il ressemblait à un gulab jamun ?

— Pour moi, oui. Et un jour, toi aussi tu rencontreras ton gulab jamun.

Elle m'avait soulevé le menton.

— Comment je saurai que c'est lui ?

— Tu le sauras, m'avait-elle rassurée avant de tremper une douzaine de boulettes dans l'huile bouillante, qui sous son œil attentif n'éclaboussait jamais.

— Tu en es sûre ?

— Oui.

— Mais s'il ressemble plutôt à un jalebi ?

— Impossible.

— Ou à un rasgulla ?

— Un rasgulla ne ressemble en rien à un gulab jamun. D'ailleurs, maman et papa le reconnaîtront pour toi et te le présenteront le moment venu.

Je m'étais interrompue, la tête penchée.

— Mais comment reconnaîtront-ils un gulab jamun s'il ressemble à un rasgulla ou à un jalebi ?

Elle s'était interrompue de cuisiner pour me regarder.

— Ne t'inquiète pas, Vina. Les gentilles filles font confiance à leurs parents. C'est tout ce que tu as besoin de savoir.

Ma curiosité devait se satisfaire de ça. Ma Nani avait toujours raison.

Un serveur a surgi à mes côtés.

— Madame ? Un autre rasgulla ? Madame ?

— Vina ? Tu écoutes ? m'a grondée ma mère.

Toute la tablée me regardait. Peut-être qu'effective-ment le célibat m'avait *dérangé* le cerveau.

— Ne t'inquiète pas, petite cousine.

Avant de se faufiler entre les chaises pour atteindre la piste de danse, Neha m'a tapoté l'épaule.

— … Tu trouveras bientôt quelqu'un.

*Je ne suis pas inquiète,* ai-je pensé, approuvée par Marty. *Par contre je meurs de soif.*

J'ai froncé les sourcils à l'intention du serveur et de son plateau de thé.

— J'ai besoin d'un truc un peu plus fort.

J'ai repoussé mon siège et j'ai foncé vers le bar.

Pourtant, je suis arrivée au mariage absolument ravie pour Suraya et Nikhil. J'ai levé ma flûte en même temps que tout le monde pour porter un toast aux nouveaux mariés. Des heures durant, je me suis efforcée de sourire tout en supportant des bavardages insipides, avant de finir par me diriger d'un pas trop mal assuré vers le bar. Et là, juste quand le barman de vingt et un ans commençait à me paraître un petit peu trop séduisant, c'est arrivé. J'ai tendu le bras pour me saisir de mon troisième martini, mais une main à la peau souple s'est posée dans la mienne.

Ma première réaction a été de m'emparer du verre et le soulever au-dessus de ma tête. L'avaler d'un trait et vivre la nuit à fond. Mais quand j'ai réalisé que la main, très masculine, terminait un bras fort et plein d'assurance, j'ai suspendu mon geste. Un visage dangereusement séduisant suivait le bras. Et le propriétaire de l'ensemble semblait me trouver tout aussi séduisante.

— Mademoiselle la barmaid, m'a-t-il lancé, je croyais avoir été clair : ce cocktail doit être mélangé au shaker et non à la main.

*Ouuuuuh là, il est vraiment appétissant.* Pour approcher un sourire de ce calibre, je pourrais me laisser convaincre de me glisser dans ce verre de martini. C'était un croisement de James Dean et de Sunil Dutt (le James Dean du cinéma indien). J'ai souri et ai lâché prise. Quantité de répliques pleines d'esprit s'entrechoquaient dans ma tête en une commotion cérébrale géante.

— Huuuummmmm, ai-je déclaré.

A moins que je n'aie éternué. Il a dû se persuader qu'il s'agissait d'un dialecte de mon cru parce qu'il a souri, comme s'il était impressionné. Il a reposé le verre sur le bar et je me suis éclairci la gorge.

— Je vous le joue au pouce de fer.

— Vraiment? me suis-je exclamé.

J'étais bien trop pompette pour simuler le détachement sous des yeux aussi profonds que malicieux.

— Non, je plaisantais.

Il riait, comme devant une adorable créature venant

de faire une plaisanterie. J'ai baissé les yeux. Notre collision avait éclaboussé de martini la manche de son smoking. J'ai fugitivement envisagé de la lécher. C'est là que j'ai décidé de ne plus boire de la soirée. Je devais irradier la fausse confiance en soi et le gin.

— Je me présente, Prakash.

Il a essuyé sa main avant de me la tendre.

— Tu dois être Vina?

*Chéri, donne-moi le nom que tu veux.*

— Oh! Prakash!

Je me suis frappé le front et l'ai regretté immédiatement.

— Oui, ma mère m'a parlé de vous… Ravie de vous rencontrer enfin.

Par-dessus l'épaule de Prakash, j'ai aperçu ma mère qui depuis l'autre bout de la pièce ne nous quittait pas des yeux. Elle s'est assise, sourcils haussés et pouces tendus, comme pour soutenir le seul candidat indien de *Fear Factor*. La femme à ses côtés semblait évaluer les capacités procréatrices révélées par mon *salwar kameez*. A ses hochements de tête satisfaits, j'ai supposé qu'il s'agissait de la mère de Prakash. Mon père, l'estomac rassasié et le cœur plein d'espoir, s'était tranquillement assoupi dans son fauteuil, et probablement rêvait-il à ses futurs petits-enfants et à ses remontrances afin qu'ils se tiennent droits.

Les dernières notes d'une chanson traditionnelle du Punjab, mixée à la bande originale de *Knight Rider*, se sont dissipées, et *Careless Whisper* a pris le relais.

Le DJ, Jazzy-Curry-Roupie, je ne savais plus trop, a apostrophé l'assemblée.

— Tous les gentlemen et les dames en piste pour un slow formidable, s'il vous plaît.

Les mains derrière le dos, Prakash a feint de baisser les yeux avec nervosité.

— Ta mère a dit à la mienne que je devais t'inviter à danser. Alors… Eh bien… Qu'en dis-tu ?

J'ai répondu d'un grand sourire et il m'a guidée vers la piste. La foule s'est dispersée, les couples, enlacés. Prakash m'a prise dans ses bras. L'expression toujours malicieuse, il m'a guidée avec assez d'assurance pour que je n'aie aucun doute sur le meneur de la danse. Nous avons tournoyé sur la piste avec le même ravissement que les deux gamins de cinq ans tout proches, poussés là par des parents avides de photos. Pas besoin de miroir pour nous rassurer. Prakash et moi formions un couple parfait.

Quelle chance. J'ai dégotté un avocat, adorable, drôle, bon danseur… Et indien ? Dès demain, je me lance à la recherche des meilleurs spécialistes de tatouage nuptiaux au henné. Et lundi matin, j'étudie les possibilités de location du cheval sur lequel Prakash fera son entrée à notre mariage.

Au moment clé, un cavalier médiocre aurait pu me lâcher, mais Prakash, parfait, m'a maintenue d'une main ferme tandis que je me renversais entre ses bras, une jambe en l'air. J'ai plongé si profondément en arrière que la pointe de mes cheveux a effleuré le sol.

J'ai souri, autant pour mes parents que pour moi-même, et le sang m'est monté à la tête.

— Prakash, ai-je murmuré quand il m'a relevée. Tu es beau, charmant et avocat. Pourquoi aucune femme n'a-t-elle encore réussi à te mettre la main dessus ?

— Il existe à cela une explication très simple, Vina…

Il m'a fait tournoyer, fixant mon corps plutôt que mes yeux, puis m'a pliée comme une guimauve autour de son bras.

— … Je suis totalement gay.

J'ai manqué m'évanouir. J'aurais encore préféré qu'il me lâche.

# 3

Mes grands-parents parlaient peu l'anglais. Quand j'étais enfant, ils vivaient avec nous. Leur présence garantissait ma parfaite maîtrise de la langue hindi, et un approvisionnement perpétuel en films de Bollywood, surnom que l'on donne au cinéma indien. Comparés aux films qu'ils considéraient comme moralement discutables, les films indiens devaient leur paraître d'une prévisibilité réconfortante. Parce que les acteurs variaient, mais le scénario, jamais.

Entre la fille riche trop gâtée et le garçon rebelle né du mauvais côté de la barrière, un mépris mutuel s'installe dès le premier regard. Ce mépris évolue en flirt, puis en amour naissant quand elle lui offre son écharpe de soie en guise de bandage, le jour où il se blesse en réparant la voiture de la belle, tombée en panne, pure coïncidence, devant chez lui. Leur amour se nourrit de rencontres secrètes consacrées à exécuter des numéros aux chorégraphies élaborées. Entre deux chansons, ils changent de costume, afin de chanter sur les rives du fleuve ou au sommet des montagnes. Les numéros s'achèvent sur un ersatz de baiser tandis que les paysans du coin se lancent spontanément dans la danse. Mais quand leurs pères – qui bien évidemment entretiennent une vendetta embrouillée débutée bien avant leurs naissances – apprennent leur romance torride, c'est l'enfer. Le héros se bat, se fait kidnapper et est sommé d'oublier l'héroïne. L'héroïne pique des crises, sa mère lui offre des conseils pleins de sagesse et, après quelques nouvelles bagarres, le héros manque se faire tuer. Les parents décident alors d'oublier le passé, s'accordant à reconnaître que seul compte l'amour, et organisent un mariage grandiose, où à nouveau on danse, chante mais où l'on ne s'embrasse toujours pas.

En bref, c'est *Roméo et Juliette* avec plus de chorégraphies et moins de sexe. Et, au contraire de *Roméo et Juliette,* les histoires de Bollywood connaissent toujours un *happy end.* Le mariage de mes parents est un mariage arrangé, célébré environ deux semaines après que leurs parents les eurent présentés l'un à l'autre. Ils n'emploient pas le mot amour mais, si ma mère est malade, mon père est incapable de trouver le sommeil. Quant à elle, je ne l'ai jamais vue boire son thé matinal sans lui. Déclarer en public qu'ils s'aiment, m'a expliqué un jour mon père, reviendrait un peu à publier un communiqué de presse annonçant que l'eau est mouillée.

Aucun homme n'a jamais compris pourquoi je m'accrochais à l'idée d'un *happy end,* tout en prétendant avoir accepté l'idée que la probabilité en était mince. Les mêmes m'assuraient que j'étais illogique, ou encore que mon obsession de l'amour idéal pouvait facilement me mener à la solitude. Ces derniers temps, j'ai commencé à craindre que, s'ils avaient raison, je ne pourrais blâmer personne d'autre que moi.

*Et bien, ça m'apprendra à faire l'impasse sur le recourbeur de cils.* J'ai foncé vers le vestiaire, les paupières clignotantes. D'après l'expression des invités que j'ai croisés en chemin, je devais faire une drôle de tête. Dans ma fuite loin de la piste de danse, un de mes cils s'est envolé et a atterri à l'intérieur de ma paupière. A part me fourrer une phalange entière dans l'œil, je ne voyais pas comment le déloger. Ma joue tremblotante dégoulinait de mascara et un début de spasme s'était emparé de mon visage. Vous qui nous enviez notre abondante et brillante chevelure, sachez ceci : ce que nous, femmes indiennes, économisons en séances d'U.V. et traitement contre le mélanome, nous le dépensons dans la lutte contre nos follicules. Les épilations à la cire chaude, à la cire froide, à la pince, à la crème arracheraient des larmes de douleur n'importe quel homme adulte.

Je me suis penchée au-dessus du comptoir à la recherche de l'employée du vestiaire.

— Vina.

Ma mère m'a attrapée par le bras et fait pivoter face à elle.

— Qu'est-ce que tu fais ici ?

Quand son accent du Punjab s'accentue, cela signifie que j'ai dépassé les limites.

J'ai détourné le regard.

— Je cherche la fille du vestiaire.

— Nous avons cru que tu avais un problème. Tu

t'enfuis en courant, abandonnant le pauvre Prakash sur la piste comme un idiot ! Papa a cru que tu souffrais d'indigestion, moi j'ai supposé que tes dix martinis t'avaient rendue malade.

— Trois martinis, maman.

Je me suis frotté le bras droit. Pour une femme d'un mètre quarante-sept plutôt sédentaire, ma mère faisait montre d'une force effrayante.

— Et une femme tire fierté d'avoir bu trois martinis ?

— Non.

J'ai actionné la sonnette sans aménité et ma gorge s'est serrée.

— Oh, *beti*, s'est-elle adoucie.

L'inquiétude a envahi son visage.

— Tu vas bien ?

Elle avait mal interprété mon expression.

— Oui maman.

J'ai respiré à fond et simulé un sourire.

— … Je vais bien.

— Viens par là.

Elle a extirpé un mouchoir de sous la bretelle de son soutien-gorge et a entrepris de me tapoter la joue.

— Maman !

Je me suis écartée d'un mouvement brusque, comme une ado évitant la salive maternelle.

— … Je vais bien.

— Si tu vas bien, pourquoi te sauves-tu ?

Elle a arqué les sourcils.

— … S'est-il *mal conduit* ?

32

J'ai secoué la tête.

— Non maman. Rien de tel. Prakash s'est comporté en parfait gentleman.

— Alors explique ton comportement, Vina.

Elle a rassemblé les plis de son sari qu'elle a rabattu sur son épaule avant de plaquer les mains sur ses hanches.

— Pourquoi cette attitude ? Tu te rends compte de l'insulte que tu as infligée à sa famille ? En public ?

— Maman, crois-moi, nous ne sommes pas faits l'un pour l'autre.

— Et pourquoi pas, Vina ? Explique-toi ! Vous êtes tous deux indiens, vous exercez tous deux un bon métier, il est séduisant et de bonne famille. Que désires-tu de plus ? Et par pitié, épargne-moi tes théories sur l'alchimie amoureuse. Tu n'es plus une enfant, tu sais que ces choses prennent du temps. Ton père va me demander pourquoi tu te montres si déraisonnable.

Elle a penché la tête.

— A moins que… Attends une minute. Tu n'as rien dit d'affreux, n'est-ce pas ?

J'ai serré les dents.

— Non maman. Bien sûr que non. Je n'ai rien dit d'affreux.

Impossible de m'empêcher de cligner des yeux. Ni de me maudire d'avoir préféré ce cauchemar à la séance de rodéo de Cristy.

— Le problème avec Prakash, c'est qu'il est…

— Te voilà enfin !

Dès l'apparition de Prakash, ma mère s'est mise à roucouler.

— Oh! Bonjour, *beta*. Comment vas-tu?

Cette métamorphose instantanée est à faire froid dans le dos.

— Bonjour, tante. Vous devez être la mère de Vina. Enchanté de faire votre connaissance. Quel ravissant sari. Il est en organza? Il a été fabriqué à Delhi, non? Ma mère jure qu'il est impossible de trouver une telle qualité à New York, même à Jackson Heights.

Il ne reculait devant rien. Ma mère rayonnait et moi, j'étais paumée.

— Merci, *beta*. Merci. Je vais aller saluer ton père.

Elle était tout sourire. J'ai tiraillé ma paupière, ce qui a provoqué un bruit de succion. Ma mère m'a fusillée du regard avant de tourner les talons et de s'éloigner d'un pas sautillant. J'ai levé les yeux au ciel et renoncé à trouver l'employée du vestiaire. Je me contenterais du réceptionniste.

Prakash a suivi des yeux la sortie de ma mère avant de me glisser :

— Vina, il faut que nous parlions.

Je me suis tournée vers lui.

— *Nous?* Il n'y a pas de *nous,* espèce de timbré. Toi et moi n'avons rien à nous dire.

Là-dessus, je lui ai tourné le dos.

— Il faut que tu m'écoutes!

Il m'a saisie aux épaules et poussée dans le vestiaire. Ma joue a été prise de spasme, mon œil d'un tic nerveux et ma respiration s'est accélérée. Mi aveugle mi-ivre, clouée au sol par dix centimètres de talons, j'ai oublié tous mes réflexes de survie. Au lieu de réagir, je me suis mise à hyper-ventiler, tout en tentant de me rappeler la marche à suivre. Comment et où devais-je frapper ? D'un coup de genou dans l'entrejambe ? Dans les yeux ? D'un coup de pied dans le ventre ? Ou devais-je saisir et tordre et une partie sensible ? Crier au secours ? Rouler à terre comme en cas d'incendie ?

— Vina, tu ne comprends pas ! a-t-il insisté, me forçant à reculer dans la pièce minuscule.

Je priais pour découvrir une sortie de secours toute proche, quand j'ai perdu l'équilibre et me suis écroulée sur une pile de manteaux. Prakash est tombé sur moi. Que le talon de ma chaussure gauche casse, je m'y attendais, mais que les manteaux sur lesquels j'avais atterri aient la main baladeuse, certainement pas. J'ai repoussé Prakash, me suis relevée et ai bondi en position de judo. (Note personnelle : éviter les rediffs d'*Austin Power* sur le câble.)

Un gloussement et deux têtes ont surgi de la pile de manteaux.

— Hééééé chérie, ne le prends pas mal. Avec nous, il y a toujours de la place pour une personne de plus, a déclaré l'une des deux têtes.

J'ai cligné des yeux, mais j'avais bien vu : à califourchon sur le barman, l'employée introuvable du vestiaire me souriait par-dessus son épaule nue. Me découvrant accompagnée, le barman a haussé un sourcil. Je jurerais l'avoir entendu préciser :

— … Pour un… Ou pour deux.

Mais je fonçais déjà en direction de la porte.

Me tâtant le front d'une main, je me suis élancée à travers le hall, ne ralentissant que pour jeter ma chaussure fichue à la poubelle. Du coup, mon pied encore chaussé a trébuché et j'ai percuté les portes de verre, m'écorchant le genou. Mais je ne me suis pas attardée à m'apitoyer sur mon sort. Prakash me talonnait. Je me suis relevée pour ouvrir les portes à la volée, et sauter dans le taxi qui attendait devant. Ce qui m'a juste laissé le temps de bazarder mon autre chaussure par la fenêtre avant que le chauffeur ne mette le contact.

— Mes parents ignorent que je suis homo, a crié Prakash à travers la vitre tandis que le taxi démarrait.

Je me suis tournée en souriant vers le chauffeur de taxi.

— Je me demande pourquoi il croit que cela me regarde.

Le chauffeur m'a répondu d'un grand sourire avant de me ramener chez moi.

# 4

— Chica, qui à New York peut s'accorder quatre heures de brunch dominical et réussir à payer son loyer ? J'aimerais bien le savoir.

Cristina s'est assise à notre table. Elle a posé son téléphone portable et son Black Berry à côté des miens pour prendre son pouls grâce au moniteur attaché à son poignet, avant de remarquer la présence de Paméla.

— Oh, pardon Pam.

Cristina entretenait une relation obsessionnelle avec la gym, mais elle avait ses raisons. Ces quatre dernières années, elle et moi avions passé le plus clair de nos dimanches au bureau, afin d'être à jour le lundi matin. Dans notre profession, une telle attitude ne faisait pas de nous des employées exceptionnelles, mais simplement compétentes. Au fil de ses tentatives visant à évacuer le stress ainsi accumulé, Cristina était devenue experte en self-defence. Du model mugging (simulation d'attaques par de faux agresseurs bardés de rembourrage) au krav-maga (entraînement aux techniques de corps à corps mises au point par l'armée israélienne), elle maîtrisait tout. Une autre de ses habitudes, plus pénible, consistait à émailler sa conversation d'expressions en espagnol afin d'évoquer la complicité de mise entre filles d'im-migrés. Manipulation impardonnable. Il m'arrivait moi-même de lâcher de temps en temps un *Roudoudou* ou un *Baby* quand j'essayais d'attirer un mec amateur de steaks dans un restaurant thaï (une alimentation variée ne peut nuire), ou pour le convaincre que me masser les pieds atténuerait les souffrances causées par son canal carpien (je jure avoir lu ça quelque part). Mais je ne serais jamais tombée assez bas pour utiliser ces tactiques avec mes copines.

Pam, elle, est issue d'une école de pensée très diffé-rente, qui lui a enseigné à ne pas se soucier de détails tels que le paiement du loyer. Une fois son diplôme en poche, son père – rongé aujourd'hui encore par la culpabilité d'avoir, vingt ans auparavant, quitté la mère de Pam pour la jeune fille au pair – lui a offert un deux pièces dans l'Upper East Side. Ce qui lui permet d'avoir une garde-robe à laquelle ni Cristina ni moi n'oserions rêver, malgré nos salaires près de trois fois supérieurs au sien. Mais au contraire de nous, Pam n'a pas le choix – chez Windsor, la boîte qui vend aux enchères des œuvres d'art très, très haut de gamme dans laquelle elle travaillait pour presque rien, Chanel, Gucci et Polo tiennent lieu d'uniformes, sans compter les invitations à certains des événements mondains les plus snobs. Quelques-unes de ces invitations parve-naient jusqu'à nous, et Cristy et moi y trouvions aussi avantage. Chacune de ces soirées nous faisait miroiter champagne et compagnie d'aristocrates cosmopolites, pour qui notre présence suffisait à garantir nos royales origines.

— Pas grave.

Paméla a écarté la remarque comme s'il s'agissait d'agaçantes mouches à miel, avant de renifler avec suspicion la crème fouettée recouvrant mon café caramel macchiato.

— C'est du déca ?

— Absolument.

J'ai remué le caramel avec précaution, attentive à ne pas faire retomber la crème fouettée. Avant de comprendre que son ton critique appelait une réaction de ma part.

— Et alors ?

En dépit de ses tenues désespérément chic, Paméla m'a toujours donné l'impression de tout connaître sur tout. Et ce dès son apparition, neuf ans plus tôt, dans ma chambre d'étudiante, au deuxième jour du premier trimestre. Entrée d'un pas léger, elle s'était installée au milieu de mes cartons en attente de déballage et avait désigné un manuel de littérature en me demandant si je m'étais inscrite au cours du professeur Feineman le vendredi. Mauvaise idée, a-t-elle décrété quand j'ai acquiescé. J'allais devoir rater les fêtes du jeudi soir afin d'être réveillée pour le seul cours commençant à 8 heures. Puis, avec la même facilité qu'elle venait de prononcer ces mots, elle avait porté à sa bouche une portion de nouilles chinoises sans en mettre partout. Avec des baguettes. Comme jamais auparavant je n'avais rencontré quelqu'un de mon âge capable de cet exploit, j'en avais naturellement déduit que j'avais beaucoup à apprendre de cette femme. Le temps m'avait guérie de cette idée, encore qu'avec l'âge le raisonnement de Paméla s'était aiguisé et ses opinions, durcies.

— *Et alors…* Tu ne bois jamais de déca.

Cristina faisait corps avec l'ennemi.

— Si, je bois du déca.

J'ai fait semblant de consulter de vieux messages sur mon Black Berry.

Pam a épousseté des pellicules imaginaires sur mon épaule.

— Ah oui ? a-t-elle renchéri. Et depuis quand ?

— Je ne sais pas… Ça m'arrive de temps en temps. Franchement ça intéresse qui de le savoir ? Pourquoi serait-ce important ?

— *Hijole…* Parce que tu te comportes bizarrement ces temps-ci et que nous nous inquiétons à ton sujet.

Cristina me défiait du menton.

— Pourquoi ? Quel est le problème ? Peut-être ai-je décidé de limiter les excitants ?

— Les excitants… ? C'est pratiquement du café qui coule dans tes veines, Vina. Tu t'entends ? Tu parles comme si tu approchais les soixante ans.

— Boire du déca ne te ressemble pas, Vina, a interrompu Pam. Pas plus qu'autoriser tes parents à t'arranger un rendez-vous avec un inconnu, pourtant Dieu sait que je t'encourage à rencontrer tout mec ayant une chance de te plaire. Enfin bon, nous voulons savoir ce qui se passe. Tu sembles crevée en ce moment.

*Crevée ? Si elles avaient la moindre idée de ce que j'ai*

*vécu ce matin avant d'arriver chez Starbucks, elles juge-*
*raient mon actuelle maîtrise de soi effrayante.*

Trois heures plus tôt, j'avais vécu une expérience traumatisante, devant un public plus nombreux mais plus compatissant. J'aurais dû mieux me préparer, mais qui se serait douté que New York comptait autant de « Claustrophobes Honteux Anonymes » ?

— Je, hum… Je m'appelle Maria, avais-je bafouillé quand trente paires d'yeux s'étaient braquées sur moi, et je suis une claustrophobe honteuse. Ma dernière crise remonte à il y a environ huit heures.

J'ai éclairci ma voix, notant mentalement de m'assurer qu'aucun de ces barjos ne me suive jusque chez moi.

Reconnaître mon problème était déjà assez difficile. Je n'avais pas vu la nécessité de révéler mon identité au groupe disparate réuni ce samedi matin dans le sous-sol de l'église Sainte-Agnès, dans la 13ᵉ Rue. J'imaginais très bien mon secret exhibé au grand jour, un jour où je flânerais tranquillement chez Bergdof en compagnie de ma mère. « Tu ne comblerais pas le vide de ta vie de telles sottises si tu étais mariée et installée dans la vie », expliquerait-elle. Puis elle secouerait la tête à la vue des escarpins à talons hauts que je serais en train de contempler, et se dirigerait vers le rayon des bons vieux modèles de chez Talbot.

Selon mes parents, les problèmes psychologiques relevaient d'un luxe réservé aux Américains, paresseux et nombrilistes. Je l'avais compris très tôt et avais décidé, à peu près en même temps, que pour gérer au mieux ma double identité culturelle indo-américaine, mieux valait garder certaines choses pour moi. La veille, dans le vestiaire, j'avais paniqué. Et j'étais tout aussi consciente d'avoir besoin d'aide que mortifiée d'être enfin venue en demander. La main posée sur mon genou contusionné, je me tortillais sur ma chaise en me répétant les cinq commandements des Claustrophobes Honteux Anonymes : Repérer les sorties. Fermer les yeux. Compter jusqu'à dix. Garder son calme. Se concentrer.

Delilah, la réceptionniste d'âge mûr qui s'est exprimée avant moi, a craqué deux fois en décrivant la torture de son trajet dans un bus bondé. Arthur, l'homme âgé qui l'avait précédée, avait expliqué comment la frustration née de sa claustrophobie avait déclenché chez lui un problème de gestion de la colère, culminant en un syndrome de Tourette qui avait mis un terme à sa carrière d'acteur. J'étais contente d'être venue, heureuse de découvrir que j'étais bien moins atteinte que tous ces cinglés. La séance se déroulait plutôt bien, surtout en comparaison de ma première tentative. Trois mois plus tôt, je m'étais arrêtée sur le pas de la porte, quand j'avais entendu le responsable des Colériques Anonymes menacer le responsable des Claustrophobes Honteux de représailles physiques s'il ne cédait pas la salle du rez-de-chaussée, plus vaste, au groupe de soutien des Victimes du Vertige, dirigé par son ex-femme.

Je me demandais comment l'albinos à ma gauche pouvait se prétendre claustrophobe, lui qui s'obstinait à empiéter sur mon espace personnel, quand j'ai aperçu une silhouette familière à la porte. Ma cousine Neha.

— Le gouvernement a volé mes chaussures ! avait déclaré Arthur de but en blanc.

Tout le monde avait sursauté, y compris lui-même.

Mon siège n'était probablement pas encore froid que j'étais presque arrivée chez Starbucks.

— *Il est gay ?* a lâché Cristina, manquant s'étouffer avec sa boisson. Waouh… Je savais que tes parents ne cernaient pas ce que tu désirais chez un homme, mais là vraiment !

— Ils ne savent pas qu'il est gay.

J'ai parlé fort afin d'être entendue de nos voisins dont les regards pleins de pitié m'indisposent.

— Est-ce que ses parents le savent ? a demandé Pam dans un murmure, comme si le sujet la concernait.

— Bien sûr que non.

— *Que locura*, c'est dingue, a tranché Cristina, tordu même. Et au temps pour le sérieux des enquêtes discrètes menées par les réseaux de connaissance indiens.

J'ai tenté d'expliquer.

— Les réseaux de connaissance indiens sont tout sauf discrets. Et l'enquête n'est pas en cause. A ce niveau, tout était parfait. La plupart des parents indiens ne s'interrogent pas sur la sexualité ou les préférences sexuelles de leurs enfants. Ils n'y pensent même pas. Pour eux, certaines choses vont de soi.

— Sérieusement, a repris Pam à l'intention de Cristy,

m'ignorant totalement… Tu dis qu'il a trente ans, c'est ça ? En parlant de vivre dans le déni…

L'allusion visait-elle les parents de Prakash ou Prakash lui-même ? Dans un sens, je plaignais ce garçon ; je pouvais le comprendre. Nos parents étaient le produit d'une culture qui rejetait les relations sexuelles prémaritales ainsi que toute sentimentalité. Leur génération avait connu si peu de mariages non arrangés qu'on se référait à ces mariages comme à des « mariages d'amour ». Comme la majorité des Indo-Américains de la première génération, j'avais accepté l'idée que mes parents nieraient à jamais ma *sexualité prémaritale*, tout comme les parents de Prakash nieraient son *homosexualité*.

Mes théories sur les avantages de la découverte de soi au fil des mésaventures amoureuses impressionnaient peu mon père et ma mère. Aussi avais-je caché mes relations avec les garçons, surtout les cinquante pour cent impliquant des non-Indiens. Et, vers mes quinze ans, j'ai décidé d'adopter la même attitude concernant ma claustrophobie.

— Ecoutez, je ne suis pas en colère parce qu'il est gay.

Je me suis concentrée sur ma tasse vide.

— … Je suis en colère qu'il m'ait menée en bateau.

Cristina a souri jusqu'aux oreilles.

— Quelle bonne blague.

— Je sais. Mais ce n'est pas grave. Prakash n'est

qu'un accident de parcours. Un incident insignifiant. Mon plan tient toujours.

Deux paires d'yeux médusés me fixent.

— Seigneur. Tu vas recommencer avec cette ânerie de « plus que trente mois avant trente ans » ? a hurlé Cristina.

— D'abord, ce ne sont pas des âneries. Ignorer mon horloge biologique ne la fera pas disparaître. J'en ai assez de perdre mon temps. Je dois être honnête envers moi-même.

J'ai pointé le menton vers Paméla.

— Je sais que *toi* au moins tu peux me comprendre.

Pour Pamela, *trente ans et célibataire* se traduisait à peu près par *sans-abri et atteinte d'une maladie mortelle sexuellement transmissible et rongeant le visage*. Depuis la nuit des temps – ou du moins le début de la fac, quand elle s'est réveillée dans son lit le lendemain de la course d'avirons la plus snob de la côte Est –, elle était *sur le point* de se fiancer avec William, avocat diplômé d'Harvard, catégorie fines rayures et tennis. Il n'était jamais venu à l'esprit de Paméla de se dire que le divorce de ses parents l'avait rendu méfiant envers le mariage. Mais elle ne voyait pas non plus ce qu'il y avait de répréhensible à traiter la recherche d'un partenaire comme celle d'un appartement. Une bonne affaire était une bonne affaire, point. Et une potentielle appréciation mutuelle à long terme surpassait de loin une attirance momentanée.

45

— Tu as raison, Vina. Je te comprends. Et je ne veux pas te voir célibataire à trente ans.

Elle m'a jeté le même regard qu'à une enfant qui aurait fourré une bille dans son nez.

— Je t'approuve aussi lorsque tu dis que nous *devrions* faire preuve d'honnêteté envers nous-mêmes. Alors faisons preuve d'honnêteté… Et parlons de ce dont il s'agit vraiment. Jon.

# 5

Une fois j'ai rompu avec un homme parce qu'il m'avait demandé si je parlais « indien ». Comme il ne plaisantait pas, je me suis enquise sans sourciller s'il parlait « blanc ». Il n'a pas compris son erreur. Pour moi, c'était le signal du départ. A l'extrême inverse, je suis sortie un jour avec un Anglais qui avait déclenché chez moi un besoin irrésistible d'empoigner ma bombe lacrymo dès que j'ai posé un pied chez lui. Son appartement regorgeait d'un bric-à-brac d'origine indienne que je n'ai jamais vu, même chez un Indien. Quand il avait engagé la conversation au bar, il s'était comporté avec le plus grand naturel, sans jamais mentionner sa fascination pour l'Inde. Or son appartement débordait de statues de Ganesh, des traditionnelles chaises de bambou suspendues, en passant par des gravures de villageoises en train de danser, des pots d'eau en équilibre sur leurs têtes.

Sans la moindre ironie, il m'avait offert du chai, le thé indien. Mais j'avais décidé de partir avant d'assister à sa version personnelle du *Silence des agneaux*. Peut-être s'agissait-il d'un type absolument normal, peut-être appréciait-il sincèrement l'artisanat indien.

(Et peut-être suis-je en fait une vraie blonde !) Mais dans ce cas, il aurait dû le mentionner avant notre arrivée chez lui. Les surprises ne sont pas de mise à New York. Comme le savaient déjà, ou l'apprendraient bientôt, ceux dont la vie amoureuse est métissée, il faut se méfier des fétichistes ethniques. J'ignore s'il savait que le B de Bollywood n'était pas une faute de frappe, ou si un autel dédié aux femmes indiennes agrémentait sa chambre, mais en moins de temps qu'il n'en faut pour dire *samosa*, j'étais hors de chez lui.

Ce genre de détails est toujours révélateur d'un dysfonctionnement émotionnel plus important. Evidemment, je n'ai jamais rencontré ce type de problèmes avec Jon. Il ne s'attendait pas que j'exécute une danse du ventre, charme un serpent ou fasse l'amour dans des positions physiquement impossibles. Positions que j'aurais apprises lors de cours de Kama-Sutra suivis pendant que les autres enfants étudiaient le catéchisme. Les hommes persuadés de ce genre de trucs se repèrent facilement. Ce sont les mêmes qui prétendent qu'« après trois margaritas, n'importe quelle femme est prête à une expérience lesbienne ».

Jon m'avait questionnée sur moi et ma famille, et paru sincèrement intéressé par mes réponses. Sans me consulter, il s'était procuré le manuel *L'Hindi pour les débutants* et avait commencé à émailler notre quotidien de mots et de phrases choisis. Mais il me parlait aussi en espagnol, en français ou en italien. La plupart du temps il m'appelait son « petit ticket de métro » mais, devant un tel sourire, vous aussi auriez fondu de plaisir à n'importe quelle appellation, remué votre petite queue imaginaire et bavé sur le devant de sa chemise Armani. Et vous aussi auriez fait la sourde oreille au bon sens vous recommandant de ne pas tomber amoureuse d'un homme absolument pas fait pour vous. Jon était un ex-chef cuisinier qui, quand je l'ai rencontré, possédait son propre restaurant. Sortir avec lui me donnait l'illusion d'être sophistiquée. Comme si je souffrais d'une incapacité physique à renverser quoi que ce soit sur moi.

S'il ne s'était pas obstiné à nier le fait que mes ovules approchaient de leur date d'expiration, nous n'aurions probablement pas rompu. Et aussi si je n'avais pas confondu son portable avec le mien, par un matin maudit deux semaines plus tôt.


La journée avait commencé on ne peut plus normalement. J'étais en retard pour le boulot et me maudissais d'avoir fait taire plusieurs fois l'alarme du réveil. Seul détail inhabituel : une visite de mon voisin, Christopher, un garçon si enflammé que je crains parfois qu'il n'incendie l'immeuble. Son sens inné du style et son incapacité à garder pour lui ses jugements vestimentaires déclenchaient chez moi un sentiment d'infériorité, ne me laissant d'autre choix que d'ignorer ses tentatives de rapprochement. Aussi imaginez ma surprise quand je l'ai trouvé à ma porte à 8 heures du matin, avec une histoire de voyage d'affaires de dernière minute (les comptables ont des voyages d'affaires de dernière minute ?), et son chat Bobo miaulant dans ses bras. Accepter de garder Bobo a sans doute été la première des décisions malencontreuses que j'ai prises ce jour-là. Mais il s'est avéré que je n'étais pas la seule dans ce cas. Ce jour-là, la ville entière était en dérangement. Sans réfléchir, et parce que cette conversation me retardait encore davantage pour le boulot, j'ai accepté, malgré mon canapé chocolat, de m'occuper du duveteux persan blanc.

Le temps consacré à l'installation de mon petit locataire dodu m'avait privée d'un arrêt chez Starbucks. Aussi étais-je à la merci des donuts Krispy Kreme qui trônaient dans la salle de réunion tous les lundis matin. Sarah, la seule autre femme de l'équipe, m'avait décoché un coup d'œil irrité quand j'avais commis le crime de m'enquérir s'il restait « un truc au chocolat » dans la boîte. Ex-joueuse de golf professionnelle revenue aux études après une blessure, Sarah avait récemment rejoint notre société d'analyse des marchés boursiers. Je la trouvais sympa, mais totalement inadaptée au monde non-sportif. Elle jurait comme un charretier, vous tapait dans le dos à tort et à travers et appelait tout le monde « les gars ». Certaines femmes semblent croire que, pour rivaliser avec les hommes, vous n'avez d'autre choix que d'en devenir un. Remarquez, on trouve aussi des femmes qui refusent la péridurale.

*Question : Tu n'aimerais pas ressembler davantage à un garçon ?*

*Réponse : Pourquoi aurais-je envie d'être plus poilue, plus seule et plus paumée que je ne le suis déjà ?*

Les autres ont secoué la tête en guise de réponse,

mais Sarah a affiché haut et clair son opinion. Même dans ce bureau d'hommes aux chaussures luisantes, aux dos épilés, aux costumes retouchés, pendus au téléphone avec leur entraîneur personnel, ma gourmandise obsessionnelle faisait de moi la honte des féministes du monde entier. Sarah a fait la moue.

— C'est dur la vie pour toi n'est-ce pas ? m'a-t-elle lancé.

Peter, un collègue, a levé les yeux de son exemplaire de *The Economist.* Denny un modeste analyste, a avalé la moitié d'un donut à la confiture tandis que Wade, le stagiaire plein de bonne volonté, s'est immobilisé au milieu de sa gorgée de café. A la table de conférence, tous les yeux se sont tournés vers moi. Mais, avant que j'aie pu répliquer, les lumières du plafond se sont éteintes. Tout le monde a levé les yeux, les lumières se sont rallumées, ont clignoté une seconde, puis se sont à nouveau éteintes. La pendule digitale au mur a suivi, de même que le terminal connecté à la Bourse.

J'ai lâché mon donut glacé au miel et ouvert la porte. Le bureau dans lequel j'ai pénétré était plongé dans l'obscurité. A ma grande surprise, mes collègues d'ordinaire hyperactifs étaient restés pétrifiés, s'interrogeant mutuellement du regard. Unis dans la perte de notre connexion internet qui nous laissait paralysés, nous nous étions rassemblés autour de la radio portative d'une secrétaire. La voix grésillante d'un reporter de CNN nous apprit qu'une série d'incidents survenus dans les centrales électriques du nord-est des Etats-Unis privait la région d'électricité.

En quelques minutes, tout le monde avait gagné la cage d'escalier plongée dans le noir, l'option ascenseur n'étant pas disponible quand quelqu'un éteint l'interrupteur de New York. Nous sommes descendus en file indienne, nous guidant au bruit de nos pas pour éviter les collisions. La sueur perlait à mon front tandis que je récitais le mantra des Claustrophobes Honteux : *Repérer les sorties. Fermer les yeux. Compter jusqu'à dix. Garder son calme. Se concentrer.* L'un des deux directeurs, Alan, me précédait, tandis que mon collaborateur Peter me suivait de près. Tâtonnant le long des murs et des rampes, nous avions descendu douze étages sans incident. Ce qui ne pouvait évidemment pas durer. Sur le palier du dixième étage, mes piètres facultés auditives et les hauts talons de mes escarpins en croco ont eu raison de moi. J'ai dû me tromper en comptant les marches. Ma jambe droite s'est posée dans le vide et j'ai basculé vers l'avant. Mes genoux ont cédé, mon dos s'est cambré et j'ai tendu les bras, cherchant instinctivement à me rattraper à quelque chose. Je ne préciserai pas quelle partie de l'anatomie inférieure d'Alan a rempli cette fonction. Je me contenterai d'ajouter : *Heureusement que je n'ai pas serré plus fort.*

Cette panne d'électricité prouvait que, lâchés dans le noir, les New-Yorkais n'étaient pas dignes de confiance. Ils devenaient presque aussi espiègles que des Australiens en plein jour. Une fois dehors, je me suis répandue en excuses auprès de mon chef pour l'avoir sexuellement harcelé. Il a évité mon regard.

— Hum… Ce n'est pas grave, Vina… N'en parlons plus, d'accord ? a marmonné Alan avant de se fondre dans la foule.

Boitillant, j'ai tracé mon chemin parmi les hordes d'employés d'humeur massacrante qui bouillaient dans leurs costumes et tailleurs avant de remonter cinq avenues et dix pâtés de maisons pour regagner mon appartement. En route, j'ai développé la certitude surprenante que, à New York, un escarpin en croco constituait le soulier le mieux adapté à une situation de crise. Parce que la manière la plus efficace de protester contre une main baladeuse dans la foule consistait à planter votre talon dans le pied de l'assaillant et le faire pivoter, comme pour écraser une cigarette.

J'ai rassemblé mes dernières forces pour affronter l'ultime étape : la montée de dix étages dans une cage d'escalier non éclairée. La tension accumulée ne s'est relâchée qu'à l'apparition réconfortante de la porte de mon appartement. Là enfin, je serais en sécurité. Le seuil à peine franchi, je me suis débarrassée de mes chaussures et les ai envoyées voler à travers la pièce. Je me suis alors souvenue de mon petit invité. Que mes chaussures ont atteint droit entre les deux yeux. Au gémissement poussé par Bobo, j'ai craint qu'un nourrisson ne fût caché dans toute cette fourrure. Le chat a foncé directement sous mon lit.

J'avais passé la demi-heure suivante à plat ventre, le nez sous mon lit, à supplier Bobo de sortir. Il me regardait d'un air moqueur, battant des paupières à cause des moutons de poussière et bâillait en cherchant la meilleure position sur mes chaussures. Finalement, j'ai laissé tomber la méthode douce et décidé de recourir à la force. J'avais respiré à fond avant de me lancer dans ce qui se voulait un geste plein d'élégance, me penchant vers le chat, le bras tendu aussi loin que possible, jusqu'à ce que ma tête frappe le bord du lit.

— *Raaaaargh*! a sifflé Bobo.

Je ne pouvais que supposer que cela signifiait *bobo* en langage chat. Ensuite il m'a griffé l'avant-bras.

— Merde !

J'ai sauté loin du lit, les larmes aux yeux.

C'était le problème d'être la fille unique de Superwoman. A trente mois de ses trente ans, ma mère maîtrisait l'équilibre maison-carrière, l'art de paraître maquillée à la perfection dès le réveil, et celui de récupérer mes crêpes à la seconde où elles retombaient du plafond. Alors qu'à cette même étape de ma vie, je me livrais à un harcèlement sexuel inversé, risquant une carrière qui d'ailleurs ne m'avait jamais attirée. Et me pâmais devant un homosexuel tout en échouant pitoyablement à gagner l'affection du chat de cinq kilos d'un autre. Sincèrement, c'était pur miracle que je parvienne à subvenir à mes besoins.

Que cela se devine ou non, je descends d'une longue lignée d'usuriers. Mon père a prévu de clamer ce détail haut et fort lorsque le *New York Times* l'interviewera, dans dix ans, pour un article en double page concernant sa fille, la fameuse spécialiste financière parcourant le monde. La plupart des femmes de mon arbre généalogique, qui mâchaient des feuilles de bétel, dessinaient le cercle traditionnel sur leur front et mesuraient presque toutes moins d'un mètre cinquante-cinq, avaient embrassé leur carrière dans la haute (ou plutôt la basse) finance par nécessité plus que par choix. Nécessité faisait loi pour les jeunes veuves des régions du Punjab où se remarier est une alternative aussi envisageable que changer de sexe. La tradition commandait d'hypothéquer le petit terrain laissé par leur mari, puis de prêter de l'argent aux villageois encore plus pauvres à des taux trois fois plus élevés que les taux bancaires. Le pragmatisme, ça nous connaît. Voilà pourquoi, malgré mon goût modéré pour ce secteur d'activité, j'ai réussi à Wall Street.

La plupart des personnes de mon entourage n'avaient aucune idée de la façon dont je gagnais ma vie. Et se fichaient de creuser la question. Je ne les en blâmais pas. Mieux valait garder une image idéale imprimée sur papier glacé de la réalité de mon quotidien de spécialiste en investissements bancaires. Ma fonction essentielle consistait à effectuer des recherches qui orienteraient les investissements de mes supérieurs et la date de leur opération. Ce qui signifiait parfois communiquer avec la direction d'entreprises publiques, qui soit me détaillait comme si j'étais une côte de bœuf, soit m'ignorait totalement. A d'autres moments, cela impliquait passer au peigne fin des montagnes de rapports concernant une entreprise afin de se faire une opinion sur son avenir.

J'effectuais en moyenne une semaine de recherches avant de présenter une conclusion à mes supérieurs, qui souvent me tapotaient le dos et m'expliquaient pourquoi ils pensaient que j'avais tort, quand ils avaient envie de l'expliquer. Peu de temps après, le marché boursier leur donnait raison à tous les coups. D'après eux, il s'agissait d'un bon entraînement pour le jour où, si j'avais de la chance, j'intégrerais leur équipe. Qu'on corrige mon travail me perturbait moins que le fait d'avoir tort. Mais bon, j'avais décidé de m'accrocher, de me comporter comme s'il me plaisait et, dans quelques années, de me présenter dans une école de commerce.

MBA en poche, je pourrais réfléchir à ce que je désirais faire de ma vie. J'aurais aimé être mannequin, mais avec quinze centimètres de talons, je me hisse jusqu'au menton du top model moyen. Fin du fantasme. Mes gènes m'avaient mieux équipée pour passer sous les tourniquets du métro que pour arpenter les podiums.

J'aurais aussi aimé être romancière, mais c'était sans compter un autre genre de problèmes génétiques. Si mon père était arrivé dans ce pays trente ans plus tôt avec onze dollars en poche, avait lavé les sols d'un supermarché, mendié un poste d'ingénieur débutant, enduré racisme, ignorance et des dizaines d'années de lutte, créé son entreprise et économisé afin que sa fille étudie dans l'une des universités les plus prestigieuses du pays… ce n'était pas pour que ladite fille renonce à une carrière dont lui-même aurait rêvé.

Ma longévité dans l'univers boursier s'expliquait aussi par le fait que, très tôt, j'avais compris qu'il était vain de remettre en question les jugements des décisionnaires.

— Elle perd son temps.

J'avais surpris la réponse de mon père lorsque ma mère avait mentionné mon excitation au sujet d'un poème que j'allais présenter dans un concours ouvert aux élèves de CM2.

— C'est une activité inutile et nous ne devrions pas l'encourager.

J'avais glissé ma tête entre les barreaux de la rampe afin de mieux entendre la conversation.

— Oh, ne soit pas si sérieux, Sushil, avait répondu ma mère depuis la cuisine. Il s'agit d'un concours littéraire, rien de plus.

— Il s'agit de plus que ça, Sharda. C'est un signal. Et une perte de temps. Ces années de la vie de Vina sont précieuses. Elle devrait travailler les olympiades de maths, ou le concours national d'orthographe. Pourquoi l'encourager à se préoccuper de l'opinion de ces soi-disant juges ? Son instituteur n'est pas professeur de lettres. Son rôle se résume à lui enseigner les mathématiques, les sciences et l'histoire. En littérature, il n'existe pas de note absolue. Cette matière ne lui donnera pas accès aux meilleures universités. Il s'agit d'une perte de temps.

— Sushil, soit raisonnable. Je ne peux pas lui dire non après avoir dit oui. Ce projet l'enthousiasme. Elle a composé un poème à propos de la réalité que je trouve très intelligent pour son âge.

— Très bien. Mais je ne suis pas d'accord. Nous

savons tous les deux que personne n'accorde de l'importance à la poésie. Seuls comptent les succès qui peuvent être mesurés. Nous le savons. Nous l'avons constaté. Pourquoi encourager notre fille à mener une vie de luttes ?

— *Teekh hai*. Peut-être n'as-tu pas tort. Mais pour l'instant, il n'y a rien que nous puissions faire. Et baisse la voix. Elle vient juste d'aller se coucher.

— *Chuhlow*, bien. Mais ma fille ne sera pas écrivain.

— Et je ne ferai pas réchauffer tes toasts s'ils refroidissent pendant que tu discutes. Mangeons en paix, d'accord ?

La fillette de onze ans que j'étais n'avait pas su faire la distinction entre le désir de son père de la protéger et son rejet de son intérêt pour l'écriture. Ma seule certitude était qu'il voulait m'empêcher de pratiquer une activité que je devais poursuivre envers et contre tout. Avec fierté, j'avais présenté au concours mon poème « Vivons-nous dans la réalité ? ». Inspiré d'un de mes rêves, ce poème évoquait la possibilité que notre univers soit le produit du rêve d'un enfant, et que cet enfant possède le pouvoir de l'anéantir simplement en se réveillant. Quelles preuves avions-nous du contraire ?

Le lendemain, M. Kronin m'avait appelée à son bureau, afin de m'assurer qu'il était normal d'éprouver des sentiments de colère et d'incertitude quant au monde qui nous entourait, et m'avait demandé si je désirais parler avec le psy de l'école. Ce n'était pas la réaction que j'attendais. « Allez voir le psy vous-même ! » avais-je lancé. J'avais couru pour attraper le bus dans lequel j'avais pleuré tout le long du trajet. Si écrire générait ce genre de réactions, alors je ne voulais pas écrire.

Ma mère avait tenté de me consoler.

— Il est parfois préférable de garder pour soi certains sentiments. Parce que tout le monde ne peut les comprendre, ce qui peut se révéler douloureux. Je suis sûre que M. Kronin ne voulait pas te blesser. Tout le monde ne sait pas quelle enfant remarquable tu es, *beti*… Nous, nous le savons.

La tête enfouie dans mon oreiller, je m'étais glissée plus près de ma Nani. Mes parents avaient compris et s'étaient éclipsés.

— Vina, n'en veux pas à tes parents.

Je lui avais répondu d'un ton de défi.

— Ça m'énerve qu'ils aient eu raison.

— *Beti,* ils se moquent d'avoir raison. Ce qui leur importe, c'est que tu réussisses.

J'avais tiré les couvertures sur ma tête.

— Essaie de comprendre… En Inde, filles et garçons doivent décider de leur orientation dès la classe de quatrième… en sciences pour la médecine ou en maths pour devenir ingénieur. La préparation pour l'université commence très tôt. Tes parents désirent te faciliter la vie. Comme lorsqu'ils ont corrigé tes mains.

J'avais émergé de dessous les couvertures.

— Comment ?

— Tu as oublié, mais enfant, tu étais gauchère. Mais le monde est construit pour les droitiers, alors ils ont voulu te simplifier la vie. Tu vois ? Tu ne te souvenais même plus d'avoir été gauchère.

Je n'avais su que répondre.

— *Beti*, les gentilles filles font confiance à leurs parents.

Une fois de plus, on me corrigeait. Et cette fois, inutile de discuter. Autant ne pas perdre mon temps à contredire ceux qui en savaient plus que moi sur des sujets comme l'école par exemple. De toute évidence, ils en savaient plus que je n'en saurais jamais sur tous les sujets. Cette leçon-là au moins, je l'avais vite apprise.

# 6

L'après-midi de la panne d'électricité, j'examinais encore la blessure que Bobo m'avait faite quand une voix familière avait retenti.

— Vina ? Comment va ?

La voix provenait du couloir de l'immeuble.

Je l'avais reconnu à son pas, et à cette façon d'aller à l'essentiel sans s'encombrer de sujet ou de verbe. J'avais ouvert à la volée sur Jon, qui était appuyé au chambranle de la porte. J'ai toujours eu un faible pour les types courageux et essoufflés. Mais Jon dégoulinait aussi de transpiration. Je l'avais imaginé, courant le long des vingt blocs d'immeubles séparant son restaurant de mon immeuble, puis des dix étages menant à ma porte. L'amour est la seule chose qui vaille la peine. Je détestais l'avouer mais, en découvrant Jon sur mon paillasson, j'avais éprouvé la sensation d'être rentrée à la maison.

Jon était grand, brun et sicilien, catégorie large d'épaules et teint olivâtre, et je m'étais souvent fait la réflexion que nous formions un beau couple. Nous nous étions rencontrés dans son restaurant, Peccavi, dix-huit mois plus tôt. J'avais commandé pour mes copines et moi un millésime rare de Château Cabrières, et, après m'avoir complimentée pour mon choix, il avait apporté lui-même la bouteille à notre table, et était resté discuter tout en jetant des coups d'œil à mon décolleté. J'avoue que j'avais fait tout ce qui était en mon pouvoir pour lui faciliter la tâche. Autant me servir de ces petits atouts tant qu'ils se tenaient encore au garde-à-vous.

Il avait fini par me donner sa carte de visite, au dos de laquelle il avait griffonné : *Bella, j'aimerais tant poursuivre cette conversation à un autre moment, en tête à tête.*

Je l'avais rappelé trois jours plus tard (pour lui signifier que j'étais intéressée, mais pas aux abois), refusant un rendez-vous le samedi soir avant d'accepter un dîner tôt le dimanche (pour lui montrer que j'étais trop géniale pour que mon samedi soir soit encore disponible le mardi, mais je ne sortais avec personne d'assez sérieux pour que mes soirées du dimanche soient réservées).

Dès le début, il m'avait fait la cour en virtuose, ce qui m'avait mise mal à l'aise. Se contenter d'un plat à emporter et louer *Say anything* en DVD était-il trop banal pour lui ? A la fin de notre premier dîner, nous nous étions promenés dans Central Park. Il avait posé sa veste sur mes épaules, avant de prendre mon visage entre ses mains et de plonger son regard dans le mien. Après m'en avoir demandé la permission d'un sourire, il m'avait embrassée.

Nous étions passés devant un chien qui nous fixait, la patte levée contre un arbre.

— Tu crois qu'il est gêné ? avait demandé Jon.

Sentimentalement, j'ai toujours reculé devant le risque. Mon plan d'origine consistait à m'amuser quelques mois avec ce mec sexy et musclé mais (*Allez, tous en chœur...*) « rien de sérieux ». Un an plus tard, je rédigeais des brouillons de lettres susceptibles de décourager mes parents de me déshériter pour leur avoir présenté un Italien assorti d'une bague de fiançailles. J'avais déjà tant dérogé à mes critères sentimentaux d'origine que je me suis surprise moi-même lorsque j'ai rompu, au motif de son total désintérêt pour mon horloge biologique. Une des rares certitudes que j'entretenais dans l'existence était que je désirais un enfant. Alors j'avais rompu avec Jon, à l'amiable. Il avait pris *Anne & Marie,* le CD du groupe qui jouait dans le Vermont lors de notre premier week-end ensemble. J'avais gardé David et Melissa, le couple rencontré lors du cours hebdomadaire de danse latino que nous prenions sur sa suggestion. Et je croyais que nous partagions aussi les regrets, à égalité. Je croyais beaucoup de choses et j'avais repoussé ses tentatives de réconciliation. Une rupture bien nette, c'était la meilleure façon de terminer une histoire qui n'aurait jamais dû voir le jour. J'étais demeurée un monument d'indifférence, ignorant obstinément chocolats, e-mails et coups de fil de nuit comme de jour. Enfin jusqu'à ce que Jon surgisse sur le pas de ma porte le jour où New York était privé d'électricité.

— Je voulais juste m'assurer que tu n'avais pas de problèmes.

Il tentait de reprendre sa respiration, s'essuyant le visage à la manière du pompier, héros d'un film que Cristina m'avait offert le Noël précédent.

— Merci Jon.

J'avais repoussé mes cheveux en arrière.

— C'est gentil de ta part. Entre.

— Tu étais au bureau quand la panne s'est déclenchée ? Tu as assez d'eau, de nourriture ?

Il a vérifié l'intérieur de mon frigo, puis de l'appartement, comme s'il s'attendait à découvrir des intrus.

— Oui, certainement… Je suis revenue à pied du bureau et j'ai un tas de bouteilles d'eau.

Je me suis éclairci la voix.

— Ecoute, sans électricité pour alimenter la pression, nous allons peut-être manquer d'eau, or tu es en sueur. Tu peux te doucher si tu veux. Il y a des serviettes propres dans la salle de bains.

Le naturel de notre conversation me faisait un drôle d'effet.

— Merci. Je vais en prendre une. Tu sais…

Il avait hésité.

— … C'est bon de te revoir. Tu m'as manqué.

Paméla refusait d'accepter ma rupture avec Jon. Cristina, elle, me poussait à me remettre en selle, comme elle disait, ou du moins fréquenter un cow-boy de temps en temps. Je n'ai jamais lancé d'ultimatum à Jon. Simplement j'ai compris que notre liaison au jour le jour lui suffisait et que mieux valait pour moi chercher quelqu'un de plus sérieux. C'est là que j'ai accepté un rendez-vous arrangé par mes parents. J'ai tenté de m'expliquer, mais Jon s'obstinait à croire que je « traversais une phase » et avait persisté dans ses tentatives de réconciliation. Il n'était pas prêt à aller plus loin, disait-il, mais encore moins à renoncer à moi.

Maintenant qu'il était nu dans ma douche, je me demandais s'il n'avait pas raison. A moins que ce ne soit moi qui aie raison et qu'après notre éventuelle réconciliation il ne me demande de porter son enfant et se découvre le désir de m'épouser.

*Zut.* L'envie d'arracher mes vêtements et de le rejoindre dans la douche me taraudait. La main sur la poignée de la porte, j'ai fermé les yeux afin d'imaginer la scène. Je me déshabillerais, puis me glisserais dans la douche et lui taperais sur l'épaule. Il se retournerait et m'attirerait contre lui. Nous nous dévorerions l'un l'autre, faisant l'amour contre les murs humides et glissants de ma salle de bains. Rien n'altérerait la perfection de ma coiffure et de mon maquillage. Une vapeur aguichante s'élèverait, enveloppant notre couple en proie à la puissance du désir.

Evidemment, la réalité m'a rattrapée et j'ai fait un pas de géant en arrière. Impossible de réaliser ce scénario sans que l'un de nous ne glisse, ne se cogne contre le robinet ou ne fasse tomber son partenaire sur le derrière. Et au cas où nous y échapperions, l'eau savonneuse éclabousserait nos yeux, son nez ou nos nez, ou les deux. Pas très sexy. Ma main a lâché la poignée – c'était mieux ainsi. Pourquoi rejoindre Jon, dans la douche ou ailleurs ? Mieux valait regagner mon canapé et attendre avec impatience le rendez-vous avec cet avocat indien prometteur dont m'avait parlé mon père.

Oui. Très juste. Mais cette douche était tentante. Oh pourquoi pas ? Qu'est-ce qui m'en empêchait ? J'étais jeune, dévorée de désir et j'avais oublié quand j'avais fait l'amour pour la dernière fois. Et je l'aimais. Et il m'aimait. Pourquoi chercher plus loin ? Pourquoi toujours faire preuve de cette impitoyable logique ? Ce ping-pong émotionnel m'épuisait. Autant cesser d'y penser.

J'ai sorti des bougies et une pochette d'allumettes d'un tiroir et j'ai rangé le tout près de mon lit. Sur le canapé, j'ai joué avec Bobo à celui qui soutiendrait le plus longtemps le regard de l'autre. Bobo avait découvert sur mon bureau une pile de papiers qui semblait près d'éclore pour peu qu'on la couve assez longtemps. Une fois établie sa domination sur moi, Bobo s'était obligeamment attelé à la tâche. Baisser les yeux sous le regard de Bobo aurait signifié lui céder la domination complète de mon appartement, aussi n'ai-je marqué aucune réaction quand Jon a émergé de la salle de bains. Il s'est assis à mes côtés sur le canapé et a déplié mon bras afin d'examiner de plus près le travail de Bobo. Il a disparu un moment dans la salle de bains et en a ressurgi avec un tube de crème cicatrisante. A genoux au pied du canapé, il a entrepris d'en masser avec délicatesse le pourtour de ma blessure. Je le regardais faire, incapable de contenir mon émotion devant sa profonde concentration. Il a senti mon regard et levé les yeux vers moi.

Attirant ma main contre son visage, il en a embrassé la paume avant d'y poser sa joue. Ses doigts ont caressé mon menton mais son regard avait déjà entrouvert mes lèvres. Jon les a effleurées du plus doux des baisers, maintenant mon visage avec précaution, comme un château de cartes qu'il aurait protégé du vent. Tout en cherchant mon regard, il a glissé sa joue le long de la mienne jusqu'à enfouir son visage dans mes cheveux. Puis il m'a prise par les hanches et attirée contre lui jusqu'à ce que je le chevauche, et un frisson familier m'a parcourue.

Face à lui, j'ai accepté de déclarer forfait. Ce moment était de ceux qu'on a envie de savourer, presque davantage que l'acte lui-même, surtout quand les bras qui vous enlacent vous sont si familiers. Et c'est ce nous avons fait… nos deux corps pressés l'un contre l'autre, tentant de se fondre en un seul. Ses bras ont enlacé les courbes familières de mon dos et ses mains ont plongé dans mes cheveux, les agrippant fermement afin de repousser ma tête en arrière et exposer mon cou à ses lèvres. Nous avons pris tout notre temps, sachant qu'il n'y avait aucun endroit où nous aurions préféré nous trouver. Jon s'est relevé et j'ai resserré l'emprise de mes jambes autour de sa taille avant de le laisser me porter vers mon lit.

Sans quitter mon regard, il n'a cessé de répéter combien je lui avais manqué. Combien il était heureux que nous soyons réconciliés. C'était dans l'ordre des choses, m'a-t-il dit, et je le savais. Titubant, près de perdre l'équilibre, tandis que chacun exigeait encore

# 7

Au terme de notre second rendez-vous, il y avait de cela une éternité, Jon m'avait invitée chez lui.

— Monte boire une tasse de café, ou encore un verre de porto.

— Excuse-moi mais c'est impossible.

J'ai évité son regard, tout en tentant d'épargner les nids de poule de Prince Street à mes talons hauts.

— Pourquoi ?

Il a pris mes mains dans les siennes avec un sourire.

— Tu as un deuxième rendez-vous à minuit ?

— Non, non. Pas du tout. Mais je te connais à peine.

— Eh bien, si tu viens chez moi, peut-être que je t'autoriserai à *faire ma connaissance.*

— Et peut-être aussi découvrirai-je trois têtes décapitées dans ton congélateur, ai-je rétorqué.

Il a haussé un sourcil avec un petit sourire.

— Pardon, mais qu'est-ce qui me prouve que tu n'es pas cannibale… ou républicain ? Mon instinct me porte à te faire confiance, mais c'est trop tôt. Nous vivons *à New York.* Ce n'est pas moi qui établis les règles.

— Qui établit les règles alors ?

— Tu comprends ce que je veux dire.

Il a passé ma main sous son bras et nous avons repris notre marche.

— Pourquoi ne pas établir tes propres règles ?

— Ça ne fonctionne pas ainsi. Tu ne peux pas comprendre. Tu n'es pas une femme.

Au coin de West Broadway, j'avais posé ma tête sur son épaule.

— Sur ce point tu as raison.

Il a levé les yeux vers la lune.

— Et puis j'aime que tu aies des principes. C'est une bonne chose. C'est rafraîchissant.

— D'ailleurs, examine la situation sous un autre angle – peut-être est-ce moi qui suis cinglée. Peut-être que je t'évite de te réveiller seul, ligoté à ton lit, avec le sentiment qu'on a abusé de toi, ne sachant pas ce que tu trouves le plus insultant : découvrir que tu es enduit de confiture à la framboise ou bien que ta télé à écran plat a disparu.

Deux jours plus tard, il était passé me chercher pour aller prendre un brunch, un bouquet de lis blancs à la main. Agrafée à la Cellophane, un Polaroïd exhibait l'intérieur de son congélateur qui contenait en tout et pour tout deux plats de lasagnes et un numéro du *NewYork Times* du jour. J'avais toutes les raisons de penser que je pouvais avoir confiance en cet homme.

Le lendemain de la panne d'électricité, j'ai failli tomber du lit en tentant d'attraper mon portable. Je dormais plutôt côté fenêtre que côté table de nuit, mais Jon s'était déjà glissé dans la douche quand la sonnerie m'a arrachée à ma béatitude postcoïtale. Il avait jailli du lit un peu plus tôt, marmottant qu'il avait dormi trop tard parce que le radio-réveil fonctionnait à l'électricité et avait entrepris de rassembler ses vêtements éparpillés dans l'appartement. J'ai consulté sa montre sur la table de nuit et claironné qu'il était 11 heures du matin. New York étant toujours privé d'électricité, avais-je fait remarquer, je serais étonnée qu'on fasse la queue pour déjeuner chez Peccavi. Là-dessus je me suis pelotonnée dans le creux qu'il venait de quitter pour replonger dans mes rêves. Dans la seconde qui a suivi mon réveil, juste avant de rouvrir les yeux, j'ai décelé l'odeur de Jon sur moi. Les murs étaient rouges, l'air immobile et j'étais de nouveau amoureuse – c'est-à-dire dans cet état de crédulité extrême, qui naît spontanément, se nourrit d'hormones et s'habille d'une lumière chaude et aveuglante. C'est là que le portable de Jon a sonné. Et j'ai répondu.

— Allô ? ai-je gazouillé avec un gloussement de femme savourant son bronzage après avoir abusé du jeune homme qui entretient la piscine.

— Allô ?

— Hum, oui, allô. Qui est-ce ? ai-je demandé en m'asseyant dans mon lit et en couvrant ma poitrine bien que je sois seule.

J'ai commencé à me tripoter les cheveux.

— Qui *êtes-vous* ?

J'ai plaisanté, déterminée à ne pas laisser mon interlocutrice gâcher ma matinée.

— Eh bien, comme vous m'appelez sur mon portable, vous devez savoir qui je suis.

— Non, a-t-elle répliqué comme si elle me prenait pour une demeurée, j'ai appelé le portable de Jon.

Supposant qu'il s'agissait d'un fournisseur ou d'une actionnaire du restaurant, j'avais préféré ne pas réagir à ses ondes négatives. Je vaincrais par la douceur.

— Oups, je suis désolée. J'ai confondu le sien avec le mien. Je parle de son téléphone. Nous avons le même. Bref, Jon se trouve dans la salle de bains, mais je peux lui transmettre un message, ai-je susurré en parcourant l'appartement, nue, à la recherche d'un stylo, me sentant très maîtresse de moi. De la part de qui ?

De sous la chaise du bureau, Bobo observait mes mouvements erratiques, hésitant, comme s'il guettait le moment de frapper.

— De la part de qui ? De *Lissette*. La mère de son *fils*. Qui diable êtes-vous ?

Je me suis pliée en deux sous le choc.

Avez-vous déjà regardé la photo de quelqu'un qui vous est cher en vous demandant si c'est bien lui ? Ma confiance en cet homme était si forte que j'aurais été moins choquée si ma pédicure m'avait annoncé la présence d'un orteil supplémentaire. Ma réaction faisait de moi un cliché, je le savais, mais je ne parvenais pas à accepter l'idée que je n'avais rien su.

*Son quoi !? Le fils de qui ? Attendez une minute…*

« *fils* » ? *Attendez… Quoi ?* Ma gorge s'était serrée au point que je tentais sans succès de déglutir.

— Allô ? Allô ? avait repris la voix. Qui *est-ce ?*

C'était la voix d'une femme capable de m'étaler d'un direct un jour de soldes chez Macy's afin de s'approprier les chaussures qu'elle convoitait.

— Je, euh… je m'appelle Vina.

Je fixais la porte de la salle de bains, me demandant si je devais ajouter quoi que ce soit. La tête me tournait, je dus m'asseoir.

— Je… je ne savais pas qu'il avait une petite amie, ai-je continué, fermant les yeux très fort. Ou une femme ? Ou hum… Ecoutez, je suis désolée. Je ne veux pas savoir. Je veux dire, je ne suis pas désolée… Je ne connaissais pas votre existence ni celle du… du bébé ? Croyez-moi. Je transmettrai votre message à Jon. Avant de le fiche dehors. Mais je peux juste vous demander quelque chose ? Quel âge a votre enfant ? Je sais que cela peut paraître bizarre, mais j'ai besoin de savoir.

Elle s'est tue un moment.

— Deux mois, a-t-elle fini par répondre.

Puis la tonalité a résonné dans une de mes oreilles, et le sang battant à mes tempes dans l'autre. Fatigué de ma personne, Bobo a bâillé et s'est étiré sur l'appui de la fenêtre. Dans les situations extrêmes, on dit que le sang se précipite dans les veines, mais j'ignorais vers quel organe. Mon sang à moi se précipitait hors de mon cerveau comme la bière s'échappant d'une bouteille renversée.

Nue, je me suis roulée en boule sur le canapé, le

portable pressé contre mon visage. Bouche bée, une main sur la gorge, j'ai écouté le bruit de l'eau dans la douche, m'interrogeant sur la suite des événements.

J'avais toujours aimé me réveiller dans le lit de Jon et découvrir nos portables clignotant à l'unisson. Comme s'ils avaient rêvé ensemble sur la table de nuit, branchés à un chargeur commun à côté du lit à baldaquin, dans la grande chambre de notre maison de campagne. Jon mitonnerait de petits plats avec les produits de notre jardin et mes parents se plaindraient du manque d'épices. Un paillasson tressé à la main par des amish, trop pittoresque pour notre appartement de Manhattan, accueillerait les visiteurs.

Me réveiller avec lui, enroulé autour de moi comme un nounours, les poils de son bras dansant au rythme de mon souffle, me manquait. Tout comme sa façon de resserrer son étreinte et de m'attirer contre lui quand je tentais de sortir du lit. Dans son sommeil, il paraissait angélique, mais dès son réveil il me chatouillait sans pitié. Il saisissait mes chevilles, embrassait mes pieds et s'étonnait que je tienne debout sur ces minuscules appendices. Si nous nous couchions fâchés, dos à dos, son pied cherchait le mien pendant la nuit et ne se calmait qu'une fois enroulé autour de ma cheville.

Alors qu'il était censé être avec moi, Jon faisait l'amour à une autre femme. Alors pourquoi me sentais-je si repoussante à cette idée ?

**\***
**\* \***

Quand Jon a émergé de la salle de bains, la lumière était revenue. J'étais déterminée à ne pas lui montrer que j'avais pleuré. Une heure plus tôt, je lui appartenais, maintenant il était un intrus indésirable. Et j'étais prête à le chasser. Je réussirais si je faisais vite ; il fallait l'arracher comme un sparadrap. Ne pas céder ni se laisser attendrir par ses gémissements. Ne pas lui donner la satisfaction de voir le couteau qu'il avait planté dans mon cœur.

— Je n'ai besoin de rien au supermarché, ai-je déclaré d'un ton neutre.

J'évitais son regard et feignais de m'intéresser à Bobo, qui grattait la porte du placard.

— Je dois aller au supermarché ?

Il avait penché la tête, perplexe.

— Où comptes-tu trouver des couches pour ton fils ?

J'avais parlé avec un calme effrayant.

Il s'est figé et son sourire idiot s'est effacé comme si je l'avais arraché de son visage. Un sentiment maternel typique m'a étreinte. C'est moi qui avais de la peine pour lui. Même mortes, les vieilles habitudes s'incrustent. Je me suis mordu la lèvre pour étouffer une larme, mais je ne savais pas pour lequel de nous deux elle coulait.

— Oh…

Ma voix commençait à trembler.

— … Lissette a appelé pendant que tu te douchais. Ne t'inquiète pas. Je l'ai avertie que les lumières étaient revenues dans Midtown.

La violence du choc s'est répercutée sur son visage. Mais ma propre douleur me hurlait que le choc n'avait pas été assez puissant. Une seconde, j'ai souhaité être une autre femme, une femme capable de pardonner ou de poser les bonnes questions. S'agissait-il d'une seule nuit ou d'une vraie liaison ? Comment s'étaient-ils rencontrés ? Leur liaison durait-elle encore ? L'aimait-il ? Ses remords étaient-ils vraiment, vraiment sincères ?

Au fond de moi, je savais que tout cela importait peu. Le bébé avait été conçu pendant ma liaison avec Jon. Etais-je la seule à l'ignorer ? Tout le monde au restaurant le savait-il ? Me l'avait-on caché tout ce temps ? Lissette connaissait-elle mon existence ? Jon aurait aussi bien pu profiter de mon sommeil pour tatouer son nom sur mes fesses puis me déshabiller au milieu de Times Square sous les rires de la foule. En fait, c'était exactement la sensation que j'éprouvais. Brutalement, mon instinct de survie a pris le dessus. Je n'avais d'autre choix que le virer de chez moi le plus vite possible.

J'ai ouvert la porte et me suis appuyée dessus. J'étais désolée pour lui parce que je l'aurais aimé avec passion. Je le détestais d'avoir fait de moi un objet de risée, je voulais faire des tests de dépistage de MST et bourrer Jon de coups de pied jusqu'à ce qu'il pleure. Je voulais qu'il souffre de ce qu'il avait fait, qu'il comprenne ma souffrance, sans être autorisé à me consoler. Je voulais rencontrer cette femme, savoir si elle était plus jolie que moi. Je voulais remonter le temps jusqu'à la première nuit qu'il avait passée avec elle, le secouer et lui faire comprendre ce qu'il était en train de tout fiche en l'air. Je voulais oublier que je l'avais aimé. Je n'ai pas réussi à le regarder dans les yeux avant de claquer la porte derrière lui et jeter ce qui restait de notre histoire dans les toilettes, mais je me fis violence pour lui murmurer :

— Fiche le camp.

# 8

Le temps de m'arracher aux griffes de « l'inquisition hébraïco-espagnole » de Starbucks (c'est à dire Pam, Cristina et leurs irritantes analyses), j'étais en retard au boulot. Aucun horaire précis n'était exigé un dimanche, mais j'étais sûre que Peter et Sarah étaient arrivés à 10 heures. Ce que je ne m'attendais pas à trouver, en revanche, c'était l'e-mail suivant, signé Jon.

Dimanche 27 mars, 10 : 30
De : Jon
Re : Nous

Bébé,
Il faut que tu saches que je suis désolé. Je mérite une chance de m'expliquer.
Nous méritons une chance de surmonter cette épreuve.
S'il te plaît, ne nous la refuse pas.
Jon

Dans un dossier intitulé « Beau mec », j'avais sauvegardé tous ses e-mails. Je projetais de les imprimer et les stocker dans une boîte à chaussures au fond d'un placard. J'avais imaginé les ressortir un jour afin d'embarrasser nos enfants revenus de la fac pour Thanksgiving, de les lire pour me calmer le jour où Jon aurait dépensé la moitié de nos économies dans un monospace dernier cri, et de les utiliser comme preuve, dix ans de mariage et trois enfants plus tard, lorsque Jon oublierait qu'il était autrefois romantique.

Et maintenant ? Maintenant ils avaient aussi peu de sens que la tasse publicitaire offerte lors du pique-nique de la boîte. Quel culot d'enfer ! Comment osait-il m'appeler *bébé* ? Il *avait* un bébé, mais ce n'était certainement pas moi. Et s'il devait absolument s'adresser à moi, j'aurais préféré que, en haillons, mendiant une pièce, il utilise le terme « madame ». Il aurait tout perdu. Il aurait été obligé de fermer le restaurant parce qu'un critique culinaire serait tombé malade après un repas chez lui. Il aurait déménagé de son loft de Soho pour un carton sous une porte cochère de la Seconde Avenue. Tous les matins je passerais devant son nouveau domicile, en chemin pour un job plus prestigieux, retrouver un mec supérieur à lui, pourvu de davantage… d'endurance… et d'une plus grosse… cave à vins.

J'ai ajouté son dernier e-mail au dossier et fait planer mon doigt en l'air, comme une maquette d'avion sur le point d'atterrir, avant d'enfoncer religieusement la touche *supprimer*.

*Vous avez détruit de façon permanente tous les messages contenus dans le dossier nommé : « Beau mec ».*

Je me suis reculée dans mon fauteuil, ai respiré à fond et croisé les mains derrière ma tête. Je m'imaginais en train de me pavaner dans un tailleur DKNY d'un gris brillant, mes Manolo Blahnik chocolat évitant de justesse son corps prostré en travers de mon chemin. Ma chevelure digne d'un magazine de mode flotterait au vent, au rythme de mes pas et de la mélodie « Who's that girl ? » qui s'échapperait de haut-parleurs invisibles quelque part dans le ciel.

J'ignorais si l'ère informatique facilitait les rapports ou les rendait plus difficiles, mais je pouvais témoigner du réconfort procuré par un geste de rejet électronique. Surtout dans un bureau dominant New York, véritable cocon de prestige et de sécurité. Je me suis consolée à l'idée que je contrôlais au moins un aspect de ma vie : ma carrière.

Il y a pire qu'une boîte ringarde : une boîte qui croit qu'elle ne l'est pas. La mienne se considérait comme *progressiste*. Mes collègues utilisaient des expressions comme « On a la pêche » et « Je me branche là-dessus à la seconde » ou « Identifions le potentiel directeur ». Tous les employés s'habillaient chez Brooks Brothers, jouaient au squash le week-end et ressemblaient à des américains types, même s'ils n'en étaient pas. Dans un sens, Alan et Steve, mes mentors et directeurs de la boîte, me traitaient comme une des leurs.

Dans une boîte de ce genre, il n'existe que deux façons de forcer le respect : vous comporter comme si vous considériez comme un honneur d'appartenir à l'entreprise, ou bien donner l'impression que, le job ne connaissant aucun secret pour vous, vous constituiez un atout de poids. Très tôt, j'avais choisi cette dernière tactique. Ma méthode consistait en un équilibre très élaboré. Je me comportais comme si j'avais tout compris et intimidais ceux qui auraient idée de me poser des questions dont j'ignorais la réponse. Dans cet univers d'hommes qui décidaient de la Bourse new-yorkaise, passer pour une femme sûre d'elle (traduction : terrifiante) était préférable.

Inutile de vous abrutir et vous pousser au suicide en vous expliquant les détails mon job, je me contenterai des anecdotes les plus intéressantes. Je préfère parler des gens qui s'y côtoient, sujet plus passionnant que la manière de générer des profits.

Apparemment, mon voisin, Christopher, avait décidé qu'il était devenu mon meilleur ami. Ce dimanche soir, je n'étais pas rentrée du boulot depuis cinq minutes qu'il débarquait sur mon palier, avec un sourire présomptueux et un pichet de margarita à la pêche. Bobo à sa remorque, il est entré en trombe et a pris ses aises. Il a dû aussi décider que nous étions trop intimes pour nous encombrer de formalités telles que *« Salut ! »*. Agitant le pichet sous mon nez, il a envoyé valser ses tongs et foncé dans ma cuisine.

— Si tu me renvoies chez moi, je vais me transformer en travelo pathétique qui habite au bout du couloir, boit des margaritas et parle à son chat. S'il te plaît, ne me force pas à devenir ce mec. Je me fais peut-être vieux, mais je reste bien trop mignon pour devenir ce mec.

Toujours à la porte, je l'ai observé s'asseoir sur mon canapé et verser la margarita dans des tasses à café

dépareillées. Il a tapoté mes coussins avant de s'ins-
taller dessus et de me tendre une tasse. Il m'a désigné
le fauteuil et je m'y suis assise.

— Alors raconte…

Il souriait, les pieds sur ma table basse.

— Pourquoi refuser une seconde chance à Jon ?

Bobo s'affairait dans mon placard, probablement
occupé à chausser mes plus beaux escarpins. Il s'avérait
que, après s'être acharné une demi-heure sur l'Interphone de mon appartement, Jon avait fini par déduire
que soit je n'étais pas là, soit je ne voulais pas le laisser
entrer. Comme il était bourré, il avait sonné à tous les
autres Interphone, jusqu'à ce que quelqu'un accepte
de l'écouter. Il avait fini par trouver Christopher,
trop content d'entendre sa version de l'histoire. Ce
qui expliquait la présence de Christopher ce soir sur
mon canapé, attendant que je me justifie. Une manie
agaçante, bien que charmante, chez les mecs homos, est
la façon dont ils tiennent pour automatique que l'intimité
s'installe avec toute femme célibataire. Cela conjugué
au fait que j'avais baby-sitté Bobo semblait signifier
que Christopher faisait partie de ma famille.

J'ai avalé une gorgée de margarita sans même tenter
de répondre.

— Tu n'as pas envie d'entendre son explication ?

Il soulevait les bougies posées sur ma table basse
pour les renifler, feuilletait mes exemplaires de *The
Economist*, *Newsweek*, et *Jane*. Il devait chercher *Vogue*
mais je ne l'avais pas. Pour un meilleur ami, il se
trompait de camp.

— Pas franchement.

J'ai sorti du placard un paquet de biscuits Oreo, fourrés au double chocolat.

— … le bébé parle pour lui-même, il me suffit comme explication.

— Il parle ? Quel âge a-t-il ?

— Ce n'est pas ce que je voulais dire.

J'ai repoussé ses pieds de ma table basse et y ai déposé les Oreos.

— Je sais.

— Ecoute, il n'a pas le droit de s'expliquer. En me trompant, il a renoncé à tous ses droits. De plus, en me le cachant, il m'a ridiculisée. Je me sens humiliée à un point que tu ne peux imaginer.

J'ai avalé un Oreo et ouvert un autre en deux.

— Minute. Tu veux dire que vos amis étaient au courant ?

— Je l'ignore. Mais Jon m'oblige à me poser la question. A cause de lui je passe pour idiote, naïve et crédule !

— Aux yeux de qui ?

— Des miens.

Un silence a suivi que Christopher a consacré à la contemplation de l'intérieur d'un biscuit.

— Je n'aime pas le double chocolat.

— Quoi ?

— Les Oreo. Parfum double chocolat. Je ne les aime pas.

— Eh bien, moi non plus.

J'ai vidé ma margarita d'un trait et rempli de nouveau ma tasse.

— Alors pourquoi les as-tu achetés ?

— Parce que c'est tout ce qui restait, ai-je rétorqué. Comme invité, tu n'es pas au point.

Il a posé l'Oreo fautif sur la table basse et déposé Bobo à ses pieds.

— Alors tu vas autoriser ton ego à diriger ta vie ?

— Il ne s'agit pas de ça. J'arrête les frais. J'affronte la réalité. Personne ne comprend ça ? Ça s'appelle se comporter en *adulte*.

Christopher a haussé les épaules et fait danser Bobo devant le miroir. Je me suis renfoncée dans mon fauteuil.

— Ça me rappelle un article que j'ai lu sur le Net, ai-je repris en trempant distraitement un Oreo dans ma margarita.

J'ai mordu dedans et ai manqué m'étrangler avant de le recracher dans une serviette en papier. Occupé à examiner sa future calvitie dans le miroir, Christopher n'a rien remarqué.

— ... L'article évoque les similitudes de comportement amoureux entre femmes indépendantes et hommes homosexuels. Ce doit être pour cela que tu crois comprendre comment je fonctionne.

Il a fait volte-face.

— *Crois* comprendre ?

— L'article s'intitulait « On n'obtient pas ce qu'on mérite... mais ce dont on se contente », ai-je marmonné, glissant assez bas dans mon fauteuil pour poser ma tasse en équilibre sur mon estomac.

— Fascinant. Bon. Ecoute, je ne ressemble pas à un comptable, n'est-ce pas ?

*Si...*, ai-je pensé tout en assurant avec vigueur :

— Non ! Pas du tout.

Il a souri.

— Tu dois assurer au poker. Tu as le don de dire aux gens ce qu'ils ont envie d'entendre. Au cas où cela t'intéresserait, tu n'as pas l'air d'un courtier en investissements bancaires. Bref, je suis désolé pour Jon. Mais tu devrais coucher avec lui au moins encore une fois. Pour me faire plaisir. Il avait l'air sexy dans l'Interphone.

— J'imagine que d'après toi je devrais coucher avec tout le monde.

Il a essayé de paraître vexé.

— Merci de propager le préjugé selon lequel tous les homos couchent à tort et à travers. Je ne parle pas de *tout le monde,* chérie. Tu joues les dures à cuire mais tu es bien trop tendre pour ça. Laisse-moi folâtrer. Et toi occupe-toi des hommes que tu aimes.

Je l'ai repris.

— Que j'aim*ais.*

Il a campé une main sur sa hanche.

— Oh chérie, à qui veux-tu faire croire ça ?

— Je n'ai vraiment plus envie d'en parler. Le sujet me donne presque autant la nausée que ces margaritas et ces Oreo.

— Alors parlons de ton week-end. Comment était le mariage ? As-tu rencontré l'homme de tes rêves ?

— Non.

J'ai tenté de fixer Christopher malgré ma vue trouble.

— … Mais je pense que j'ai peut-être rencontré le tien.

# 9

Se réveiller avec la gueule de bois, couchée par terre, lovée contre un chat obèse dont le maître homosexuel à la calvitie naissante était lui-même lové contre moi, la bouche tapissée de margarita et d'Oreo, n'était pas digne d'une respectable fille de Desi.

J'ai secoué Christopher et me suis péniblement levée. J'ai noté une raideur nouvelle dans mon cou. Il était temps que les choses changent.

Le café était une priorité, mais le lundi matin, la queue chez Starbucks s'étirait toujours à l'infini. Des trois magasins situés dans un rayon proche du bureau, un seul se trouvait sur mon chemin. Malheureusement, il était ouvert vingt-quatre heures sur vingt-quatre et l'espace personnel y était un luxe. En outre, en semaine avant 9 heures, j'évitais cet endroit, parce que l'employé de service, un indien entre deux âges, me contemplait comme si j'étais un plat de poulet tikka masala et me demandait d'un ton suggestif si j'étais du Punjab. Mes compatriotes me décevaient.

J'ai approché le comptoir en même temps qu'un homme venant de la direction opposée. Il s'est arrêté net et m'a gratifiée d'un sourire charmeur et d'un « Après vous ».

Séduisant, dans le genre Magnum. En temps normal, j'aurais saisi l'opportunité d'engager un flirt matinal, mais, à la lumière des récents événements, je voyais les choses plus clairement. Il se servait probablement de moi pour tromper virtuellement l'épouse qui l'attendait chez lui. Et, même si ce n'était pas le cas, il devait se révéler capable, comme la majorité des hommes dans ce cloaque qu'est New York, de me draguer à cause de mon décolleté et me piquer mon taxi dans la rue un jour de pluie. J'ai refusé de répondre à son sourire, ai plaqué un billet d'un dollar sur le comptoir et gagné la porte. J'ai ainsi effectué un geste symbolique au nom des femmes du monde entier. Sans prononcer un mot.

Dehors, le nez dans mon gobelet de café, j'ai vu une scène surprenante. De l'autre côté de Lexington Avenue, une femme aux joues roses avec un double menton dansait avec extase en échange de quelques pièces de monnaie. J'ai traversé. *It had to be you* s'échappait à pleins tubes de sa radio portable. A en juger par les mèches de cheveux blancs s'échappant de son bandana, elle devait être âgée d'environ soixante-cinq ans. Habillée comme une gitane, elle tourbillonnait avec délice, les yeux clos, comme une gamine qui prend sa brosse à cheveux pour un micro. Un attroupement s'était formé autour d'elle, qui m'intéressait autant que la vieille femme. Un homme a laissé tomber un dollar dans la boîte à chaussures posée à ses pieds, a soulevé son chapeau et repris son chemin dans Lexington.

— Continuez de danser ! a-t-elle crié.

— Je ne danse pas, a-t-il répondu par-dessus son épaule.

— Alors trouvez une raison de danser !

On aurait dit qu'elle me regardait moi.

La foule a ricané, secoué la tête, puis s'est dispersée.

En m'installant à mon bureau après la réunion du lundi matin, la première chose que j'ai remarquée est le bouquet de fleurs. J'ai supposé qu'elles avaient été envoyées par Jon, et les ai jetées à la poubelle. Ensuite, j'ai aperçu un clignotement sur mon écran : quelqu'un voulait entamer un chat. Il me tentait. Me faisait de l'œil. Hurlait à mes oreilles. Le chat représentait l'équivalent contemporain des petits mots qu'on faisait circuler en classe. Sauf qu'il est sanctionné par le pouvoir en place, limite les chances d'un autre gosse d'intercepter le message et provoque (principalement chez les jeunes carriéristes professionnellement frustrés) une accoutumance légèrement plus prononcée que celle à des rapports sexuels médiocres. Après avoir lu le message de Cristina, je n'ai pas eu d'autre choix que répondre.

| | |
|---|---|
| CristyInTheCity : | Rendez-vous demain soir. |
| MasalaGirl : | Tout cela est si soudain. Que vont dire les voisins ? |
| CristyInTheCity : | Il est trop tôt pour plaisanter, *chica*. Rendez-vous demain. |
| MasalaGirl : | Pourquoi ? |

CristyInTheCity : Comment ça *Pourquoi* ? Parce que je le dis.

MasalaGirl : Que vais-je y gagner ?

CristyInTheCity Je ne sais pas… Une surprise.

MasalaGirl : (Emoticône souriant.) Plus grande qu'un pompier ?

CristyInTheCity : Quoi ?

MasalaGirl : Ma surprise. Est-elle plus grande qu'un pompier ?

CristyInTheCity : Non.

MasalaGirl : Est-ce un pompier ?

CristyInTheCity : Non.

MasalaGirl : C'est la pire surprise qu'on m'ait jamais faite.

CristyInTheCity : *Hijole…* Où vas-tu chercher tout ça ?

MasalaGirl : (Emoticône angélique.)

CristyInTheCity : Rendez-vous à la salle de gym. 20 h 30. Nous suivrons le cours de yoga. Tu en as besoin.

MasalaGirl : Tu ne m'avais pas prévenue que je devrais transpirer.

CristyInTheCity : Il ne s'agit pas de transpirer mais de destresser.

MasalaGirl : J'espère qu'il ne s'agit pas d'une de tes combines pour me faire mener une vie saine. Ou alors tu as intérêt à ce qu'un pompier m'attende dans les vestiaires…

CristyInTheCity : … avec un nœud sur la tête.

MasalaGirl : Et mon nom sur l'étiquette pendant à son cou.

CristyInTheCity : Deviens adulte.

MasalaGirl : (Les poings serrés…) JAMAIS !

| | |
|---|---|
| CristyInTheCity : | Ne dissimule pas ta douleur par l'humour. |
| MasalaGirl : | Un prêtre, un swami et un donut sont dans un bateau. |
| CristyInTheCity : | Et habille-toi sexy pour me plaire. |
| MasalaGirl : | (Les mains sur les hanches…) COMME TOUJOURS ! |
| CristyInTheCity : | Demain. 20 h 30. Et pas d'excuses. |
| CristyInTheCity : | Déconnectée à 10 h 03. |

Chaque fois qu'un collègue me surprenait en train de chatter, j'éprouvais la sensation d'être surprise en train de mordiller mes crayons. En levant les yeux de mon écran, j'ai découvert Peter qui quêtait silencieusement mon attention. *Depuis une minute ? Une semaine ?*

— Prête à expliquer le dossier Luxor au stagiaire ?

Il a alors remarqué les tiges qui dépassaient de ma poubelle.

— Oooo… J'avais entendu qu'on avait livré des fleurs ce matin, je ne savais pas que c'était pour toi. Elles sont de Jon ? Nouvelle tentative de se réconcilier avec toi ?

— Je suppose, ai-je répondu d'un ton neutre.

— Cela signifie qu'il a fait amende honorable et prévoit de t'enlever afin que tu portes ses très, très nombreux enfants ?

Il a fait mine de me donner une bourrade. Mon bureau évoque-t-il le vestiaire d'une équipe de foot ?

— Pourquoi ? Tu écris un livre sur le sujet ? ai-je rétorqué.

— Je suis nerveux, a-t-il répondu en désignant deux

chaises à Denny et Wade. Parce que si quelqu'un t'enlève, je ne crois pas que je survivrai sans tes réponses pleines d'esprit aux mails hebdomadaires que j'envoie à toute l'équipe.

Peter était mon collègue attitré – celui avec qui je collaborais le plus étroitement. Né et élevé dans le Bronx par une mère afro-américaine et un père portoricain, il avait obtenu une bourse pour la durée totale de ses études à l'université de Tufts. Il participait au soutien scolaire des enfants des quartiers défavorisés, courait le marathon dès qu'il en avait l'occasion, et l'excitation qu'il manifestait pour son boulot semblait sincère. Comme si tout ça n'était pas assez perturbant, il souffrait aussi du besoin d'envoyer des e-mails hebdomadaires édifiants à toute l'équipe.

Celui de ce matin proclamait : *Le bonheur, c'est accomplir plus que sa part dans le travail d'équipe.*

J'avais répondu (et fait suivre à tout le monde) par *Le bonheur, c'est une partie de cache-cache avec des partenaires consentants.*

Sincèrement, impossible de trouver un mec plus droit. L'enthousiasme de Peter pour la boîte, digne de celui d'un supporter de foot pour son équipe, me donnait envie de lui envoyer une fléchette imbibée de tranquillisant. Ou de me piquer moi-même avec. Ou n'importe qui d'autre. Je ne vois aucune raison d'être emballé à ce point par les investissements en Bourse.

— Ne t'inquiète pas, Peter. Négliger mes responsabilités envers l'équipe ne me viendrait jamais à l'esprit. Si un jour quelqu'un fait de moi une honnête femme, je promets de te répondre par fax, tous les matins depuis la crèche parentale. Quelqu'un doit absolument se charger de tempérer ton optimisme déplacé par un bon vieux cynisme. Sinon tu vas finir par nous rendre aveugles à la réalité. Vraiment Peter, ces âneries à la sauce *La Petite Maison dans la prairie* vont se solder par l'agression d'un de nos stagiaires.

— Ouille ! Vina sort les griffes aujourd'hui ! Ça me plaît, ça me plaît, a-t-il ri, comme un détraqué riant de ses propres blagues. Tu devrais garder un peu de cet enthousiasme pour la nuit blanche qui nous attend si nous voulons conclure les recherches concernant le dossier Luxor. Nous devons communiquer nos recommandations demain matin. Bon, expliquons le topo au jeune Wade.

Ils appelaient de la maison avec, comme d'habitude, deux combinés distincts. Et, comme toujours, ils imaginaient que je disposais d'une heure à gaspiller en pleine journée. Et mes parents attaquaient par surprise, alors que je me trouvais sans défense à mon bureau. Seulement cette fois, Peter, Wade et Denny avaient investi mon bureau et se sont trouvés pris sous le feu des tirs croisés.

Peter s'est installé dans un fauteuil de l'autre côté de mon bureau, Denny prenant des notes à ses côtés. Wade s'est assis au bord de son siège, sous mon poster SUCCESS représentant un alpiniste atteignant le sommet d'une montagne. Ce poster, tout comme Denny et Wade, était à prendre avec le bureau, de même que la table d'acajou, la porte de verre et les murs gris.

— Cette semaine, nous avons étudié de près les bénéfices réalisés ces cinq dernières années par un fabricant de logiciels de Taïwan, a expliqué Peter à Wade, tout en avalant une bouchée de salade césar au poulet. Demain matin, nous formulerons une recommandation à Alan et Steve. Mais nous avons pensé qu'il te serait utile de comprendre comment cette recherche s'insère dans le projet global.

Denny a approuvé son entraîneur d'un hochement de tête enthousiaste et avalé un quart de son sandwich, plus quelques frites piochées dans mon assiette. Qu'est-ce qui lui donnait à croire que mes frites étaient destinées à la consommation commune ? Peut-être avais-je raté l'e-mail qui annonçait l'aménagement d'un terrain de foot à la porte de mon bureau ? Denny nous avait rejoint un an plus tôt, et était considéré un peu comme le petit frère de l'équipe – un jeune dont on pouvait se moquer ouvertement et enquiquiner un maximum. Il n'était qu'analyste, ce qui signifiait que je le dépassais d'un échelon, de quatre ans d'ancienneté et de plusieurs tonnes de considération dans la boîte. Mais, grâce à son caractère égal, malgré le rappel constant de son statut inférieur, il avait gagné notre affection. Wade était encore plus dynamique et plein de bonne volonté que Denny. Il nous avait rejoint comme stagiaire le mois précédent et son obséquiosité ne connaissait pas de limites. Etudiant en économie de deuxième année à Columbia, il avait les cheveux d'un roux intense et, comme on pouvait s'y attendre, voyait la vie à travers des lunettes roses. Wade avait décroché ce stage grâce aux relations de son père mais semblait déterminé à prouver qu'il le méritait.

*Drrrring !*

Le numéro de mes parents s'est affiché sur l'identificateur d'appel. En dépit de tout bon sens, j'ai choisi de répondre.

*Papa : Hello, beti ! Attends, ta mère décroche sur l'autre ligne… Tu es là ?*

*Maman : Allô ? oui, je suis là. Allô chérie.*

*Moi (faisant signe à Peter de continuer) : Bonjour. Ecoute, c'est important ? Parce que je suis comme qui dirait occupée.*

— Donc, a continué Peter tandis que Denny sirotait son soda et que Wade prenait des notes, Alan et Steve étudient un nouvel investissement possible. Une compagnie nommée Luxor qui fabrique des logiciels destinés à sécuriser le fonctionnement des petites entreprises sur internet.

*Maman : Pas de problème, pas de problème. Cela ne prendra qu'une minute. Alors, tu as appris que Meena et la fille d'Avinash Parul attendent un enfant ?*

*Moi : Qui ?*

*Maman : Tu la connais. Il s'agit de cette fille du Connecticut que tu as rencontrée pendant ta colonie de vacances Hindu Vishwa Parishad.*

*Moi : Mmm-mmm.*

*Maman : Si, si, son mari est médecin lui aussi. Ils se*

*sont rencontrés durant leur internat à John Hopkins. Enfin bon, elle doit accoucher dans six mois !*

*Moi : Super pour eux. Mais je suis au boulot. On peut en parler plus tard ?*

— Luxor envisage d'acquérir une unité de production à Taiwan, continuait Peter. Cette acquisition, si elle se réalise, doublera la capacité de production annuelle de Luxor.

J'ai acquiescé d'un hochement de tête et avalé la moitié de mon thé glacé, comme si cela pouvait abréger l'appel.

*Maman : Oui, et le fils de Freddy et Sylvia, Mark ? Il vient de se fiancer à une fille très bien de Syracuse. Elle travaille dans une association à but non lucratif, avec des enfants ou des musées, je ne sais plus. Enfin bon, ils se sont rencontrés sur un site internet. Rencontresisraelites. com, je crois. Comme ça, ils ne rencontraient que des personnes de confession juive et ils gagnaient du temps. Tu imagines !*

— On s'attend que l'annonce soit faite demain soir, a déclaré Peter. Tout Wall Street sait que Luxor envisage cet achat, mais sait aussi qu'il peut s'agir d'une manœuvre destinée à faire monter le prix de l'action afin d'accélérer la vente de l'entreprise. Si Luxor achète cette unité de production, les investisseurs seront persuadés que Luxor est certain que la demande pour ses produits va se multiplier par deux cette année et le prix de l'action va crever le plafond. Des ventes plus importantes se traduiraient en profits plus importants pour les investisseurs.

*Moi (les coudes sur mon bureau, tiraillant mes sourcils) : Oui. Super.*

*Maman : Aloooooors, ton père et moi avons compris que ça n'a pas marché avec Prakash, mais peu importe. Nous avons un autre garçon pour toi. Il s'apelle Raj. Il est médecin et vit à Manhattan, et…*

*Moi (d'une voix se voulant professionnelle) : Je crois que le moment n'est pas bien choisi.*

— Exactement, s'est empressé d'intervenir Peter. Ce que Vina veut dire c'est que, concernant les logiciels, la demande reste difficilement prévisible. Aussi devons-nous analyser si l'achat de cette unité de production à Taiwan est une décision financière judicieuse.

*Papa : Quand le moment sera-t-il bien choisi ? Quand tu auras quarante ans ? Tu ne peux plus te permettre tant de sentimentalisme. Demain, nous te présenterons dix garçons très bien sous tous rapports.*

*Moi (me demandant en quoi des types prêts à faire la queue pour m'être présentés seraient dignes d'intérêt) : je ne tiens pas à passer en revue une file de dix personnes.*

*Maman : Ne te moque pas, Vina. Nous tentons de t'aider, c'est tout. Selon les résultats obtenus, tu pourrais être mariée d'ici la fin de l'année prochaine !*

— Selon les résultats obtenus…

Peter a fait siffler sa langue entre ses dents.

— … Alan et Steve feront ou non le pari de cette acquisition.

Denny a pilé son glaçon avant de se tourner vers moi.

*Moi : Je n'ai pas besoin d'aide. (Puis je me suis adressée à Wade)* : Non pas toi, toi, nous avons besoin de ton aide.

*Papa : Pourquoi ? Tu es mariée ?*

*Moi : Non. Merci de me le rappeler. Mais évoquer ce sujet ne m'intéresse pas pour le moment.*

— Dans ce cas, a conclu Peter, nos boss achèteront le stock d'actions de Luxor, en prévision de l'annonce et de la hausse du prix de l'action qui s'ensuivra le lendemain matin.

*Papa : Si vous vous plaisez, nous annoncerons les fiançailles. Evidemment, les préparatifs du mariage nécessiteront un an. Si tu n'es pas prête maintenant, quand le seras-tu ? Ce système américain de « rendez-vous » ne t'attirera que des ennuis. Ces soi-disant « liaisons » font faire des bêtises à tout le monde, parce que quelqu'un de nouveau se profile toujours à l'horizon. En quoi le numéro quinze serait-il différent du numéro douze ? Prakash est un beau jeune homme, qui a suivi des études, de bonne famille. D'accord, il n'est pas du Punjab, ce que nous aurions préféré, mais que désires-tu de plus ?*

*Moi (massant mon cou tendu) : Ecoute papa. Je t'ai déjà expliqué la situation. Il est hors de question que j'épouse Prakash parce que...*

— Ces fleurs ont été envoyées par Prakash, pas par Jon ! s'est exclamé Peter.

En jetant les restes de son déjeuner dans la corbeille, il a trouvé la carte, intacte dans son enveloppe.

— Qui est Prakash ? a-t-il demandé.

Sarah a passé la tête dans mon bureau pour savoir si nous étions prêts à aligner les chiffres. Nous surprenant en train de discuter de ma vie amoureuse, elle s'est contentée de pousser un : « Oh, excusez-moi… »

— Prakash ?

J'étais outrée.

— Tu dois plaisanter ! Je ne comprends pas mais…

Comment le « dénoncer » à mes parents maintenant ? Pire, comment le faire en conservant une attitude professionnelle devant mes collègues ?

*Maman : Des fleurs ? De la part de Prakash ? Mais c'est merveilleux ! Vina, tu manquais simplement de confiance en toi ! Malgré ton comportement de samedi soir, ce garçon a compris combien tu es merveilleuse et il t'envoie des fleurs ? Je savais que c'était un bon garçon. Oublions Raj. J'arrangerai les choses avec sa famille. Quant à toi, appelle Prakash pour le remercier. Au revoir, chérie !*

*Moi : Attends, non ! Que tous les critères soient remplis ne garantit pas le succès. C'est bien plus compliqué ! Crois-moi.*

— Vina a tout à fait raison, a conclu Peter en raccompagnant Denny à la porte, une main sur son épaule et l'autre chargée de feuilles débordant de chiffres. Nous simplifions trop le processus. Nous vous donnons à penser qu'il s'agit d'une science. Or ce n'en est pas une. Nous aurons beau manipuler les chiffres jusqu'à n'y plus rien comprendre et passer nos nuits au bureau jusqu'à oublier à quoi ressemblent nos appartements, le marché s'obstinera à se comporter à son gré. En vérité, sans aucune source provenant de l'intérieur, nous l'avons dans l'os.

Peter et Denny sont sortis en riant. Wade, sous ma responsabilité directe, est resté. J'ai jeté mon gobelet à moitié vide dans la poubelle. Conscient d'être un employé trop récent pour prendre ses aises, Wade patientait timidement sur le bord de son siège, le dos bien droit, le sourire plein de bonne volonté, les jambes fermement plantées sur le sol dans son pantalon de toile. J'ai levé un doigt et cherché son regard.

*Maman : D'accord, d'accord, Vina. Nous n'insisterons pas. Mais nous ne voulons pas te voir célibataire à trente ans. Laisse une chance à Prakash. Tu ne rajeunis pas, chérie.*

*Moi (me connectant à mon terminal afin de télécharger les données financières) : Ah bon ?*

*Maman : Cesse de te montrer sarcastique.*

*Papa : Je ne comprends pas. Quand nous avions ton âge, nous étions impatients de commencer nos vies.*

*Moi : Idiote que je suis… Je croyais que la vie commençait à la naissance.*

*Papa : Vina, nous savons tous que tu manies très bien les mots, et que tu as poursuivi de hautes études, mais cela ne signifie pas que nous ayons tort. Tes bons mots ne masquent pas la réalité. Ta vie manque de stabilité. De plus, tu t'obstines à éviter le sujet de ton MBA. Je ne sais plus quoi te dire. Je ne veux que ton bien. Donne-lui au moins une chance. Et abandonne ces idées d'alchimie amoureuse entre les êtres. L'amour se construit au fil d'années d'existence commune. Il ne naît pas du jour au lendemain.*

*Moi : D'accord papa. Je suis désolée. Tu as raison.*

J'ai reposé le récepteur et frotté mes oreilles douloureuses, au cas où leur perception de mon existence pouvait se révéler contagieuse au sens propre. Wade patientait en lisant mon exemplaire du *Wall Street Journal*. Tournoyant sur mon fauteuil, je l'ai interpelé :

— Un truc intéressant là-dedans ?

— Certainement rien d'aussi intéressant que cette conversation téléphonique.

Il s'est vite repris.

— Pardon. J'ai fait ce que j'ai pu pour ne pas entendre, mais…

— Non, non. Pas de problème. Vas-y. Que veux-tu dire ?

Je me suis reculée dans mon fauteuil.

— On m'a enseigné que la vie commençait à la naissance.

Je n'ai pu retenir un sourire.

— Tu sais, Wade, on m'a enseigné que la beauté venait de l'intérieur, mais mon placard qui regorge de chaussures aux talons de quinze centimètres et mon soin du visage mensuel à deux cents dollars au Bliss Spa prouvent le contraire. Bon, une longue nuit nous attend. Ne dis pas que nous ne t'aurons pas prévenu. Nous, nous allons la consacrer à une tonne de recherches et de projections financières. Toi, à taper sur un clavier et faire des photocopies. Attrape ce stylo. Dès que j'aurai imprimé ces rapports financiers, c'est parti.

# 10

A l'âge ingrat, avant et après aussi d'ailleurs, la perception qu'on a de soi-même demeure la plus importante. A dix ans, je me considérais à peu près aussi gracieuse qu'un crapaud. Cette conviction s'était ancrée en moi lors d'un dîner maudit que donnait mes parents. Après avoir terminé mon assiette, je me suis dirigée vers la cuisine, persuadée que ma robe blanche immaculée allait impressionner ma mère et ses amies. Elles allaient me couvrir de louanges et exhorter les autres enfants à suivre mon exemple. Mais j'ai été interceptée en chemin par un oncle qui m'avait sommée de résoudre une devinette.

— Vina chérie, dis-moi.

Il cabotinait au bénéfice d'un groupe d'adultes.

— Qu'est-ce qui possède une grande bouche mais ne parle jamais ?

— Tante Neela ? avais-je répondu.

C'était là l'une des premières démonstrations de mon incapacité à me censurer.

Un torrent de rires avait jailli autour de moi, comme autant de boules de neige glacées me prenant pour cible. La bonne réponse, a expliqué mon oncle quand, remis de son rire tonitruant, il a cessé de se taper sur les cuisses, était : le métro. La gorge serrée, les yeux remplis de larmes, j'ai pour la première fois éprouvé une raideur dans le cou, comme s'il était prisonnier d'un nœud coulant invisible. J'ai tourné les talons pour m'enfuir et un autre adulte avait signalé à tout le monde la tache dans mon dos. J'avais dû m'asseoir sur une assiette de nourriture. Il m'a fallu rassembler toutes mes forces pour ne pas me liquéfier sur place. J'ignorais si on riait de mes paroles ou de la tache. Ce que je sais, c'est que le temps de me réfugier dans ma chambre, je m'étais fait pipi dessus.

On dit que l'univers s'obstine à vous enseigner une leçon jusqu'à ce que vous la reteniez. La première fois que je n'avais pas su me censurer, j'avais mouillé ma culotte. Cette fois, je craignais que les conséquences ne soient bien pires.

*Nouvelle règle : En dessous de six heures de sommeil, interdiction de parler à quiconque au réveil.*

Peut-être était-ce parce que nous avions travaillé sur les chiffres jusqu'à 3 heures du matin. Ou à cause de mes trois espressos. En tout cas, mardi matin, dès mon arrivée, j'ai foncé dans le bureau d'Alan, relevé la tête d'un air assuré et gaffé.

— Vous qui avez une source interne à Taiwan et tout et tout, vous n'aurez certainement pas besoin de cela, ai-je lancé, un sourcil haussé, mais voici notre rapport sur l'acquisition présumée de l'unité de production par Luxor. L'investissement paraît peu plausible.

Donc inutile de préciser que je déconseille l'achat de leurs actions.

Alan a pointé le menton vers le haut-parleur du téléphone d'où a jailli une voix à l'accent étranger prononcé.

— Allô ? Alan ? Tu es toujours là ?

— Oui, Yokuto. Je suis toujours là.

D'un regard noir, Alan m'a signifié de sortir.

— Des interférences perturbent parfois la ligne. Je t'écoute maintenant…

— Pardon, ai-je articulé silencieusement.

J'ai posé le rapport sur son bureau, avant de sortir à reculons de la pièce, tel un voleur de bijoux surpris en train d'entrer par la fenêtre.

Le jour même, dès la fermeture de la Bourse, Luxor a fait une annonce publique. Leur firme était enfin parvenue à un accord concernant l'achat de l'unité de production. L'espace sous mon bureau étant trop réduit pour m'accueillir, je me tenais très droite et tentait de me fondre dans ma chaise quand Denny a fait irruption. Il s'est penché sur mon bureau, les mains à plat, tout sourire, comme un phoque faisant le beau.

— Ne t'inquiète pas, la boîte a tout de même investi dans Luxor. A 9 heures ce matin. Demain à l'ouverture du marché, l'action va monter en flèche.

Je me suis encore davantage enfoncée dans ma chaise. Allait-on me renvoyer pour avoir effectué une recommandation erronée ? Ou mes supérieurs seraient-ils de trop bonne humeur pour me virer sous un prétexte aussi futile qu'une recommandation qu'ils avaient été assez intelligents pour ignorer ?

— Comment ai-je pu interpréter de travers les rapports financiers ? Quels détails m'ont échappé ?

— Ce n'est pas ta faute, Vina. Nous avons tous travaillé sur ces données.

— Oui, Denny. Mais c'est moi qui ai rédigé la recommandation finale. Merde ! Qu'ont-ils vu de plus que moi ?

Il m'a regardée dans les yeux.

— Un détail qui les a convaincus du bien-fondé de leur décision, certainement. Mais…

— Mais quoi ? Je travaille ici depuis longtemps, Denny, et… je… j'aurais juré avoir traqué le moindre chiffre de ces rapports ! J'ai revérifié tous les calculs de nos feuilles Excel, réétudié la moindre modélisation. Tu sais quoi ? Peut-être ai-je négligé le projet global ? Trop concentrée sur le détail des chiffres, j'ai peut-être mal perçu l'ensemble ? Alan a fait un commentaire ? Existe-t-il des infos spécifiques à ce secteur, ou des facteurs extérieurs que j'ai omis de prendre en compte ?

— Quelle importance, Vina ? La boîte a fait de l'argent ! Tu vas peut-être te prendre un savon, mais tant que notre portefeuille est à la hausse, tout le monde y gagne. Tu apportes beaucoup à la boîte, on ne va pas te virer pour ça. Pourquoi ne pas cesser de t'inquiéter et nous rejoindre pour fêter ça autour d'un verre ?

— Tu ne comprends pas, Denny. Ce n'est pas la crainte d'être virée. Faire de l'argent… eh bien… ce n'est pas suffisant.

J'ai secoué la tête. Si j'étais nulle dans mon boulot, et nulle dans mes relations amoureuses, que me restait-il dans la vie ?

Dans des bureaux à dominante masculine, les toilettes des dames constituent une bonne cachette. Pour échapper à vos collègues. A vos clients. A vous-même. Et j'y aurais sans problème passer les deux heures suivantes si Cristina n'avait pas appelé.

— Tu sais, lui ai-je expliqué en me penchant sur le miroir pour étudier l'état lamentable de mes pores, à cinquante ans, j'aurais bien plus vilaine allure que ma mère, et encore plus que sa mère avant elle. Entre ôter les chewing-gums des cheveux de leurs enfants et les taches des cravates de leur mari, elles n'avaient pas le loisir de se faire des rides à force de réfléchir comme moi.

— J'en déduis que tu t'es plantée dans ta recommandation, a rétorqué Cristina. Tu t'exprimes toujours avec une recherche ridicule lorsque tu es déprimée. *No te preocupes.* Quand ta grand-mère avait cinquante ans, le Botox n'existait pas. Et le temps que nous nous atteignions cet âge canonique, ils auront trouvé bien mieux. Peut-être même sous forme de milk-shake.

A mes risques et périls, je me suis rapprochée du miroir. Deux ans plus tôt, une première trace de ride d'expression s'était insinuée le long de ma joue. Depuis, j'expérimentais régulièrement quantité d'expressions différentes afin de déterminer lesquelles réduisaient et lesquelles soulignaient les traces du passage des années.

Je fronçais les sourcils ou faisais la moue, étudiant les propriétés lissantes de mon sourire. Lèvres ouvertes, lèvres fermées. Avec ou sans haussement de sourcils. Je rentrais le menton afin d'imaginer la façon dont les personnes plus grandes me percevaient. Je reconnaissais que cette activité devait être plus nuisible que bénéfique. En cherchant quelle expression minimisait mes rides, j'en générais certainement de nouvelles. Mais un simple dîner entre copines me métamorphosait en un adolescent boutonneux répétant sa meilleure imitation de James Dean avant de se rendre au bal du lycée.

Je ne redoutais pas tant l'âge que la fin de toutes les opportunités s'offrant à la jeunesse. Si cette petite manie était restée secrète, elle se serait révélée sans importance. Après tout, je n'étais pas pire que les hommes qui se tirent les poils du nez ou se font de l'œil d'un air enamouré dans le miroir, juste pour se prouver qu'ils n'ont pas perdu la main. Malheureusement, un an plus tôt, Paméla m'avait surprise en train de flirter avec moi-même, comme elle disait, dans le miroir de sa salle de bains. Une amie attentionnée aurait ri avec moi, ou m'aurait imitée afin d'atténuer ma sensation de ridicule. Mais Pam, elle, ne manquait pas une occasion de me rappeler l'incident. Et ce soir dans les toilettes, son appel surprise n'a pas fait exception à la règle.

— Ne quitte pas, Cristy, j'ai un autre appel… Allô ?

— Vina, ton retard devient sérieux, m'a reproché Pam.

— Mon retard ne peut pas être inquiétant. Tu ne m'as pas fait l'amour depuis des mois !

— Cesse de plaisanter, Vina. Je parle du cours de yoga.

— Je ne suis pas en retard, Pam. Nous avons rendez-vous à la gym avec Cristy à 20 heures, or il n'est que 19 h 30.

— Oui, mais je te connais.

— Ah *oui ?* Qui suis-je ?

— Quelqu'un de fabuleux. Qui est en retard. Les filles, je vous rejoins au cours de yoga. Je… Arghh, regardez-moi ! Hors de question de quitter la maison dans cet état. *Hors de question !* Zut, ma queue-de-cheval est retombée. Je dois la refaire. Bon, écoutez les filles, il faut qu'on parle. Or trouver un taxi à cette heure dans ton quartier est une horreur. Si tu ne pars pas maintenant, tu n'arriveras pas à temps pour avoir une bonne place ou un tapis de yoga correct.

— Je sais, je sais. Je finis juste, heu, des paperasses.

— Vina, cesse de flirter dans la glace.

— De quoi parles-tu ? Je suis au bureau, mon bureau. Sans un miroir à l'horizon.

Elle a reniflé avec impatience.

— Alors pourquoi j'entends une chasse d'eau ?

J'ai levé les yeux. Derrière moi, Sarah émergeait d'un box et se dirigeait vers le lavabo.

— D'accord, tu as gagné, je te parle depuis les toilettes. Je suis une maniaque qui s'envoie des baisers dans le miroir à longueur de temps. On se retrouve à la salle de gym. A 20 heures. Mais écoute… J'ai eu une dure journée et ce soir je préférerais vraiment qu'on évite de parler de Jon.

— Vina, j'ai dit que nous devions parler. Pas que nous devions parler de Jon. Tout ne tourne pas toujours autour de toi, tu sais.

J'ai voulu reprendre l'appel de Cristina, mais elle avait déjà raccroché. J'ai fourré mon portable dans la poche de mon tailleur et me suis arraché un sourire sans conviction à l'intention du reflet de Sarah dans le miroir. Elle a pivoté pour me faire face et plongé ses mains dégoulinantes dans une serviette en papier. Puis elle l'a jetée par-dessus son épaule dans la corbeille avant de gagner la porte.

— Super de voir à quoi tu consacres ton temps de travail, a-t-elle lancé d'un air suffisant.

Et elle a disparu avant que je n'aie pu répondre.

# 11

— Hier soir…

Pam a levé les yeux vers moi tout en roulant son tapis.

— … mon psy m'a jetée.

Selon Cristina, au Health & Fitness Club de New York, les soirs de semaine sont les moments privilégiés de la drague. Mais le cours de yoga terminé, l'état de mes muscles m'inquiétait trop pour que je remarque ceux de quelqu'un d'autre. J'avais dû me froisser un truc. Cristy croyait que le prof de yoga avait tenté de flirter avec elle quand il avait corrigé l'arc de son dos tandis qu'elle effectuait la posture du chien tête en bas. Les pensées de Pam suivaient un cours totalement différent.

— J'ignorais que tu couchais avec ton psy, a répondu Cristina en lançant son tapis sur la pile. Ce bon vieux William n'assure plus ?

— Quoi ? Non ! Bien sûr que si ! Et je ne couche pas avec mon psy, a protesté Pam. Bon, alors… il… m'a virée en tant que patiente.

— Pam, un psy ne vire pas les gens. Il refuse simplement de continuer à te conseiller.

Cristina a relevé ses cheveux en queue-de-cheval et avalé une gorgée de sa bouteille d'eau.

— … Et seulement s'il a une sacrée bonne raison. Par exemple si tu refuses de prendre tes médicaments. Ou que ton état nécessite une hospitalisation. Ou si tu t'obstines à lui sauter dessus durant les séances.

— Tu es folle ou quoi ? a rétorqué Pam. Ou alors tu as encore rempli ta bouteille de vodka ?

Cristy a roulé des yeux et bu une nouvelle gorgée.

J'ai boitillé à leur suite, puis me suis posée avec précaution sur le banc derrière la porte.

— Les filles, s'il vous plaît, ai-je gémi, si on oubliait les chamailleries pour passer aux choses sérieuses ? Comme notre prochaine sortie entre nanas ?

J'ai frictionné mon mollet douloureux. Ma maîtresse de CE2 avait peut-être raison finalement. Peut-être m'étais-je blessée durant le cours de yoga parce que je souffrais d'« un esprit de compétition autodestructeur ». A moins que ce ne soit parce que cet accro de la muscu dans la salle voisine détaillait ouvertement mes mouvements à travers la vitre. Il était plutôt mignon, mais un regard aussi franc transformait vite le plus canon des mecs en harceleur. Cristy avait dit vrai. Vu la quantité de phéromones flottant dans la salle de gym à cette heure, rebondissant sur les visages botoxés et les faux seins, c'était un miracle que personne n'ait encore perdu un œil.

Je parlais sérieusement.

Pam a laissé tomber son sac de gym à mes pieds pour s'écrouler à côté de moi sur le banc.

— Il prétend que je vis dans le déni de la « réalité », à savoir que William ne me demandera jamais de l'épouser.

Je me suis tue un moment. Cristina et moi avons échangé un regard entendu.

— Pam, as-tu déjà pensé à voir quelqu'un d'autre ?

— Tu as raison. Je suis désolée. Mais… Vous allez me trouver horriblement peu *émancipée*, mais parfois j'ai peur de perdre mon temps. J'investis depuis des années dans ma relation avec William. Et s'il ne me demandait *jamais* de l'épouser ?

Elle a fondu en larmes. A ma grande surprise, Cristina s'est précipitée la première. Elle s'est baissée à notre hauteur pour prendre les mains de Pam entre les siennes et la regarder droit dans les yeux.

— William te demandera de l'épouser. Un jour. Quand il sera prêt. Tu ne voudrais pas qu'il t'épouse contre son gré, n'est-ce pas ?

Pam s'est tapoté les yeux et a hoché la tête, comme une marionnette suspendue au bout d'un fil.

Une lueur s'est allumée dans le regard de Cristina.

— Mais si tu préfères t'en assurer, a-t-elle repris, tu peux toujours oublier ta pilule.

Pamela s'est figée. J'ai levé les yeux au plafond et ajusté la bretelle de mon soutien-gorge de sport.

— … Je plaisantais, évidemment.

Pam aurait trouvé déplacé que je lui rappelle que les relations amoureuses ne se limitent pas à un investissement en vue du mariage. Autant dire à Cristina qu'être au mieux de ma forme n'était pas au top de mes priorités. Aussi avant de parler ai-je mordu dans un morceau de chewing-gum, façon pour moi de me mordre la langue.

— D'accord, Pam. Je pense comme elle. Sauf en ce qui concerne oublier ta pilule. Et quand je te suggérais de voir quelqu'un d'autre, je parlais de remplacer ton *psy*. Pas *William*.

Paméla s'est arraché un sourire, rassérénée.

— Nous sommes un peu trop tendues ces temps-ci, a tranché Cristina en se relevant. Passons à la partie récréative du programme et parlons de vendredi. Bonne nouvelle : Reena vient à New York ! J'ai réservé chez Son Cubano. Depuis son divorce, elle est prise d'une véritable frénésie amoureuse. On va s'éclater, c'est certain.

— Les filles, j'ai vraiment mal, ai-je gémi. Je ne sais pas si je pourrai venir vendredi. J'ai dû me froisser un muscle.

— Pas d'excuses, Vina, a dit Pam. Tu ne t'es rien froissé du tout. Et tu n'échapperas pas à cette soirée.

— Comment saurais-tu mieux que moi si oui ou non je me suis froissé quelque chose ?

— Hors de question que je sois forcée d'y aller et pas toi, a-t-elle déclaré en se dirigeant d'un pas martial vers les douches. Et ne t'inquiète pas. Si tu ne t'es rien froissé pendant le cours de yoga, tu te froisseras bien un truc en suivant le rythme de Reena vendredi soir.

\*\
\* \*

J'étais trop préoccupée pour me disputer. En échange de ma promesse de participer à notre soirée entre filles, Pam et Cristina ont accepté de me laisser seule avec ma douleur. Les copines, comme les vendeurs de voitures d'occasion, exploitent la moindre de vos faiblesses à leur avantage.

Et les hommes, comme les hyènes, se jettent sur la moindre proie blessée. Je me suis massé les mollets, promettant aux dieux de la gym six mois de pénitence sur l'autel du *treadmill* s'ils me rendaient mon muscle. Evidemment, c'est le moment qu'a choisi un mec pour m'aborder, dernière chose dont j'avais besoin.

— Vous avez trop forcé ? a interrogé une voix rauque venue d'en haut.

J'ai levé la tête.

— Quoi ? Non ça va. Je maîtrise la situation.

Le mec planté devant moi ressemblait à un cliché ambulant et j'ai réprimé mon envie de rire. Il s'agissait du voyeur accro de la muscu. Les jambes écartées de la largeur des épaules, les bras croisés sur la poitrine, il a penché la tête et m'a souri. Il avait dû tremper ses dents dans du Blanco. Mais je me suis répété que je n'étais pas d'humeur pour une nouvelle mésaventure musclée. Ma phase *mecs en libre service* était terminée.

— Je n'en ai pas l'impression.

Il s'est agenouillé devant moi et a fait un geste en direction de ma jambe. Je me suis écartée avec brusquerie.

— Je ne me rappelle pas avoir demandé votre opinion.

114

— Je ne vous donne pas mon opinion mais un simple conseil.

Il a marqué une pause.

— Un conseil professionnel, de la part d'un entraîneur. Faites-moi confiance. La médecine du sport, ça me connaît. Il faudrait appliquer de la glace et maintenir la pression, comme ça…

— Oh. Eh bien, merci.

J'ai déclaré forfait et lui ai tendu ma jambe endolorie.

— Le plaisir est pour moi.

Il s'est relevé pour s'asseoir à mes côtés.

— Je m'appelle Nick. Je n'ai pas saisi votre nom.

Il devait plaisanter.

— C'est parce que je ne vous l'ai pas donné.

J'ai enfilé mon sweater et remonté la fermeture jusqu'au menton.

— Vous tirez tous azimuts, n'est-ce pas ?

Ses yeux étincelaient.

— … Et vous avez la dent dure. Ça me plaît.

— Tant mieux pour vous.

Je l'ai regretté tout de suite. Inutile de le faire payer pour mes problèmes, même s'il perdait sa salive et son énergie à me draguer.

— Désolée. Je m'appelle Vina. Et j'ai eu une journée atroce.

— Ça arrive aux meilleurs d'entre nous. Mais je suis étonné qu'une séance de yoga ne vous ai pas apaisée. Je vous aurais cru prédisposée à ce genre de d'exercice. Très flexible vous voyez ?

Dans mon cerveau retentit un crissement d'aiguille rayant un disque. J'avais déjà affronté ce genre de commentaires auparavant, mais aujourd'hui ma patience me lâche. J'ai bondi sur mes deux pieds et lui ai fait face.

— Parce que je suis indienne, c'est ça ? Et que nous sommes toutes des charmeuses de serpent qui dansent du ventre et se plient en forme de bretzels quand elles font l'amour ? Tu as regardé trop de pornos, mon pote. Que sais-tu de plus sur les Indiennes ?

— Nick, lance Prakash, surgi du néant, fais gaffe si tu ne tiens pas à perdre un doigt. C'est dur de plaire à cette fille.

J'ai réagi vertement.

— Prakash, cesse de me tomber dessus à l'improviste ! Cela devient ennuyeux.

Nick s'est levé.

— Je m'excuse, Vina. C'était une réflexion idiote. Ne l'interprète pas comme une marque de mépris.

Les paillettes dorées qui parsèment son regard d'un vert profond m'ont distraite un moment, mais j'ai réagi.

— D'accord. Bon, j'en déduis que tous deux vous connaissez ?

— On peut dire ça, a répondu Prakash.

— Bon. Peu importe. J'accepte tes excuses, ai-je dit à Nick.

Il a levé les mains afin de prouver qu'il n'était pas armé puis s'est éloigné à reculons avec un sourire penaud.

Je suis revenue à Prakash.

— Pourquoi les fleurs ?

— Je vais aussi devoir m'excuser de t'avoir envoyé des fleurs ? Tu vois, c'est pour ça que je sors avec des hommes. Du moins, c'est l'un des avantages que j'y trouve. Les femmes sont incompréhensibles. Et leurs seins se placent toujours en travers de leur chemin.

J'ai croisé les bras, refusant de battre un seul cil. Son grand sourire a glissé de son visage caramel et s'est étalé en une flaque sur le sol.

— Ecoute, je suis désolé de t'avoir si brutalement annoncé la vérité le soir du mariage. J'ai réfléchi. Je comprends maintenant que j'aurais dû te mettre au courant tout de suite, dès que nous nous sommes rencontrés. Mais ce n'est pas facile de faire confiance à quelqu'un sur la foi de son visage.

Il n'avait pas tort. J'ai hissé mon sac sur mon épaule et j'ai soupiré lourdement.

— Laisse tomber. Je m'en suis remise. D'ailleurs, j'ai des soucis bien plus graves. Ça va. C'est fini.

— Alors tu acceptes ?

Il rayonnait.

— J'accepte quoi ?

— De… euh… Tu n'as pas lu la carte, n'est-ce pas ? a-t-il compris, gêné.

J'ai haussé les sourcils et hoché la tête.

Son visage s'est lentement crispé.

— Vina, je sais que tu as tous les droits de refuser, mais j'ai besoin que tu me rendes un service, que tu joues le jeu et laisses croire à nos parents que nous sommes sortis plusieurs fois ensemble. Afin de gagner un peu de temps avant le prochain rendez-vous arrangé par ma famille.

— Ouais. Bien sûr. Pas de problème.

J'ai tourné les talons en ricanant.

— … Hé, pendant que nous y sommes, pourquoi ne pas nous marier ? Mieux, je peux pondre un ou deux marmots ! Ça devrait te permettre d'être tranquille environ dix-huit ans ! Juste pour que le tout paraisse plus crédible, c'est ça ? Tu es cinglé !

— Vina, a-t-il crié dans mon dos, Vina s'il te plaît, réfléchis !

— Non, espèce de malade !

J'aboyais presque.

— Tu as trente ans ! Deviens adulte et cesse de mentir à tes parents !

— Révéler son homosexualité à ses parents n'est pas si facile, Vina. Tu n'as aucun ami homo ? Tu n'as jamais menti à tes parents pour les protéger ?

J'ai revu défiler en un flash le moindre de mes petits amis. Et Christopher.

— Très bien. J'accepte. Mais prie pour que cela ne requière aucun effort réel de ma part. Je jouerai le jeu le temps de quelques faux rendez-vous. Nous dirons que nous avons déjeuné chez Cipriani, puis qu'un autre soir nous sommes allés dîner et danser. Pour ne pas nous tromper, disons dans ce nouveau club cubain, Son Cubano. Ensuite, nous avouerons que nous ne ressentons rien l'un pour l'autre. Et tu me seras redevable.

# 12

Une anomalie morphologique de plus, ai-je pensé le lendemain matin à la vue de mon mollet.

Je m'escrimais à enfiler les ballerines Cole Haan caca d'oie que je réservais d'ordinaire aux audits ou aux procès lorsqu'on m'appelait comme jurée. Malheureusement, dans mon état, c'étaient les seules chaussures dans lesquelles je parvenais à marcher. Mon mollet, comme mon ego, souffrait de dommages aggravés, aussi n'étais-je pas pressée d'arriver au bureau. Je faisais la queue à la caisse du magasin tenu par l'Indien libidineux quand Reena a appelé. Elle s'est excusée d'être si peu joignable.

— Je suis débordée à l'hôpital. Les horaires sont dingues.

Je me suis mordu la langue pour ne pas évoquer mes soixante-dix heures hebdomadaires.

— … et je m'excuse aussi de ne pas t'avoir appelée au sujet de Jon, mais tu sais que je ne suis pas terrible pour ce genre de trucs.

— Ce n'est pas grave. Je comprends.

La première gorgée de café m'a brûlé la langue.

— D'ailleurs, tu connais ma devise. Pas la peine de

119

pleurer les maris déchus, les Italiens ou les cow-boys, selon le cas.

J'ai ri.

— Tu as eu vent de la séance de rodéo de Cristy ?

— Ah, je te retrouve. Ton rire me manque, tu sais.

Elle s'est interrompue une minute.

— Attends, tu as ri, ou tu as pouffé comme une gamine parce qu'il y a quelqu'un dans ta vie ?

— Non. Enfin pas vraiment.

Je me suis approchée de la caisse en soufflant sur mon café.

— Ce qui se traduit par ?

— Qu'il y a bien un mec, nommé Prakash, avec qui mes parents essaient de me caser. Mais le problème avec…

— Comment ? s'est-elle exclamée, sarcastique, tu veux me faire croire que l'homme parfait sélectionné pour toi par tes parents dans un catalogue indien poserait problème ? Je ne le crois pas ! Je *refuse* de le croire !

Reena, l'une de nos amies indiennes, ne tenait pas en haute estime l'instinct parental. Elle venait de retrouver son état de célibataire après avoir trouvé le courage de divorcer de l'homme, charmant mais totalement inintéressant, avec qui ses parents lui avaient arrangé un mariage. Elle n'avait pas réussi à l'aimer avec le temps, comme ses parents le lui avaient promis, nous avait-elle expliqué. Alors, elle avait divorcé et déménagé à Boston, une ville qui lui offrait un nouveau départ et une bourse lucrative pour la fac de médecine. Là, elle avait découvert que celui qu'elle avait aimé durant ses premières années de fac – mais que ses parents avaient rejeté parce qu'il venait d'une caste différente – venait de se marier. Reena était bien déterminée à ne jamais regarder en arrière, tout autant qu'à ne pas se contenter de moins que l'amour véritable. Mais, en attendant de le trouver, elle s'était transformée en vraie panthère, ne dédaignant pas de passer le temps avec de beaux garçons plus jeunes qu'elle. Elle refusait d'épiloguer sur son divorce, préférant rire d'elle-même à la moindre occasion, appeler ses seins des « attrape-mecs » et arborer de longues boucles d'oreilles scintillantes.

— Que veux-tu ? Je suis difficile, c'est tout.

Elle a reniflé.

— Laissons tomber la psychanalyse de comptoir. Plus important, que pense ta Nani du célibataire numéro un ?

— Je doute qu'elle ait une haute opinion des hommes, en particulier ceux de ma vie.

— Cette femme est une sage.

— Crois-tu qu'en vieillissant nous allons acquérir la sagesse ? dis-je.

La femme devant moi a renversé le contenu de son sac sur le comptoir à la recherche de petite monnaie.

— Mon Dieu, j'espère que non, s'est exclamée Reena. Tu imagines combien nous rigolerions moins si nous avions conscience de ce que nous faisions ? Oups, je dois te laisser. On me bipe. A vendredi.

Reena était plus proche de ses dix-neuf ans que de ses trente et un, et ça me plaisait.

*
* *

— Un dollar dix.

J'ai sursauté. Pendant que je regardais par la fenêtre, la femme qui me précédait avait disparu et je ralentissais la queue.

— Un dollar dix, a répété le caissier en tapotant de ses doigts sur le comptoir.

— Oh. Bien sûr. Désolée.

Je me suis débattue avec mon porte-monnaie, sous les toussotements désapprobateurs.

— Pourquoi l'observez-vous toujours ? a demandé le caissier à qui je tendais deux billets de un dollar.

— Pardon ?

— La folle, a-t-il dit en désignant la gitane dansant de l'autre côté de la rue.

Il s'est tapoté la tempe du doigt.

— Elle est dérangée… pagal… vous connaissez le mot *pagal* ?

— Oui. Je ne sais pas si elle est folle. Je la regarde parce qu'elle paraît si heureuse.

J'ai rangé ma monnaie et relevé la tête pour lui sourire. Il s'est penché et m'a déshabillée du regard.

— Vous êtes du Punjab ?

A un moment de la matinée, Peter est venu s'écrouler dans la chaise face à mon bureau. J'ai refusé la demande de chat de Jon, la onzième depuis 9 heures ce matin, et accordé toute mon attention à Peter. Plusieurs détails m'ont alarmée.

— Peter, qu'as-tu fait de ton Blackberry?

J'ai baissé la voix, comme pour apaiser un enfant muni d'un couteau.

— … Et pourquoi as-tu desserré ta cravate?

— Tu n'es pas au courant?

Il s'est passé la main sur le front puis dans les cheveux.

— Au courant de quoi?

— Les bonus annuels. On l'a tous dans l'os.

— Quoi? Mais les actions de la boîte sont en hausse! Je comprendrais que *mon* bonus soit sujet à discussion – vu mes récentes inepties, et que la plupart du temps je ne sais même pas ce que je fais, et encore moins ce que je veux faire –, mais pas *le tien.* Impossible.

Il s'est penché pour me répondre.

— Possible. Et je tiens à souligner que même si tu trouves le secteur boursier peu gratifiant, tes performances n'en sont absolument pas affectées. Et Alan et Steve le savent eux aussi. Mais ces enfoirés peuvent faire ce qui leur chante : dans l'état actuel de la situation économique, où irions-nous? Ils savent que nous n'allons pas démissionner pour cause de bonus inférieurs à nos espérances.

— Attends. C'est vraiment si terrible? Qu'as-tu appris? Cela concerne tout le monde?

— Je le tiens du garde de la sécurité, en bas. Il a surpris une conversation entre membres de la direction ce matin. Cette attente tourne à la torture.

Il s'est frotté les yeux.

— Réfléchis, Vina. Les évaluations personnelles

et l'annonce des bonus étaient programmées pour la semaine dernière. Pourquoi nous feraient-ils attendre s'ils avaient de bonnes nouvelles à nous annoncer ? Je suis à cran. D'après la rumeur, ils discutaient de mon bonus et ce qu'on m'a rapporté ne me porte pas à l'optimisme. Et comme ton bonus est en général identique au mien, oublions les trente mille balles que nous espérions. Nous recevrons moins de la moitié… avec de la chance.

— Merci de me prévenir. De toute façon, je n'étais pas très optimiste. J'ai vécu deux semaines plutôt décevantes.

Moins de cinq minutes plus tard, Alan m'a convoquée dans son bureau. Quand, pour la première fois depuis les cinq ans que je travaille pour lui, il a refermé la porte derrière moi, mon calme s'est envolé par la fenêtre. Puis j'ai pris conscience de la présence de Steve, assis dans l'angle. Pourquoi s'y mettaient-ils à deux ? En temps normal, Alan discutait seul de l'évaluation de ma performance annuelle. Allais-je me faire virer pour cause d'incompétence dans l'affaire Luxor ? Est-ce que l'atmosphère du bureau d'Alan avait toujours été aussi étouffante ? J'ai décidé que si Steve croisait mon regard, ce serait bon signe. Signe que le jury m'avait jugée coupable de charges plus légères que l'accusation. J'ai inspiré à fond et tenté de toutes mes forces d'ignorer que la pièce rétrécissait petit à petit.

— Vina, a commencé Alan en s'asseyant derrière son bureau, Steven et moi avons de mauvaises nouvelles.

Nous t'avons demandé de venir parce que nous désirons que ce soit fait... euh... avec le plus de tact possible.

J'ai hoché la tête sans ciller. Steve ne m'avait toujours pas regardée en face.

— ... Nous espérons pouvoir compter sur ta discrétion...

Oh mon Dieu oh mon Dieu oh mon Dieu. Ils vont me demander de vider mon bureau dès ce soir. Demain matin, ils nieront m'avoir jamais connue et je ferai la manche avec un tambourin aux côtés de cette gitane dingo devant Grand Central. Ou alors on va me forcer à intégrer le programme de protection des ex-employés de Wall Street dont on jure tout bas qu'il existe ! Comme à ceux qui témoignent contre la mafia, on m'attribuera une nouvelle identité, une perruque qui gratte et un boulot de serveuse dans un restau au Nouveau-Mexique. Oh mon Dieu, je serai obligée de sortir avec un camionneur bedonnant à qui il ne restera qu'une dent !

— ... Dans notre entreprise, la tolérance envers le harcèlement sexuel est de zéro, continuait Steve, et nous sélectionnons des collaborateurs intègres, dont les valeurs essentielles s'accordent avec les nôtres. Malheureusement, une situation sérieuse concernant un membre de notre équipe s'est fait jour.

Krishna, viens à mon secours ! Je croyais qu'Alan avait compris que l'incident durant le black-out était un accident ! Je savais que j'aurais dû insister pour m'expliquer. Mais on n'allait tout de même pas me virer parce que j'avais peloté mon boss par accident ! Comment allais-je expliquer ça à mes parents ?

C'était comment ce foutu mantra des claustrophobes déjà ? Calme tes nerfs ? Repère les sorties ? Ferme les yeux ? Flûte, comment mon col peut-il me serrer autant alors que je ne porte même pas de cravate ?

— Une secrétaire a accusé Wade de harcèlement sexuel, a expliqué Alan.

J'ai ouvert grand la bouche.

— Arghhhh ? ai-je soudain laissé échapper.

Surtout parce que je retenais mon souffle depuis deux minutes.

— Tu comprends que nous n'avons d'autre choix que nous séparer de lui, a-t-il repris les bras croisés et les sourcils froncés sous un front plissé à l'excès. Et, pour préserver le moral de l'équipe, tu ne dois pas en paraître surprise. Wade travaille sous tes ordres, nous devons tous trois présenter un front uni.

— Je suis d'accord avec Alan, Vina, est intervenu Steve. Si nous n'agissons pas, la situation pourrait se révéler extrêmement dommageable pour l'entreprise. Extrêmement.

J'étais perplexe. Je considérais Wade un peu comme un petit frère. Je ne l'imaginais pas se comporter ainsi. Avait-il demandé une fois de trop à la secrétaire de sortir avec lui ? Avait-il envoyé un e-mail grivois ? Cela ne ressemblait pas à Wade. Mais qu'en savais-je après tout ? Luxor ne semblait pas une entreprise prête à acquérir une usine taiwanaise aux finances boiteuses.

Et mon *mec* non plus ne semblait pas le genre à faire l'amour avec une autre.

La température à hauteur de mon col tombée à un niveau plus acceptable, je me suis éclairci la gorge.

— Messieurs… Avec tout le respect que je vous dois, pourquoi n'entends-je parler de cette affaire que maintenant ? De qui émane l'accusation ? Existe-il une preuve quelconque ? Je ne conteste pas l'allégation, mais je supervise Wade au quotidien et il m'a toujours semblé un type bien. Je tombe des nues.

— Nous nous doutions que tu serais surprise, a repris Steve. J'apprécie que tu éprouves le besoin de monter au créneau pour ton subordonné, mais la direction a pris sa décision. Et notre jugement prévaut sur le tien, c'est évident. Nous préférons éviter que cela fasse tout un foin dans la boîte. Boulot boulot. Et impossible de te dire de quelle secrétaire il s'agit. Tous les éléments doivent rester confidentiels, tout comme cette conversation. Ne discute de la situation avec aucun de tes collègues. Eloigner Wade est la seule façon de nous assurer que nous ne serons pas poursuivis.

— Mais Steve, je…

— Vina, nous n'avons pas le choix ! La boîte ne peut s'offrir le luxe d'un procès. Avec la mauvaise presse concernant Wall Street ces derniers temps, nous ne pouvons courir ce risque. Certains de nos plus gros clients nous ont récemment confié de gros budgets *parce que* nous sommes l'une des rares boîtes à conserver une réputation sans tache.

J'ai baissé les bras.

— D'accord. Si vous êtes certains qu'il est coupable, que puis-je dire ? Je suis déçue, mais je lui parlerai aujourd'hui.

— Tu lui expliqueras qu'il s'agit d'une question de budget. Il recevra l'équivalent de deux semaines supplémentaires de salaire. En guise d'indemnités. Ne mentionne pas les accusations portées contre lui, il pourrait les contester. Nous ne pouvons pas nous permettre ce genre de publicité.

Trop embarrassée par ma débâcle concernant Luxor, je n'ai pas osé demander ce qu'ils avaient remarqué dans ces rapports financiers que je n'avais pas vu. Le fond du problème était qu'à eux deux, Alan et Steve conjuguaient quarante ans d'expérience de Wall Street, en regard desquels mes dix ans de métier à peine ne faisaient pas le poids. Comment aurais-je osé remettre en question leur décision concernant Wade ? Tout concordait à me signifier qu'ils en savaient davantage que je n'en savais. Ou n'en saurais jamais.

De retour dans mon bureau, je me suis tapé la tête contre les murs. Peut-être sonnait-elle creux. Comment avais-je pu occulter à ce point le comportement d'un subordonné ? Pourquoi ces derniers temps éprouvais-je l'impression d'être totalement à côté de la plaque ? Mes collègues féminines pensaient-elles que je tolérais ce genre de comportement ? Comment Wade pensait-il s'en tirer ? Croyait-il que les relations de son père lui octroyaient certains privilèges ? Je n'ai pas eu le loisir de me torturer davantage l'esprit car on frappait à ma porte.

— Entre, Wade.

Je me suis levée pour regarder par la fenêtre.

— Alan m'a dit que tu voulais me voir ?

— Oui. Je t'en prie, assieds-toi. Et… euh… ferme la porte derrière toi.

J'ai dégluti et j'ai commencé à arpenter la pièce.

— Ecoute, Wade, ce genre de choses est toujours difficile à dire. J'en suis très déçue, mais nous allons devoir nous séparer de toi. Nous devons opérer des réductions budgétaires et…

— Tu parles *sérieusement* ?

Depuis que je le connaissais, c'était la première fois qu'il me coupait la parole.

— … tu vas vraiment oser ? Je n'ignorais pas l'existence de cette possibilité, mais comment peux-tu croire qu'ils vont s'en tirer ainsi ?

Son attitude ne me plaisait pas. Bien trop agressive et scandalisée pour un stagiaire, surtout un stagiaire accusé de harcèlement sexuel. Peut-être Alan et Steve avaient-ils raison. Comment Wade espérait-il rester dans la boîte après ce qu'il avait fait ? Je me suis assise afin de le regarder dans les yeux.

— Wade, il est préférable pour tout le monde que tu partes. Ce serait ta parole contre la leur. Réfléchis. Ils t'offrent un petit extra en plus de ton dernier salaire… un genre d'indemnités de licenciement. Je ne suis pas entrée dans les détails, mais je ne crois pas avoir besoin d'en savoir davantage. Tu devrais arrêter les frais et t'éloigner discrètement. C'est le meilleur avis que je puisse te donner.

— Tu manies vraiment bien les mots, Vina, a-t-il craché.

— Ce n'est pas moi qui suis en cause.

Wade m'a lancé un dernier regard, découragé. Comme si c'était *moi* qui le laissais tomber.

— Tu ne me croirais pas, même si j'essayais d'expliquer ? Tu ne désires pas entendre ma version ?

— Non, Wade. Désolée. Je n'ai pas d'autre choix que d'appuyer mes supérieurs.

— Conneries, a-t-il lancé avant de sortir en claquant la porte.

# 13

— Avant que tu n'ouvres la bouche, je t'emprunte ton sac à main bleu. Et il ne te reste qu'une heure pour te préparer avant notre soirée entre filles.

Lorsque je suis rentrée chez moi, la première vue qui s'est offerte à moi est celle des fesses de Cristina, auréolées de la lumière de mon frigo.

— Comment survis-tu en te nourrissant ainsi ? a-t-elle repris par-dessus son épaule. Pas un morceau de fruit, ni une goutte de lait ou de jus de fruits.

Elle a tenu la porte du réfrigérateur ouverte afin d'exposer son lamentable contenu : trois barres de marshmallow roses sous vide, un pack de Pepsi, deux barquettes de plats chinois et une bouteille d'Absolut à moitié vide.

J'ai jeté ma veste sur une chaise et me suis dirigée vers la salle de bains.

— Qui t'a ouvert ?

— Tu m'as donné la clé. Tu te souviens ?

— Vaguement.

J'ai examiné mes yeux injectés de sang dans le miroir.

— … Je ne sais plus. Dure semaine.

Elle a agité la bouteille d'Absolut sous mon nez.

— Quelle explication as-tu à me donner ?

— Pam a dû la boire, ai-je répondu en haussant les épaules.

— Et depuis quand Pam stocke-t-elle de l'alcool dans ton frigo ?

— Elle s'entraîne. Pour l'avenir, quand nous posséderons des résidences d'été voisines dans les Hamptons. Et qu'elle viendra noyer son chagrin dans l'alcool parce que William travaille trop.

— Et moi je serai où ?

— A la salle de gym.

— Ouille !

Cristina et moi pesions exactement le même poids, mais même dans mes propres vêtements elle avait toujours plus belle allure que moi. Peut-être était-ce la faute de ses jambes, plus longues de quinze centimètres. Toutes deux brunes au teint mat, nous atteignions tout juste l'âge auquel nos métabolismes étaient censés s'affoler. Mais là s'arrêtaient les similitudes. Cinq ans plus tôt, débutant dans le secteur des investissements boursiers, nous avions juré d'abandonner ce métier à la minute où nous aurions déterminé nos autres compétences. Ou quand rester loyale à notre entreprise commencerait à nous coûter plus cher que le bonus annuel qui nous tenait lieu de carotte. Ce jour était encore à venir.

Pour compenser, Cristina avait développé un goût excessif pour la gym, et moi une profonde amertume. Dernièrement, cette amertume avait pris la forme d'un ulcère, que j'avais baptisé Fred. En l'honneur d'un agent sportif avec qui j'étais brièvement sortie lors de mes débuts à New York. Il lançait des plaisanteries déplacées et s'attendait ensuite que je lui tape dans la main. Il était arrivé en retard à presque tous nos rendez-vous et semblait persuadé que les slips ringards me plaisaient. J'avais parfois l'impression qu'il attendait d'avoir la bouche pleine pour parler, afin que je profite du spectacle. Un poil d'une longueur ridicule ornait son nez, mais il réussissait à ne pas s'en apercevoir, alors que je ne parvenais plus à voir autre chose. Il tenait dans ma vie le rôle d'un bouton de fièvre – gênant mais dont on tire un certain réconfort parce qu'on peut compter sur lui quand le besoin de se gratter distraitement se fait sentir. Je suis revenue au miroir, tentant d'ignorer la brûlure dans mon estomac.

— Pardon. J'ai dû virer mon stagiaire aujourd'hui et le boulot me déprime. Sans mentir, je crois que parfois je ne sais pas ce que je fais. Je ne devrais peut-être pas sortir ce soir. J'ai l'impression que tout m'échappe.

— Qui te dit que c'est nouveau ?

On a frappé à la porte et elle a tourné les talons.

— Oublie tout ça. Quels que soient tes soucis, sors-les de ta tête. Une soirée entre nanas va te remonter le moral. Comme au bon vieux temps. A la fin de la nuit, tu auras oublié le nom de Jon, et moi le mien ! Voilà ! Nous retrouvons Pam et Reena au restaurant dans une heure, ensuite tu nous appartiens. Sauf si tu trouves quelqu'un de plus sexy à qui t'offrir. Ce qui signifierait que tu as réussi à laisser ton besoin de tout contrôler au vestiaire assez longtemps pour te laisser séduire.

Boudeuse, je me suis tournée vers mon placard tout en massant mon cou douloureux.

La vue de Cristina a arraché une exclamation à Christopher.

— Ouhouh !

J'ai fait les présentations par-dessus mon épaule.

— Cristy, Christopher... Christopher, Cristy.

Tous deux se sont tout de suite adorés. Je les ai laissés à leurs échanges de techniques pour se courber les cils et ai ouvert le robinet de la douche. Je n'avais pas fini de me déshabiller que le téléphone a sonné. J'aurais dû verrouiller la porte de la salle de bains. Me cacher dans l'armoire à pharmacie. Ce soir-là, j'aurais dû faire un tas de choses différemment.

— Devine ce que ta Nani et moi cuisinons pour le dîner de demain ? a gazouillé ma mère dans le combiné que Cristina m'avait apporté en entrant sans frapper. Moong khee dhal et masala bhindi ! Tes plats préférés !

— Super, maman. Ecoute, je reçois des amis. Je peux te rappeler demain matin ?

Je ne me sentais pas en état de jouer les filles dévouées.

— Pourquoi ? Tu préférais autre chose ? Dans ce cas dis-le-moi maintenant et je demanderai à ton père de s'arrêter chez Pathmark acheter les ingrédients nécessaires.

— Non maman, le dhal m'emballe. Le *bhindi* aussi. Vraiment.

Ma tentative d'enthousiasme était faiblarde, je l'avouais.

La voix de ma mère est devenue soupçonneuse.

— Avais-tu oublié le dîner de demain ? Tu dois passer la soirée avec nous.

— Je n'ai évidemment pas oublié, maman. Bien sûr que non. J'ai hâte d'y être, ai-je déclaré avec un entrain exagéré.

Parce que ça m'était totalement sorti de l'esprit.

— Chérie, tu sembles distraite. Je ne veux surtout rien faire qui te bouleverse. Je connais ta sensibilité et je sais que la colère de ton père te stresse. Et tu sais aussi que lorsque tu t'angoisses trop, des cercles sombres apparaissent sous tes yeux. Tu hydrates ta peau ? Tu manges bien ? Tu ne parais pas dans ton état normal ces jours-ci. Tu sais que tu peux tout nous dire, n'est-ce pas ?

L'expression blessée de mes parents à la moindre mention de tout mâle non-indien m'avait enseigné le contraire.

— Bien sûr, maman.

Je priais pour que son signal d'appel retentisse.

— Alors quel est le problème ? Prakash ? Tu te demandes à quel point il s'intéresse à toi ?

— Non, maman. Je t'assure.

J'ai serré les dents.

— … Je mesure très exactement l'intérêt qu'il me porte.

J'ai examiné la fille à demi nue, aux yeux rouges et à la chevelure raplapla dans le miroir.

— Tu sais, parfois une femme séduit en parlant peu. Tu n'es pas obligée de faire toujours tant d'esprit, Vina. Un homme aime se sentir un homme. Alors laisse-le mener la conversation. Essaie aussi de te montrer un peu plus... douce. Je n'avais pas l'intention de t'en parler, mais sa mère m'a appelée et...

*Oh non non non non non !* Ma mère m'enseignant l'art de la séduction. Je devais y mettre un terme avant d'exploser.

— Maman, ce n'est pas Prakash qui me tracasse. Je te le jure. Attends, tu as parlé avec la mère de Prakash ?

— Oui, mais trois fois rien, vraiment. Juste une petite conversation. Continue.

J'ai tenté de lui parler.

— Je souffre d'une frustration immense, maman. A tous les niveaux. Et ça ne marche pas très bien au boulot. De façon générale, je me sens insatisfaite.

— Vina...

Elle a baissé la voix.

— ... tu as décroché un job merveilleux, de bons amis et un garçon bien sous tous rapports. Que désires-tu de plus ?

— Je ne sais pas. C'est juste... je ne suis pas vraiment heureuse ces jours-ci.

J'ai respiré à fond.

— ... Je pense à cette femme, une sans-abri qui danse devant la gare de Grand Central. Je la croise chaque matin. Et je... elle a l'air si épanouie, je me demande si...

— Tu refuses d'écouter les conseils de ta mère, mais tu suis ceux de cette *pagal* sans abri ?

— Non ! Maman, je... je ne lui ai même jamais parlé. J'ai juste *pensé* à elle.

— Alors cesse d'y penser. Et agis. Tu traverses une phase. Ne crois-tu pas que moi aussi j'entretenais ce genre de pensées nébuleuses pendant mon internat ? Tout le monde connaît des moments comme ça. Mais on ne réussit pas dans la vie en gaspillant son temps à s'y complaire. Concentre-toi sur des choses plus importantes. Comme le mariage. Et obtenir ton MBA. Et ne fais part d'aucune de ces pensées à Prakash.

Cristina a frappé à la porte de la salle de bains, pour me prévenir qu'elle avait invité Christopher à se joindre à nous et qu'ils faisaient un saut chez lui pour choisir sa tenue. Et qu'il me restait vingt minutes.

— D'accord maman.

J'ai laissé tomber ma serviette.

— ... Pardon. Tu as raison.

— Bon. Très bien. A demain soir.


— Alors il m'a regardée droit dans les yeux, racontait Reena une heure plus tard à notre tablée, l'air intense, comme s'il était James Bond ou un type de ce genre. Et il m'a déclaré : « Reena, depuis l'instant de notre rencontre, je désire être en toi. »

Comme d'habitude, Pam, Cristina et moi étions suspendues à la moindre de ses paroles, craignant de ciller ou de déglutir de peur de rater un détail. Nous nous sommes penchées plus près afin de l'entendre malgré le brouhaha des verres qui tintent, des rires avinés et de la musique live. Son Cubano est le restaurant/bar/boîte latino le plus populaire du *meatpacking district*.

— … Et moi je pensais : « Je sais, mon pauvre. Pourquoi crois-tu que je promène mes attrape-mecs partout avec moi ? Et pourquoi parles-tu autant ? »

Son bla-bla incessant me donnait la nausée.

Elle a fait mine de vouloir faire taire quelqu'un.

— … Tais-toi et passons aux choses sérieuses. Si j'avais envie de conversation, je ne sortirais pas avec un mannequin, encore moins un mannequin de vingt et un ans. Pourquoi les hommes gâchent-ils la plus parfaite des scènes de séduction par des paroles stupides ?

— Pas les homos, est intervenu Christopher avec un grand sourire. Nous ne gaspillons pas notre temps à parler.

— Je crois, a suggéré Cristina, que les hommes *hétéros* sont programmés pour tenter de nous impressionner sans relâche. Ils sont persuadés que toutes les femmes cherchent une relation stable, et qu'ils n'obtiendront rien s'ils ne nous donnent pas l'impression de se soucier de nous pour de bon.

— Relation stable, mon œil. Je ne voudrais pas d'une relation stable avec lui pour tout le Botox de Bombay, a confié Reena, déclenchant les applaudissements de tous les participants au sommet. Il était sexy, il m'intéressait pour quelques semaines. Surtout parce que je devinais aux proportions de son corps qu'il devait…

comment dire… être en mesure de produire un certain impact sur moi…

Reena était superbe. Je regrettais de ne pas posséder sa capacité à diriger les opérations comme elle le faisait… *en dehors* de la salle des opérations.

— Et c'était vrai ? n'ai-je pu m'empêcher de demander.

— Pas tant que ça. Moyen, vraiment. Le pire, c'est qu'il n'avait pas idée de ce qu'il faisait. Je lui ai demandé si je pouvais l'attacher, et il m'a répondu : « Non. » Que c'était trop *olé olé* pour son goût. Quel gros bébé. Je lui avais posé la question uniquement parce qu'il bougeait trop vite et ne m'écoutait pas quand je disais « Ralentis ! ». Je pensais que si je contrôlais ses mouvements, tout le monde y gagnerait, et que je pourrais enfin aller me coucher et dormir un peu avant de prendre mon avion.

— Quelle quantité de Botox trouve-t-on à Bombay ? a demandé Christopher, léchant le fond de son mojito.

— Trop peu, a répondu Reena.

— La façon de s'en servir importe, d'accord. Mais parfois *trop gros* ça existe, non ? s'est enquise Cristina.

— Comment le saurais-je ? est intervenue Pam d'une voix pâteuse.

Elle venait d'avaler son deuxième mojito en une demi-heure et supposait que la question lui était destinée.

Chaque fois que Reena apparaissait dans le secteur, Pam prenait conscience avec plus d'acuité que William n'était que le second partenaire qu'elle ait jamais connu.

Pourtant, dès que le nom de William est apparu sur l'écran de son portable, sa moue grincheuse s'est transformée en sourire rayonnant. Elle devait être bourrée parce qu'elle a ignoré son respect habituel de la politesse et pris la communication à table.

— Allô, chériiii !

— Eh bien, je n'ai encore jamais rien rencontré de *trop gros*.

Reena a affiché un sourire de marin en permission, vidé son martini-pomme et fait signe au serveur d'apporter une nouvelle tournée.

— Mais bon, les femmes tout comme les hommes existent en plusieurs tailles. Peut-être que moi aussi, je suis généreuse.

— Je ne sais pas, réfléchissait Cristina. On m'a raconté qu'une amie d'une amie avait couché avec un homme qu'elle trouvait trop bien pourvu par la nature. Le lendemain, elle était indisposée. Eh bien le soir au restaurant, elle a éternué et a expulsé son tampon en même temps !

Mes yeux se sont écarquillés comme des soucoupes et mes mains ont volé de mon mojito à ma bouche, ouverte en un mélange d'horreur et de rire.

— C'est dégoûtant ! s'est écriée Reena.

— Pas comparé aux trucs dégoûtants que les mecs disent et font !

Christopher défendait moins Cristina que le droit d'une femme à dire des trucs dégoûtants.

— Par exemple, mesdemoiselles, l'autre jour, je descendais Lexington quand j'ai vu ce type au feu rouge qui regardait un film porno sur la télévision de sa voiture ! En plein après-midi !

— Non !

— Sans rire !

Il a haussé un sourcil.

— Vous croyez que j'inventerais un truc pareil ? Les vitres étaient baissées, tout le monde pouvait voir l'écran ! Je le sais parce que j'ai failli rentrer dans une poubelle. Une fois que l'écran a accroché mon regard, je n'ai pas pu détourner les yeux, même si c'était du porno hétéro. Vous pourriez, vous ? Au milieu de la journée ? Ignorer du porno à l'improviste !

— Absolument !

Reena avait retrouvé son sérieux.

— Je trouve le porno répugnant. Et je ne veux même pas en entendre parler.

— Tu as un problème avec le porno ?

Cristy a manqué s'étouffer avec une feuille de menthe.

— Toi, la femme qui parle de ses seins comme *d'attrape-mecs* ?

— Tu as vu mes seins ? a rétorqué Reena avec fierté.

— Hum, ouais. Tout le monde a vu tes seins, a dit Pam.

A la surprise générale, Reena s'est justifiée.

— Oui. Tous ceux à qui j'ai choisi de les montrer. Les filles, j'ai l'impression que vous me trouvez trop provocante, mais j'assume mon comportement. Et que je m'emploie à obtenir ce que je désire, en salle

141

d'opération comme au lit, ne signifie pas que je n'aie pas de principes. Je suis maîtresse de ma vie et de mon bonheur. J'ai compris que j'étais la seule personne à qui je devais des comptes. Et je m'amuse. Peut-être ne rencontrerai-je jamais l'homme de ma vie, mais au moins on ne pourra pas m'accuser d'être restée assise sur mon canapé à l'attendre. Le comportement des hommes s'apparente à celui des chiens. Nous sommes censées travailler aussi dur qu'eux, gagner autant, mais rester assise à pleurnicher pendant qu'ils nous traitent en objets sexuels ? Je ne marche pas.

— Tu dois avoir raison, a concédé Pam. Personnellement, j'aime un homme un minimum chevaleresque, mais en règle générale ils ressemblent plutôt à des animaux.

— Ils *sont* poilus, c'est vrai, a approuvé Cristina avec un petit sourire.

— Et homo *ou* hétéro, nous salivons à la vue de la viande, a avoué Christopher.

— Ils sautent sur tout ce qui bouge jusqu'à ce qu'on leur fasse comprendre que ce comportement n'est pas acceptable, a renchéri Pam.

— Leur loyauté peut s'acheter, a ajouté Cristina.

— Et ils reniflent toujours des trucs affreux. Comme leurs chaussettes. Pourquoi ? a demandé Paméla, les yeux écarquillées.

Reena s'est éclairée.

— Et ils ne prennent pas de bain tant qu'on ne leur fait pas clairement comprendre qu'ils n'ont pas le choix.

— Et ils suivent dans la rue tout ce qui agite la queue sous leur nez, est intervenu Christopher.

— Et ils réussissent presque toujours à nous plonger dans l'embarras quand nous recevons à dîner ! a ri Pam.

— Pardon, mais ce n'est valable que pour les hétéros, a protesté Christopher.

— Et ils exigent qu'on complimente la moindre de leurs bonnes actions, a repris Reena.

— Et quand on caresse un point particulier derrière leurs oreilles, ils oublient leur nom et déclenchent des réactions physiques involontaires, a plaisanté Pam.

— Et ils veulent toujours te sauter en public ! a dit Cristina, sous les hourras de l'assemblée.

Pam s'est penchée vers moi.

— Qu'est-ce qui t'arrive ce soir ? Tu es bien silencieuse.

— Je ne sais pas. Je dois être fatiguée.

— Foutaises, Vina.

Pam peinait à garder les yeux ouverts.

— … et tu le sais. Tu n'as pas touché à ton assiette. C'est à cause de Jon, n'est-ce pas ?

— Non, c'est faux. Je…

— Vina, ça ne te ressemble pas. Ne deviens pas l'une de ces femmes pitoyables qui se laisse bouffer par une situation pénible avec un mec. Crois-moi.

Pam a soutenu mon regard, dessoûlée l'espace d'un quart de seconde.

— Je ne m'y connais peut-être pas beaucoup en matière de lever les mecs dans les bars, mais je sais l'impact qu'une relation négative peut avoir sur une existence. Etre incapable de renoncer à un homme a le pouvoir de te métamorphoser en une femme que tu ne reconnaîtras même plus. Et plus tu t'accrocheras, plus ton état empirera. Alors arrête.

Deux verres de Malibu plus tard, je commençais à croire que je trouverais la force d'*arrêter*. Peut-être allais-je, comme aurait dit Bridget Jones, *faire tout ce dont j'avais envie, merde.*

# 14

Peu après le partage de l'addition, j'ai installé Paméla dans un taxi. A 23 heures, elle avait reçu un appel un peu brusque de William et décidé, comme d'habitude, de courir le rejoindre. A mon retour, Reena, Cristy et Christopher avaient déjà gagné le bar. Je me suis perchée sur un tabouret à leur côté. Je songeais au visage de Pam quand j'avais refermé la porte du taxi sur elle lorsque la voix de Christopher a interrompu mes pensées brumeuses.

— Tu es prête pour ton second verre, poids plume ? Un deuxième mojito ?

— En fait ce sera mon troisième, ai-je répondu en soupirant. Mais pourquoi compter ? Allez, un verre !

— Bon. Je vais chercher le serveur.

Il s'est redressé, a lissé ses cheveux et, je le jurerais, ajusté son derrière à la façon d'une femme ajustant son décolleté.

— Il y a un barman juste derrière nous.

— Je sais. Mais le serveur me fait de l'œil. Alors si ça ne t'ennuie pas, je préfère lui passer commande à lui.

Christopher disparu, Reena a repéré des bons plans.

— Ne regardez pas, a-t-elle dit les dents serrées, le regard fixé sur nos verres. Mais il y a trois beaux mecs à 9 heures.

D'un même mouvement, Cristy et moi avons tourné la tête vers les trois mecs en question.

— *Super*, a grincé Reena.

Nous manquions de subtilité mais Reena avait bon goût. Nous avons approuvé d'un signe de tête, avec des gloussements dignes de deux sénateurs mariés dans un club de strip-tease. Christopher a réapparu et m'a tendu un martini à la framboise.

— Je voulais un mojito, ai-je dit d'un ton boudeur.

Mon tabouret de bar semblait de plus en plus instable.

— C'est ce que j'ai commandé, s'est-il défendu à voix basse. Le serveur ne brille pas par sa vivacité, mais il est canon. Je prends.

— Super.

Non seulement j'étais remontée, mais ma vessie débordait.

— Ne me juge pas.

— Je ne te juge pas. Tu es susceptible ou quoi ?

Avec précaution, j'ai déposé mon martini à la framboise sur le bar. Mais une bonne partie s'est renversée sur mon bras. J'ai léché le dos de ma main.

— D'ailleurs, je te dois combien ?

— Rien. Laisse tomber. Souhaite-moi plutôt bonne chance.

Il m'a adressé un clin d'œil.

— Offre-toi un taxi pour rentrer. Seule.

Christopher s'est fondu dans la foule.

— Tu es sûre que nous devrions ? a hésité Cristy.

J'ai avalé un tiers de mon martini-framboise et me suis aussitôt sentie plus assurée.

— Pourquoi tant d'histoires ? Ils n'ont pas l'air de mecs effrayés par les femmes sûres d'elles-mêmes.

J'ai détaillé les trois hommes qui, au cas où nous serions intéressées, tentaient de nous faire comprendre qu'ils nous avaient repérées. Deux blonds et un Afro-Américain. Le blond le plus petit ressemblait à rat des champs déguisé en rat des villes – aussi engoncé dans son élégant costume noir que dans sa peau, mais tentant de donner le change. Pour parler comme Reena : *on en ferait bien son 4 heures.* Le plus grand des deux blonds avait tout du mâle typique, le super-mec, cherchant du regard les femmes séduisantes, hochant la tête au rythme de la musique, satisfait de lui-même au possible. D'apparence détendue, l'Afro-Américain la jouait cool, le regard errant dans la salle, cultivant soigneusement l'impression qu'il était plongé dans des pensées profondes.

Cristina a plissé les yeux.

— Tu ne peux pas le deviner simplement en les regardant.

— Je peux faire ce que je veux.

J'en avais assez qu'on me dicte ce que je pouvais ou

ne pouvais pas faire, et encore plus qu'on prenne mes décisions à ma place.

J'ai sauté de mon tabouret. Et si l'heure était venue de s'amuser ? De me décréter libérée de Jon et diriger les opérations ? Peut-être que se glisser dans la peau de Reena était *exactement la solution*.

— Je le devine à leur comportement. Certains hommes acceptent qu'une femme assure, d'autres non. Le genre cow-boys qui préfèrent éprouver la sensation qu'*ils vous* ont conquise par un acte grandiose. D'autres heureusement se fichent de savoir qui a initié le jeu, tant qu'ils peuvent jouer. Je parie que ces mecs sont d'humeur ludique. Et ce n'est pas parce que je n'ai pas fait joujou depuis un moment que mes radars sont rouillés. Euh… je ne sais pas si les radars rouillent, mais vous comprenez ce que je veux dire.

Elles se taisaient. Moi je ne tenais plus en place. Mon martini-framboise s'était déjà frayé un chemin jusqu'à mon cerveau.

— Vous ne me croyez pas ? ai-je déclaré d'une voix pâteuse. Je vous parie, euh, je vous parie un rendez-vous chez la pédicure que si je prends les choses en main, ils vont venir nous parler.

— Ça me va…

Reena a ajusté ses attrape-mecs et clappé de la langue.

— … Si ça marche, je prends le petit blond. Et si ça ne marche pas, j'ai gagné une pédicure.

— J'ai la trouille, a avoué Cristina.

— Chut. On ne t'a rien demandé. Sois belle et reste assise.

J'ai souri de toutes mes dents et terminé mon verre.

— J'agis ainsi dans l'intérêt de la science, ai-je déclaré à Reena, afin de vérifier une hypothèse. Et aussi parce que je m'ennuie. Je vais leur offrir à chacun un verre, avec nos compliments.

— Comment déterminer la boisson à choisir ? m'a interrogée Cristina.

Elle a sorti son poudrier de mon sac pour vérifier son rouge à lèvres.

— L'alcool est la traduction la plus appropriée de *Voulez-vous jouer avec moi ?*

J'ai fait signe au barman d'approcher.

— Très drôle.

Elle a passé mon gloss sur ses lèvres.

— … Je voulais dire : que vas-tu commander ?

— Oh.

J'ai caressé une barbe imaginaire.

— Je ne les pense pas assez costauds pour du scotch, et pas assez 007 pour des martinis. Et *nous,* nous sommes bien trop raffinées pour de la bière. Peut-être des mojitos tout simplement ? Nous nous trouvons dans une boîte cubaine non ? *Quand tu vas à Rome…* Ou devrais-je dire, *quand tu vas dans le* meatpacking district ?

— Bonne idée. Nous allons passer pour cosmopolites, a approuvé Reena, relevant le défi.

Sa respiration s'accélérait déjà.

— Ils vont plutôt nous prendre pour des call-girls, oui ! a protesté Cristina.

Je commençais à me sentir comme une superwoman. Je me suis moquée de Cristina.

— Où est passé ton goût de l'aventure ? Que veux-tu qu'il nous arrive ?

En vieillissant, je devenais de plus en plus convaincue que Dieu employait quelqu'un chargé exclusivement de traquer mes velléités d'arrogance et de me remettre à ma place de façon créative. A la minute. Dans ce cas précis, j'avais explicitement spécifié au barman d'apporter les verres à *cette table de trois hommes là-bas*. Naturellement, il est passé droit devant eux et s'est dirigé vers une autre table, dont aucun des convives ne pouvait être âgé de moins de soixante ans.

Imaginez mon horreur quand, impuissante, j'ai vu notre messager dépasser d'un pas primesautier nos cibles désignées. Imaginez ma honte lorsque l'un des pépés a soulevé ses lorgnons afin de mieux nous distinguer. Imaginez ma rage quand j'ai dû expliquer au barman que (1) il s'était trompé de mecs, (2) il était sommé de rectifier son erreur avant que nous ne soyons invitées à la prochaine soirée de leur maison de retraite et (3) d'apporter une nouvelle tournée de mojitos à *la bonne table*. Comme je l'avais prédit, quand nos cibles premières ont enfin reçu les mojitos, vert et mentholés, nous avons reçu en échange trois bellinis roses fleurant la pêche. En vrais gentlemen, ils ont levé un toast à notre intention avant de s'avancer et se présenter. L'ivresse du vainqueur m'a submergée. J'ai brandi ma boisson au goût de fruit et de victoire comme un trophée. J'étais une panthère, un superbe prédateur. J'avais repéré ce que je désirais et m'en étais emparé.

— Mesdemoiselles, merci pour les mojitos.

Super-mec avait parlé le premier. Il s'est glissé près de nous, signifiant d'un regard sans ambiguïté que c'était sur moi qu'il avait jeté son dévolu.

— Et merci pour les bellinis. Bon choix.

Reena ronronnait comme une lionne à l'intention de Rat-des-champs. Un regard a suffi pour que ce dernier se love avec délice dans sa tanière imaginaire.

— Vous savez quoi, les filles ? C'est le truc le plus cool que j'aie jamais vu une femme faire. Nous étions en train de nous soûler en nous disant que les hommes doivent toujours faire tout le boulot, a bafouillé Rat-des-champs, et voilà que vous nous offrez un verre ! Génial. Vraiment. On a gagné notre soirée.

Super-mec l'a fait taire d'un regard foudroyant, avant de reporter son attention sur moi.

— Que pouvons-nous faire pour vous remercier ? a-t-il demandé, un bras glissé insidieusement derrière moi.

Il fixait mon décolleté avec une telle intensité que j'ai eu peur qu'il ne tombe dedans.

*Eh bien pour commencer, vous pourriez me regarder dans les yeux et me demander mon nom avant de plonger dans mon soutien-gorge.*

— Ce n'est pas grand-chose vraiment. Vous avez l'air d'hommes qui valent la peine d'être mieux connus.

Alors nous avons décidé de nous amuser un peu. A propos, merci pour les bellinis.

Je me suis retenue au bar. L'alcool commençait à avoir raison de moi.

Parfois, quand je jouais les filles naturellement sophistiquées, je craignais de me créer des ennuis. Mais cette fois, j'ai repoussé cette pensée. Cette fois, je ne douterais pas de moi. Pourquoi serais-je incapable de maîtriser la situation ? De séduire l'homme de mon choix ? D'oublier Jon ? De ne pas prendre à cœur les paroles de mes parents ? Et de décider de la direction que prendrait mon vendredi soir ? Et si j'oubliais tout et ne pensais qu'à moi pour une fois ! Je pouvais oublier Jon, décider de ma vie. Je pouvais être drôle et sexy à la fois ! Merde, je pouvais faire ce que je voulais ! J'ai inspiré profondément et rejeté mes cheveux en arrière.

— Je m'appelle Vina. Et voici Cristy et Reena.

— Moi c'est Ron. Le type accroché à la jambe de votre amie est mon petit frère Tim. Et le barraqué est mon pote Daniel, a expliqué Super-mec.

Tim et Reena s'étaient déjà éloignés de quelques centimètres et avaient tout oublié de nous. Une main sur la gorge, Reena rejetait la tête en arrière, riant très fort aux plaisanteries de son partenaire. Tim semblait convaincu qu'elle était la seule femme présente. J'observais ses mimiques, me demandant si je flirtais de façon aussi éhontée lorsqu'un homme me plaisait.

— Cristina. C'est un nom de quelle origine ? a demandé Daniel.

— Cubaine.

Elle a battu des cils et balancé ma pochette bleue par-dessus son épaule.

— Vraiment ?

Il s'était redressé.

— Alors tu dois savoir prononcer mon nom correctement « Dan-yell » et non « Dan-yul ». Je suis né à Cuba d'une mère jamaïcaine et d'un père cubain. Tu dois aussi savoir ce que danser veut dire. L'orchestre attaque une salsa. *¿Quieres bailar ?*

Cristy et Daniel ont disparu sur la piste de danse, Ron s'est tourné vers moi.

— Alors Vina, que fais-tu dans la vie ?

J'ai fait rouler mon verre entre mes mains.

— Je travaille dans la finance. Je…

— Vraiment ?

Il m'a coupé la parole en souriant.

— … Je suis vice-président de Globe.com. Tu as dû entendre parler de nous. Nous sommes cotés en Bourse. Belle et intelligente… C'est une combinaison fatale.

Il a haussé un sourcil que j'aurais juré épilé, persuadé de m'avoir mise à genoux.

— Je suppose.

Mon intérêt pour lui diminuait à la même vitesse que mes capacités psychomotrices. Heureux dans sa petite bulle sans problème, Ron Quichotte n'a rien remarqué.

— Et qu'aimes-tu faire pour te distraire ?

La même chose que tout le monde j'imagine.

— Tu aimes t'éclater ?

D'un revers de manche, il a essuyé une quantité impressionnante de sueur de son front.

Suffisant *et* transpirant. *Ça,* c'était sexy.

— Bien sûr. Même si je ne sors pas tant que ça à cause de mes horaires de boulot délirants.

J'ai raclé mon cerveau embrumé à la recherche d'une excuse justifiant mon départ. Vide total.

— Non. Je veux dire *t'éclater.*

Il me regardait comme si j'avais cinq ans.

— … J'ai de la poudre chez moi, vraiment bonne. J'ai un truc à fêter ce soir. Je viens de boucler une grosse affaire.

De toute évidence, ces paroles étaient censées m'émoustiller. J'ignorais ce qui me donnait davantage le tournis – mes cinq cocktails ou l'arrogance injustifiée dont Ron suait par tous les pores.

— Je vais être honnête avec toi, *Ronald,* ai-je menti.

Il était trop puant à mon goût, mais je n'avais pas envie de le lui expliquer.

— Je ne suis pas libre. Je ne voulais pas te mener en bateau mais juste jouer les entremetteuses pour Reena. Elle trouvait Tim trop mignon.

— Je ne vois pas de bague à ton doigt, alors…

Il croit m'expliquer un truc que je n'avais pas compris toute seule ou quoi ? *Euréka ! Tu as trouvé la faille et résolu mon dilemme ! Plus rien ne m'empêche d'aller chez toi et m'y déshabiller !*

— C'est vrai.

J'ai croisé les bras sur ma poitrine et l'ai transpercé

de mon plus féroce regard du style « Je ne fais pas de prisonnier ».

— Je ne suis pas mariée, c'est vrai. Mais je *sors* avec quelqu'un, donc je ne *suis pas* disponible.

— Pourquoi ce type merveilleux est-il absent ce soir ?

— Ron…

J'ai voulu détendre l'atmosphère.

— Nous ne jouons pas dans un clip vidéo. Tu ne vas pas me faire craquer en chantant *What's your man got to do with me ?*

— Si tu étais ma petite amie…

Ne tenant aucun compte de mes paroles, il s'est penché plus près, me faisant bénéficier de son haleine aromatisée thon, ail et roquefort.

— … Je ne t'autoriserais pas à te balader sans moi, sexy comme tu es.

J'ai éprouvé le besoin féroce de protéger mon petit copain imaginaire.

— Pour commencer, il s'agit d'une soirée entre filles. Deuxièmement, mon petit copain n'a pas à m'*autoriser* ou m'*interdire* quoi que ce soit. De plus, il sait qu'il n'a aucune raison de s'inquiéter.

— Allez chérie. Tu ne me trouves pas séduisant ? Il n'en saura jamais rien. Ce qui se passera entre nous restera entre nous, a-t-il imploré.

Les portes situées plus bas lui étant fermées, il serre mon visage de près.

Je me suis penchée en arrière au point d'être pratiquement à l'horizontale sur le bar.

— Sérieusement, Ron…

J'ai eu recours au ton que j'employais dans les salles de conférence peuplées d'hommes d'âge mûr.

— Recule-toi. Je ne voudrais pas me montrer désagréable, mais j'ai la réputation de l'être. Alors cesse d'envahir *mon espace personnel*.

Qu'il me présume capable d'infidélité m'offensait, tout comme son comportement à la limite du harcèlement me dégoûtait. Je n'avais pas d'autre solution que le reléguer au statut de lépreux contagieux. Ce qui augurait mal de ses chances de me ramener chez lui puisqu'il s'était mis à postillonner en me parlant.

Prakash me devait un service. Peut-être pourrait-il émettre une injonction interdisant à Ron de m'approcher à moins de cent mètres ?

— Tu parles sérieusement ?

Il avait enfin intégré l'idée qu'il n'obtiendrait pas ce qu'il désirait, et comme un animal, il a sorti les crocs.

— Je suis vice-président de Globe.com ! Je gagne plus d'argent que n'importe qui ici ! J'ai signé aujourd'hui l'achat d'une entreprise de deux cents employés. Et en plus, j'ai le bol d'avoir le *physique que j'ai* ! Je suis la *définition même* du « gendre idéal ». Qu'est-ce que ce mec peut bien avoir que je n'ai pas ?

J'étais écœurée. J'aurais eu tant de choses à lui dire pour lui expliquer en quoi sa vision du monde était déformée, mais je ne parvenais à en formuler aucune correctement. J'étais trop soûle pour construire une phrase. D'ailleurs, tout argument, même cohérent, était perdu avec un homme comme lui. Son ivresse s'accentuait de minute en minute. Peu importaient mes paroles, demain il ne se souviendrait pas de deux mots. J'ai pris mon sac et me suis fondue dans la foule. Mais avant, je lui ai murmuré à l'oreille la seule réponse capable de lui faire de l'effet.

— Moi.

# 15

Quand vous fréquentez l'école maternelle, c'est prévisible. Si le fait se produit durant les vacances de printemps à la fac, on vous félicite. Et si vous êtes une aspirante actrice, on vous pardonne. Mais une femme comme moi ne tirait aucune fierté de se réveiller seule dans le lit d'un inconnu. Cristina se serait immédiatement enfuie par la fenêtre la plus proche. Reena aurait effectué un tour d'honneur autour du lit. Moi, mes pensées prenaient un tour différent...

Phase 1    (clignant des yeux en me réveillant) : Nauséeuse. Assoiffée. Mal au crâne. Qui suis-je ? Où suis-je ? Quel genre de fille suis-je donc ?

Phase 2    (me dressant sur les coudes) : A qui appartient cette chambre ? Quelle est la créature qui respire par ma bouche et empeste ainsi ?

Phase 3    (notant l'absence de soutien-gorge sous le drap, et le nom de mon compagnon de lit absent sur le diplôme encadré au mur) : M...@%#$*&%$#?!?!?!! Ce salaud a dû profiter de moi !

Je me suis glissée hors du lit et ai progressé à quatre pattes hors de la chambre, tel un agent des services spéciaux tentant de se déplacer sur une scène de crime sans se faire repérer. A force de renifler, j'ai détecté des effluves évoquant étrangement ceux du café. Puis j'ai vu Nick, le copain de Prakash rencontré à la salle de gym. Nu, si on exceptait son caleçon, il sifflotait en confectionnant des œufs brouillés. Un mec avec des tablettes de chocolat manipulant une boîte d'œufs vide… Pas le temps de m'appesantir là-dessus maintenant. Ma priorité était de trouver une porte de sortie.

Comment étais-je arrivée ici ? Où était passé mon téléphone portable ? S'il avait abusé de moi, pourquoi préparait-il mon petit déjeuner ?

Je me suis levée, péniblement, me dissimulant derrière la porte. Comment avais-je pu laisser une telle chose se produire ? Je me suis frotté les yeux. Aucune trace de mascara ou de maquillage sur mes doigts ou sur l'oreiller. Je m'étais rendue dans cet appartement de mon plein gré, et assez sobre pour me démaquiller avant de sombrer dans le sommeil ! Mais pourquoi, entre tous les hommes, avais-je choisi Nick ? D'accord, il était mignon, mais rien n'était possible avec lui. Serait-il possible que la solitude m'ait submergée à ce point ?

Nouvelle règle : plus de boissons dont le nom commence par martini.

Je me suis appuyée contre le mur pour ne pas tomber et ma peau nue a frissonné à son contact glacé. C'est alors que je me suis souvenue de tout.

L'haleine de Ron avait été la goutte d'eau – je regrettais simplement qu'il n'ait pas bénéficié du résultat. Lorsque j'ai compris que mon dîner cherchait une porte de sortie, je me trouvais à moins de cinq pas de lui. Une main pressée sur mon estomac, l'autre sur ma bouche, j'ai fendu la foule en direction des toilettes. Je me suis laissée tomber à genoux sur le carrelage froid et gluant, j'ai posé mon sac et relevé mes cheveux.

Une voix rauque m'a apostrophée.

— Hé! Grouille!

La propriétaire de la voix frappait violemment contre la porte.

— Il y en a qui ont envie de pisser!

Je n'étais pas en situation de répondre.

— Il y a la queue! hurlait-elle. Qu'est-ce tu crois? Que t'es la seule nana dans cette putain de boîte?

Inutile de relever.

— Je me sens mal, ai-je crié par-dessus mon épaule.

— Pas mon problème! a-t-elle aboyé.

Une main osseuse aux ongles rouges et pointus a attrapé mon genou, puis mon sac sous la porte. Je me suis levée avec peine, j'ai tiré la chasse puis ouvert la porte. La Maria de West Side Story, version vulgaire, me faisait face, l'air suffisant. J'ai soutenu son regard. Elle a penché la tête, eu un genre de rictus, et jeté mon sac loin des toilettes pour dames.

Jurant comme un candidat de Fort Boyard en galère, je me suis lancée à sa poursuite. Retrouver une pochette bleue sur la piste de danse noire était relativement facile, mais réunir son contenu, c'était une autre histoire. Je n'ai retrouvé que mon gloss et mon poudrier. Nez au niveau du sol, entre genoux et corps en proie à la frénésie, je n'ai trouvé nulle trace de mon téléphone portable ou de mon portefeuille.

Soudain, j'ai cru apercevoir un truc par terre. Mais le temps de tendre le bras, quelqu'un m'avait forcée à me relever.

— Vina, que se passe-t-il ? m'a demandé Nick.

Et zut !

J'ai éclaté en sanglots.

— Mon sac ! Et mon portefeuille ! Mon téléphone ! Ooooh… Je vais être malade. J'ai trop bu… Et… Ce connard qui croyait que j'allais rentrer avec lui ! J'ai eu la nausée, j'ai vomi dans les toilettes. Et cette sorcière m'a arraché mon sac et l'a jeté… Et… Et… Mes *clés !*

— Ouh là ! Allez, calme-toi. Nous allons retrouver tes affaires. Où sont passés tes amis ?

Il m'a assise sur un tabouret et a fait signe au barman de m'apporter de l'eau.

— Je ne sais pas. Je… Je dois retrouver mon portefeuille !

— Non.

Il m'a saisie par les épaules, me forçant à me rasseoir.

— Tu n'es pas en état. Ne bouge pas. Je vais chercher tes affaires.

J'ai fermé les yeux et tenté de dessoûler par la force de la volonté. Je n'avais pas envie que Nick, ou quiconque d'autre, me voie ainsi. Il a réapparu quelques minutes plus tard, agitant mes clés sous mon nez.

— Désolé. Je n'ai pas eu la chance de trouver le reste. Tu te sens mieux ? Tu as vu tes amis ?

— Non.

Je me suis levée, tremblante, tentant d'éviter son regard.

— Je ne sais pas où ils sont. Je dois rentrer chez moi. Je n'aurais jamais dû sortir ce soir.

Il m'a retenue par le bras.

— Et comment vas-tu rentrer sans ton porte-monnaie ?

— Nick.

Je l'ai regardé droit dans les yeux, tentant de mon mieux de garder l'équilibre.

— … Il faut que je sorte d'ici.

— D'accord.

Il m'a prise par la main et entraînée vers la porte.

— Allons-y.

En un clin d'œil, je me suis retrouvée dans un taxi. Dans lequel il est monté à ma suite.

— Tu habites où ? a-t-il demandé.

Puis je me suis réveillée dans son lit.


*Sainte Marie, Mère de Dieu, Vishnou, Ram et Ganesh et tous les autres… Qu'ai-je fait ?* ai-je pensé.

Le motif de la moquette s'imprimait sur la peau nue de mes fesses.

*J'ai dû me jeter à sa tête !*

Ce comportement éhonté, qui ne me ressemblait guère, était déjà assez pénible. Le pire, c'est que je ne me rappelais pas s'il était bon au lit. Il devait l'être ! Regardez-moi ce corps ! Non, attends. Arrête ! Vina, vilaine fille ! Vilaine, vilaine fille !

Il avait dû être fantastique. J'espérais que les lumières

tamisées lui avaient épargné le spectacle de mon ventre ramolli. J'ai prié pour que nous ayons utilisé un préservatif. Il existait une seule façon de traiter la situation : j'allais m'éclipser discrètement et tout nier en bloc. Qui le croirait, lui ?

Je me suis relevée et ai inspiré à fond. J'ai jeté un œil par la porte. Il pressait des oranges. Que croyait-il ? Que nous avions entamé une liaison durable ? C'était le summum. Il ne me laissait pas le choix. Il fallait faire vite. Je devais quitter les lieux aussi vite et aussi silencieusement que possible. Je me suis traînée à quatre pattes à travers la pièce, et j'ai récupéré sans trop de difficultés ma robe, mon soutien-gorge, mon slip et mon sac. J'ai failli sacrifier mon écharpe afin d'apaiser la colère des dieux qui protègent les nuits sans lendemain, mais je refusais d'abandonner mes escarpins Bruno Magli sur le champ de bataille. Or, impossible de les trouver. Ni derrière son bureau. Ni sous son lit. Ni suspendus au ventilateur du plafond.

Ah ah ! J'ai localisé la bride rose familière dépassant du placard. Mais en tirant sur l'escarpin, j'ai découvert qu'il était coincé sous la glace coulissante. Dans ma hâte, j'ai dû forcé un peu parce que la porte s'est ouverte en grand.

J'ai cligné des yeux. Deux fois.

Ce n'était pas la caméra vidéo qui me gênait le plus. Mais les trois caméras vidéo. Disposées sur un pied pivotant. Orientées vers le lit. Cernées d'éclairages professionnels. Et de centaines de cassettes vidéo.

*Oh mon Dieu, il nous a filmés ! Et les autres vidéos*

*sont les enregistrements des centaines d'autres femmes sans méfiance qu'il a attirées de la gym jusque chez lui ! Il tourne des pornos à domicile ! Oh mon Dieu, c'est un producteur de pornos ? Un producteur de pornos sur internet ! Et je suis sa dernière partenaire involontaire à l'écran ! Quel malade ! Il filme sa chambre sur internet... En direct... en ce moment même ! A travers le monde entier des milliers de pervers grisonnants, gras, à la calvitie naissante m'ont m'observée en train de m'habiller ! Pour trois dollars quatre-vingt-quinze la minute !*

Pour une fille indienne bien sous tous rapports, c'en était trop. Peu importait à quel degré j'estimais mon ouverture d'esprit. J'ai perdu l'équilibre, ainsi que ma respiration, et titubé avant de me cogner dans une chaise.

— Vina ?

Nick avait entendu le bruit.

Paumée, en proie à une colère folle, je ne parvenais plus à respirer, et j'étais trop embarrassée pour parler. La température de mon corps a grimpé, ma gorge s'est resserrée. Comme une célébrité dont les vidéos « privées » atterrissaient sur le Web, mais sans bénéficier d'aucun des avantages. On s'était servi de moi et, cliché suspendu sur son fil numérique, j'attendais de sécher. Telle une rock star croyant sur parole la groupie lui assurant qu'elle avait dix-huit ans, j'avais commis une erreur, pas si innocente, qui risquait de me poursuivre.

La nuit précédente était une erreur. Et quel qu'ait été mon état, Nick n'avait aucun droit d'en tirer avantage.

Tout de même, il était le meilleur ami du mec gay à qui mes parents voulaient me marier. Ce qui était censé me garantir un minimum de décence. J'ai ramassé mes chaussures et ce qui ne restait de dignité avant de me propulser dans le couloir. Et, avant de sprinter en direction de l'ascenseur, j'ai claqué la porte de toutes mes forces.

*Parlez-moi de battre en retraite, tiens.*

# 16

Disposer de trop de loisirs ne m'a jamais convenu. Je tendais à délirer. Mon trajet à bord du Long Island Railroad ce samedi soir en était la preuve. Quand le train s'est arrêté en gare de Great Neck, mes ongles étaient rongés au sang. Je m'étais aussi convaincue que :

1. Le contrôleur souriait parce qu'il venait de me voir sur internet,
2. Nick m'avait transmis une MST,
3. Rien de tout ça n'importait vraiment puisque je mourrais seule de toute façon.

Durant les trente minutes du trajet, j'avais tout analysé. Mes conclusions ne devaient rien au hasard et tout aux chiffres. En tant qu'analyste surpayée je pouvais vous assurer que les chiffres, au contraire des mecs et des pubs pour régimes, ne mentent pratiquement jamais. Exactement mon propos : trop de loisirs m'était nocif. Voici les estimations auxquelles j'étais parvenue grâce à mes vagues connaissances du recensement américain.

Considérons ce qui suit :

Environ trois cents millions de personnes peuplent les Etats-Unis.

<u>CONDITIONS REQUISES :</u>

| | |
|---|---|
| Genre masculin entre 28 et 38 ans | 8,75 millions |
| Habitant à /près de, ou se rendant fréquemment à New York | 200 000 |
| Hétéro et célibataire | 100 000 |
| En excluant les bi-sexuels | 70 000 |

<u>SOUHAITS :</u>

| | |
|---|---|
| Diplômé du supérieur | 40 000 |
| Gagnant autant que (ou ne se sentant pas menacé par une femme gagnant autant que) moi | 15 000 |
| Ne ressemblant pas à un Klingon de Star Trek | 5 000 |
| Ni ne fréquentant les réunions de fans de Star Trek | 4 000 |
| Désirant réellement s'engager | 1 000 |
| N'attendant pas en secret l'apparition d'un top model dans sa vie | 10 |

Donc même si je sortais avec un nouveau mec chaque semaine, seul un homme sur 7 000 parmi les New-Yorkais dans ma tranche d'âge, hétéros et célibataires, constituerait un partenaire potentiel. Autant dire que j'avais davantage de chances de trouver du pétrole dans le jardin de mes parents que de rencontrer un mec. Même si j'avais entamé ma vie amoureuse à l'époque des couches, la triste réalité voulait que le temps de trouver l'homme de ma vie, mes ovules seraient périmés depuis longtemps.

*Et maintenant je suis devenue une star de porno bas de gamme affligée d'une MST. Suuuuuuuuper.*

J'avais cédé à l'hystérie. Mais j'en revendiquais le droit. Parce qu'un dîner chez mes parents ne se résumait jamais à un tranquille petit dîner en famille à Long Island. Pour commencer, poser un pied chez eux me rajeunissait automatiquement de dix ans niveau maturité. La femme qui quittait mon quartier de Midtown à Manhattan était une femme adulte, efficace, semi-rationnelle et à peu près cohérente. Dès que qu'elle pénétrait au 34 Woods End Road, elle se transformait en une peste adolescente, incomprise et insupportable. Dotée de sourcils indomptables. Et de pantalons ignorant obstinément le fer à repasser. Ignorant où la vie la menait. Et incapable, même si sa vie en dépendait, de localiser le tiroir où elle avait deux chaussettes assorties.

Ce n'était pas le pire. Encore sous le choc de ma découverte de l'arsenal porno de Nick ce matin, ma vulnérabilité s'était accrue. Et, naturellement, à mon arrivée m'attendait la dernière chose dont j'avais besoin.

En pénétrant dans la salle à manger, j'ai étouffé un petit cri.

— Je suis sérieuse, Sharda. Je n'ai jamais goûté meilleur navratan koorma, déclarait la mère de Prakash en embrassant la mienne. Vous devez me révéler votre secret.

Je passais tant de temps bouche bée ces derniers jours

que j'envisageais de ne plus la refermer. D'autant que si, comme je le soupçonnais, je venais de faire irruption à mes propres fiançailles-surprise, ma mâchoire risquait de rester définitivement coincée. Aux côtés de Prakash, ses parents, ma Nani et mes propres parents, avaient pris place ma cousine Neha et son mari Vineet.

— Vina ! m'a lancé mon père. Viens t'asseoir. Prakash et ses parents se sont joints à nous. N'est-ce pas merveilleux ?

Une douleur fulgurante a raidi mon cou. Pourquoi dans la vie réelle ne pouvait-on pas appuyer sur le bouton « pause » ?

Prakash m'a jeté un coup d'œil gêné, puis a très vite détourné le regard. Neha et Vineet ont hoché la tête d'un même mouvement.

Dieu merci, avant qu'une de mes pensées ne s'exprime, ma Nani est intervenue.

— *Beti*, avant de t'asseoir, aide une vieille femme à monter les escaliers. Je suis fatiguée. Il faut que j'aille m'étendre un peu.

Pleine de gratitude, je l'ai aidée à se redresser, me suis excusée et l'ai accompagnée hors de la pièce.

— Nous devons parfois faire certaines choses pour nos parents. Pour le bien de la famille, m'a-t-elle dit.

Elle a massé l'une de ses mains arthritiques.

— Même s'il s'agit uniquement de sauver les apparences.

— Nani…

J'ai entrepris d'ôter les épingles de son chignon,

— ... Je n'ai pas voulu ce dîner. Je n'étais pas d'accord.

— Je ne parlais pas de toi, Vina. Prakash est un bon garçon.

Elle s'est retournée pour me regarder dans les yeux.

— Un bon garçon... très *sensible*. Je le devine. Je devine aussi combien il aime ses parents. C'est un bon fils.

Ma grand-mère était âgée de soixante-douze ans. Elle était née pauvre dans le Punjab rural, avait été mariée par ses parents à l'âge de quatorze ans, et à moins de vingt-cinq ans elle s'était retrouvée veuve avec trois enfants. Elle était illettrée, mais avait réussi à payer les études de ses enfants en hypothéquant le petit bout de terre hérité de son mari. Elle avait fait face à un mariage avec un étranger alors qu'elle n'était qu'une enfant innocente et aux indélicatesses des hommes qui considéraient les veuves comme des proies faciles. Elle avait survécu à deux fausses couches et un enfant mort-né dans un village où le blâme en retombait sur la femme. Elle avait enduré des accouchements interminables sans le secours d'anesthésiques, et en 1947 elle avait passé une nuit blanche, cachée dans un placard, priant pour la vie de ses enfants, pendant que l'enfer se déchaînait dans les rues tandis que le Pakistan devenait indépendant.

— Je ris d'un œil et je pleure de l'autre, m'avait-elle dit une fois, alors que je lui demandais comment elle avait tenu le coup.

Mes tête-à-tête avec elle me rappelaient que ma vie ressemblait à une énorme part de gâteau arrosée d'une bouteille de champagne. Je me lamentais parce que je m'étais soûlée à en avoir la gueule de bois.

J'ai bordé ma grand-mère et l'ai embrassée sur le front. Après avoir respiré à fond pour me donner du courage, j'ai affiché un faux sourire et redescendu les escaliers.

— Mais pour que nous ayons un karma à affronter dans notre *prochaine vie,* nous devons jouir de la liberté d'effectuer nos propres choix dans *cette vie,* tu es d'accord ?

Neha pointait sa fourchette vers mon père.

Oncle Ved a tapoté la chaise à côté de lui, et je me suis assise en silence. Oncle Ved n'appartenait pas à la famille par le sang mais nous l'appelions ainsi car nous le connaissions depuis plus de vingt ans. Agé de quarante-cinq ans, il travaillait dans l'import-export. Originaire de Mumbai, Oncle Ved avait l'agaçante manie de croire qu'être tous deux célibataires nous rapprochait.

— Absolument, absolument.

Il s'est servi une bonne portion de riz avant de me passer le plat.

Je me suis installée tandis que ma mère remplissait sans un mot mon bol de dhal makhani.

— Oui bien sûr, a renchéri la mère de Prakash, appuyée du regard par son mari. Rien dans l'hindouisme ne nie le libre arbitre.

— Donc, a continué Neha, j'aurais pu choisir cinq carrières différentes de la mienne, ou encore épouser cinq autres hommes. N'est-ce pas ?

Vineet, la bouche peine de saag paneer, s'est interrompu en pleine mastication pour fixer en silence son épouse, même pas rougissante. Neha a fait machine arrière, ôté ses coudes de la table et mis ses idées en sourdine.

— Peut-être, a répondu mon père, mais c'est pourquoi tu as une famille. Ta famille est là pour t'aider à choisir le bon chemin. Tes parents ont cette responsabilité envers toi – c'est leur karma. C'est pourquoi il leur a été donné une fille. Leur obligation est de s'assurer que tu comprennes quels sont les bons choix.

— Je crois que nous serons tous d'accord pour reconnaître que nous avons la chance d'avoir des parents ayant à cœur notre intérêt, est intervenu Prakash en m'adressant un sourire ostentatoire, allégeant l'atmosphère.

Je lui ai rendu son sourire. Mais les mojitos de la veille se sont rappelés à mon souvenir.

— Mes parents m'ont *dit* qui épouser, a confessé brutalement Oncle Ved. Je leur ai obéi, et vous voyez le résultat ? Ce mariage s'est soldé par un divorce !

— Un divorce ! a murmuré la mère de Prakash.

Elle a laissé tomber sa cuiller dans sa *raita* qui a éclaboussé son châle.

— Quoi ? Oncle Ved, tu as été marié ? Personne ne me l'a jamais dit !

Je m'adressais à ma mère, oubliant toutes bonnes manières, ainsi que la présence de nos invités.

— Pourquoi personne ne me l'a jamais dit ?

Elle a à peine sourcillé.

— Parce qu'il ne nous appartient pas d'en discuter. Il s'agit d'une affaire de famille.

Elle s'est tournée vers la mère de Prakash pour la rassurer sur la stabilité conjugale de notre lignée.

— … Or Ved n'est pas à proprement parler un membre de notre famille. Nous ne sommes pas liés par le sang. D'ailleurs Ved, combien de whisky as-tu avalé ce soir ?

Ved a compris l'avertissement et rapidement détourné le regard.

Le père de Prakash s'est adressé à moi.

— Vina, personne ne veut vous dire qui épouser. Nous comprenons que votre génération ne fonctionne pas ainsi. Ce sont aux enfants de décider. Nous nous contentons de mettre en présence des couples potentiels.

— Eh bien…

— Chérie, a gazouillé ma mère en me resservant de allo gobi.

La moindre évocation du sujet qui, de toute évidence, préoccupait tout le monde, la mettait mal à l'aise.

— Pourquoi manges-tu si peu ? Vina fait très attention à sa silhouette, vous savez. Mais j'espère que tu n'essaies pas de devenir aussi maigre que ton amie Pamela. Elle ne me paraît pas en bonne santé.

Sincèrement, je ne comprends pas pourquoi ses parents ne le lui disent pas.

— Maman, Pam paraît tout à fait normale. C'est juste que ce soir, je n'ai pas très faim. Et ce ne sont pas les parents de Pam qui décident de son alimentation. De plus, il ont déménagé dans le Montana… Je croyais te l'avoir dit. Enfin bon, elle est en parfaite santé. Mais ce n'est pas le problème. Je voulais juste…

— N'essaie pas de leur expliquer, Vina, est intervenu Oncle Ved. Ils ne comprendront jamais. Tu me passes le bhindi s'il te plaît?

J'ai soupiré. Personne n'y a prêté la moindre intention.

— Dans le Montana? Pourquoi si loin de leur fille? Pourquoi pas Tombouctou? a tranché mon père.

J'ai tenté de me faire entendre.

— Sincèrement maman…

J'ai repoussé la louche de bhurtha survolant mon assiette.

— … Je n'ai pas faim.

— Oh Vina, tu jouis d'une silhouette ravissante, a dit Neha. Ne deviens pas comme ces Américaines, obsédées par le désir de s'embellir.

— Vraiment…

Le regard de Prakash s'est tourné vers moi.

— … Comment Vina pourrait-elle être plus belle qu'elle ne l'est déjà? Et avec son charme, sa grâce… je suis certain qu'aucun homme de *ma connaissance* ne lui résisterait.

Lui aussi avait abusé du whisky ou quoi? Un silence

gêné s'est installé. J'ai fixé Prakash, médusée. Qu'avait-il dans le crâne pour proférer des paroles aussi déplacées en présence de nos parents ?

Ma mère par contre ne voyait qu'une chose : ses manœuvres allaient peut-être donner des résultats.

— Chérie, pourrais-tu nous faire du thé, s'il te plaît ?

Je n'étais pas encore levée que la mère de Prakash avait renchéri.

— Oui, oui. Prakash, *beta,* pourquoi n'aiderais-tu pas Vina à la cuisine ?

# 17

— Je n'aurais jamais cru ça de toi…, a murmuré Prakash.

La porte de la cuisine ne s'était même pas encore refermée derrière nous.

— Quoi ? De quoi parles-tu ?

J'ai versé le lait, réglé la plaque sur la plus haute température et pivoté pour lui faire face.

— C'est *moi* qui n'aurais jamais cru ça de *toi*. Nous avions passé un accord, espèce de dingue ! Qu'est-ce qui t'a pris de te comporter ainsi ?

Ses narines palpitaient.

— Je pourrais te retourner la question.

— De quoi parles-tu ? Et baisse la voix !

Il a pris appui sur le comptoir et soutenu mon regard.

— Tu n'avais pas le droit de t'enfuir de chez Nick comme tu l'as fait ce matin. Tu sais qu'il est mon ami. Tu croyais que je ne l'apprendrais jamais ou quoi ?

Voilà qui m'a prise par surprise ! Il ne s'arrachait pas les cheveux ? Ne bafouillait pas ? Pourquoi n'était-il pas prostré à mes pieds, mendiant mon pardon pour le traquenard sentimental dans lequel il m'avait embarquée ce soir ? Et zut, pour qui se prenait-il pour se permettre de juger mon comportement après que son lâche de copain a profité de moi ?

Mon cerveau s'est agité dans tous les sens avant de se décider à me défendre.

— Non ! Et d'abord… Je n'ai pas… Comment peux-tu dire ça ? Pourquoi me soucierais-je que tu l'apprennes ou pas ? Ecoute-moi bien, idiot. Toi et moi ne sortons pas ensemble ! Tu es homo !

— Je le sais bien.

Il s'est redressé, a croisé les bras et pris sa voix d'avocat.

— Et je sais aussi que tu es une femme adulte. Le fin mot de l'histoire est qu'hier soir tu savais ce que tu faisais et tu aurais très bien pu gérer autrement la situation ce matin.

— Incroyable ! Je suis obligée d'entendre ça…

J'ai entrepris de frapper sa poitrine, le forçant à reculer dans un coin.

— … Mais inutile de nous disputer au sujet d'hier soir. Ce soir suffira. Tu aurais pu gérer *ce* dîner sacrément mieux. Par exemple en t'arrangeant pour qu'il n'ait pas lieu ! *Le fin mot de l'histoire*, comme tu dis, c'est que cette histoire tourne à la farce et que tu en es l'instigateur. Pourquoi as-tu déblatéré de telles âneries devant nos parents ? Pourquoi avoir poussé si loin la plaisanterie ?

Il n'a pas rendu les armes.

— J'ignorais tout du dîner de ce soir. Mes parents

me l'ont annoncé au dernier moment et je n'ai pas eu d'autre choix que les accompagner. Je…

Son regard s'est fixé sur un point derrière moi, puis s'est écarquillé.

— La casserole !

J'ai regardé par-dessus mon épaule. Le lait bouillait, débordant sur la plaque électrique. J'ai saisi le manche de la casserole.

— Merde !

J'ai hurlé et bondi sur le côté, me ruant vers l'évier pour plonger ma main dans l'eau froide.

Prakash a éteint la plaque et s'est précipité à mon côté, où il s'est immobilisé, les bras ballants.

J'ai pivoté pour lui faire face.

— On a toujours le choix, Prakash. Et nous sommes responsables de nos choix.

L'inquiétude dans son regard s'est métamorphosée en malice.

— Et ça ne s'appliquerait pas à ton comportement d'hier soir ? Ni de ce matin ?

— *Arrrrrrrgh !* En quoi cela te regarde-t-il ?

J'ai manqué hurler et commencé à agiter mes mains dégoulinantes.

— Tu sais, peut-être serais-tu moins pressé de juger les autres si tu observais ton propre comportement de plus près. Tu… Tu me rends malade !

— Moi ?

Il a reculé d'un pas.

— … Moi je *te* rends malade ? Waouh, je croyais

que l'avocat c'était moi. Vina, tu sais renverser une situation.

— Je ne renverse rien du tout. J'ai peine à croire que tu t'octroies le droit de me jeter de tels reproches à la figure. Alors que tu devrais t'excuser d'avoir laissé les choses en arriver à ce point avec nos parents !

Il a porté la main à son front et fermé les yeux.

— Vina, je…

— Attends. Tu sais quoi ? A la réflexion, je me suis trompée. Je ne suis pas surprise du tout. Pourquoi attendre mieux de ta part ? Tu es âgé de trente ans et tu te comportes comme un gamin pour qui tout tourne autour de son nombril. Profiter de moi ne te gêne pas, du moment que cela te permet de dissimuler ton orientation sexuelle à tes propres parents ! Je ne sais pas comment tu parviens à te regarder dans la glace !

De toutes les portes qui ont récemment claqué dans ma vie, celle-ci a sans doute été la plus bruyante. Et pas seulement parce qu'elle m'a laissée seule pour faire face à deux paires de parents. Dix minutes après la fuite éhontée de Prakash, ses parents prenaient congé, eux aussi, après avoir échangé avec mes parents des adieux embarrassés. Beaucoup plus adulte que Prakash, je suis restée cachée dans la cuisine jusqu'au départ de ses parents. Assise le dos rond sur une chaise de cuisine, le visage enfoui dans mes mains brûlées, j'ai entendu les pas de mon père monter l'escalier.

Le son des petites pantoufles de ma mère effleurant

le carrelage a rompu le silence. J'ai levé les yeux. Son regard est tombé sur moi.

— Maman…, ai-je commencé d'une toute petite voix.

Elle a levé la main pour m'intimer le silence puis l'a passée sur son visage, un visage fatigué et – je le remarquais pour la première fois – accusant les signes de l'âge.

— *Beti*, ton père et moi avons tenté de t'inculquer certaines valeurs. Et nous t'avons accordé une certaine liberté afin de t'enseigner l'autonomie. Si nous t'avons envoyée à l'université, c'était pour que tu jouisses d'une existence agréable, pas pour que tu oublies ta famille et tes traditions. J'ai toujours essayé de considérer les choses de ton point de vue. Je sais que tu ne me crois pas, mais c'est vrai. Tu as toujours été une enfant très sensible. Tu es ma fille et je sais tout ça. Mais sincèrement, je ne sais plus quoi te dire. Ta carrière prend de plus en plus d'importance, et tu ne cesses d'évoquer ces soi-disant relations avec des hommes. Nous ne les approuvons pas, mais nous avons appris à nous taire, pensant que, peut-être, tu en sais davantage que nous sur le sujet. Mais où se trouvent ces hommes avec qui tu sors ? Qu'ont-ils fait de toi ? Que t'a apporté cette indépendance que tu revendiques ? Un jour, il sera trop tard. Tu jouis de ta liberté, tu travailles très dur, pourtant tu n'es pas heureuse. Or voilà que ce garçon entre en scène. Il a fait des études. Il est beau. Ses parents sont sympathiques et agréables. Mais sans même prendre le temps de le connaître, tu décrètes qu'il ne convient pas. Et tu lui cries après, sous le toit de tes propres parents. Je n'aurais jamais imaginé un tel comportement de la part de ma fille. De ma *propre* fille. Nous ne t'avons pas élevée convenablement, c'est un échec de notre part. Je le reconnais. Mais qu'est-ce que ce garçon peut avoir de si mauvais ? Ton père et moi désirons ce qui est le mieux pour toi, Vina, mais nous ne savons plus que faire. Peut-être devrions-nous nous contenter de te laisser agir à ton gré.

J'ai ouvert la bouche mais aucun son n'en est sorti. Elle a tourné les talons et a quitté la pièce.

Evidemment, ce soir-là, j'ai préféré ne pas dormir dans mon ancienne chambre. Car, comme tous les enfants ingrats qui rejettent leurs parents, j'avais l'audace de vivre à Manhattan, dans Midtown, alors que mes parents m'offraient une chambre parfaite (et gratuite !) dans leur maison de Long Island (à trente minutes de mon bureau !). Ai-je précisé que l'offre incluait une tasse de thé matinale avec papa et maman ? J'avais tenté d'expliquer avec tact pourquoi, à mon âge, et bien que je ne sois pas mariée, je consommais parfois mon breuvage matinal en compagnie. Mes paroles étant tombées un nombre incalculable de fois dans des oreilles sourdes, j'avais abandonné et confirmé leur version : mon choix de dépenser deux mille dollars par mois pour une cage à lapin en altitude n'avait aucun rapport avec le fait que je sois une femme adulte de presque trente ans, gagnant sa vie et savourant son indépendance. J'avais fait ce choix parce que je les détestais.

181

A minuit, les yeux rouges et les mains cloquées, j'ai poussé la porte de mon appartement avec lassitude. J'ai posé mon sac sur une chaise, mes vêtements sur le sol et me suis lovée au creux de mon indépendance chérie. Du calme de mon appartement. De cet endroit où je pouvais réfléchir. Et de sa promesse de la clarté à l'aube. Enfin seule avec moi-même…

Du moins c'est ce que j'avais espéré. En réalité, aucune femme célibataire ne peut escompter rester seule avec elle-même.

— Super-nouvelle ! a crié Cristina dans le téléphone.

J'avais l'impression qu'à peine un quart d'heure s'était écoulé.

— Je dors, ai-je protesté, clignant des yeux à la lumière des rayons de soleil perçant les stores.

— Eh bien lève-toi. Il est 10 heures. Et je sais que tu ne t'es pas couchée tard puisque tu dînais chez tes parents.

— Tu n'imagines pas ma soirée.

J'ai tiré les couvertures par-dessus ma tête.

— … J'ai vraiment envie de me rendormir.

— L'envie te passera quand tu sauras ce que j'ai à te dire.

Elle ne se laisserait pas décourager. Or je n'étais pas en condition de combattre. J'ai soupiré.

— Bon… Cette histoire avec Jon t'a beaucoup déprimée ces derniers temps. C'est compréhensible, même si tu tentes de faire bonne figure. Mais la situation avec ce salaud t'a durement atteinte. Je veux dire Jon. Je veux dire…

— Mmm mmm.

J'ai levé les yeux au ciel sans pour autant ouvrir les paupières. A cet instant, Jon me semblait le cadet de mes soucis.

— Alors j'ai pensé que tu aurais l'usage d'une bonne nouvelle. Ou plutôt d'une surprise. Tu as été publiée!

— Hein?

— Surprise! Je t'ai fait publier! J'ai envoyé un de tes e-mails à Salon.com.

J'ai ouvert les yeux d'un coup.

— Tu as fait quoi?

— Tu sais, il s'agit de ce site internet branché sur les relations amoureuses. Ils ont adoré ton texte! Et l'ont publié dans leur édition de ce matin. On peut le lire sur internet en ce moment même!

Elle s'est interrompue. Une fois de plus, je restais sans voix.

— En faisant le ménage dans ma boîte aux lettres, j'ai relu certains de tes e-mails dans lesquels tu disséquais tes sentiments au sujet de l'infidélité. Et j'ai eu l'illumination : ton e-mail serait l'élément positif de ton épreuve. Tes analyses sont toujours si perspicaces…

Elle attendait ma réponse. Moi j'attendais que ma chambre cesse de tourner.

— Je… j'ai pensé : autant qu'un truc positif sorte de cette situation, tu comprends? Vina. Vina, dis quelque chose.

Je me suis assise.

— Cristina, comment as-tu pu faire une chose pareille ?

— J'ai voulu te remonter le moral. Tu semblais si abattue ces temps-ci.

— Me remonter le moral ! J'éprouve une sensation horrible ! Celle d'être exposée ! Violée ! Comment as-tu *osé* ?

— Vina, pourquoi cette réaction ? Je ne comprends pas pourquoi tu tiens à dissimuler ta perspicacité, ton talent.

J'ai hurlé.

— Il s'agit de mes émotions !

— Eh bien alors pourquoi *les* dissimuler ?

J'ai fermé les yeux, respiré à fond et tenté de rester calme.

— Cristina, je ne dissimule rien. C'était confidentiel. Et personnel. Et tu n'avais pas le droit de faire ça.

— Vina, tu déraisonnes. Tu ne peux pas continuer à nier cette part de toi.

La conversation s'envenimait. J'en avais vraiment assez que des gens ignorant la crise que je traversais me psychanalysent. Assez qu'on prenne des décisions à ma place. Frustrée de ne rien contrôler, j'ai réagi et le résultat ne fut pas joli.

— C'est toi qui me parles ? Toi la fille qui court comme une dératée sur le treadmill de la gym pour oublier sa peur que tout mec qui la connaîtrait vraiment décide de la plaquer ?

J'ai raccroché sans attendre sa réponse.

# 18

Quelques heures plus tard, des coups ont résonné dans ma tête. En fait, quelqu'un frappait à la porte.

— Il n'y a personne.

J'ai enfoui ma tête sous l'oreiller.

— Ne verse pas dans le mélo, chérie. Porter du rose vif cette saison n'est pas ringard. Seulement… fâcheux. Laisse-moi entrer.

Christopher.

— Pourquoi te laisserais-je entrer ?

— Parce que sinon je vais révéler à tous les habitants de l'immeuble que c'est toi la meurtrière des fleurs qui bouchent perpétuellement le vide-ordures.

J'ai ouvert la porte en grand.

— Comment sais-tu que c'est moi ?

Il a eu un clin d'œil sarcastique.

— Oh, je t'en prie.

Il a pénétré dans l'appartement, vêtu d'un peignoir nid d'abeille plus doux qu'aucun de mes dessous.

— Quelle plante digne de ce nom résisterait à la tentation de se suicider au contact de tant de tailleurs bleu marine de chez Brooks Brothers ?

Une fois de plus, je l'ai observé prendre ses aises dans mon appartement.

— Tu as inspecté ma garde-robe durant mon sommeil ?

— Euh, non.

Il a haussé un sourcil soigné qui m'a rappelé que le moment devait être venu d'épiler les miens à la cire.

— Ce serait nul, tu ne trouves pas ? Non, je ne fouille dedans que lorsque tu prends ta douche.

Je l'ai fusillé du regard en fermant la porte d'un coup de talon.

— *Quoi ?*

Il a décoché un regard dédaigneux à ma table basse.

— Si encore tu collectionnais de bons magazines. Je ne serais pas surpris de trouver un numéro de *Pomme d'api* dans cette pile.

J'ai bâillé et me suis effondrée à côté de lui sur le canapé, où je me suis enveloppée dans une couverture.

— Tu fais irruption dès l'aube pour critiquer ma collection de magazines ?

— D'abord, l'aube a disparu depuis longtemps. Il est midi. Ensuite je suis venu prendre de tes nouvelles. Vendredi soir, tu as disparu.

J'ai rectifié.

— Nooooon. Vous autres avez tous disparu.

— Faux. Du moins pas moi. Le serveur s'est avéré hétéro.

— Hétéro, ai-je relevé avec un grand sourire, ou peu intéressé par ta personne ?

Il a repoussé l'idée d'un geste.

— Et gnagna et gnagnagna. Tout ce que je sais, c'est que lorsque j'ai regagné le bar, vous aviez toutes disparu. Or, sans copines, les boîtes hétéro sont mortelles. Alors je me suis baladé tout seul, je me suis moqué des péquenots s'essayant à la danse, des serveurs prétendant être hétéro. Et *enfin…* j'ai rencontré quelqu'un qui méritait de visiter mon appartement. Quelqu'un, d'ailleurs, que tu connais… *roulements de tambour s'il vous plaît…* Prakash !

Il devait plaisanter.

— Tu dois plaisanter.

— Non. Pourquoi ?

Il a examiné ses ongles manucurés.

— Peut-être que vous fréquenter, Reena et toi, a développé chez moi un genre de fétichisme indien. En tout cas, dès que j'ai aperçu ce grand verre de thé au lait de l'autre côté de la piste, j'ai compris que je devais faire sa connaissance. Je l'ai abordé en lui demandant s'il cherchait son chemin. Il a ri et répondu qu'il attendait un copain. La conversation s'est engagée. Il est superbe, encore plus beau que tu ne l'avais décrit. Ces grands yeux bruns, et ce corps ! Ma fille, je crois que durant toutes ces années je me suis fourvoyé. Maintenant je le sais. Les mecs indiens, il n'y a que ça.

— Que ça qui quoi ?

— Pour faire mon bonheur.

Il a souri.

— Du moins il l'a fait vendredi soir. Et il le refera, j'espère, très bientôt.

— Hein ?

— Suis un peu, chérie. Bref, quand il m'a dit son nom, je lui ai demandé s'il te connaissait et il a répondu que oui. Et, au cas où j'aurais ignoré qu'il était gay, il a clarifié la situation en précisant que le copain qu'il attendait était seulement un ami. Du nom de Nick, si j'ai bien compris.

J'avais l'impression qu'un groupe de hard rock répétait dans mon crâne. De plus en plus fort.

— Nous avons commencé à flirter. Une chose en a entraîné une autre. Finalement il m'a préparé un petit déjeuner.

Il m'a regardée avec des yeux de biche.

— ... Un vrai petit déjeuner traditionnel. Qui fait encore ça ? Plus personne. Il est tellement démodé. Je te le dis, je pourrais vraiment tomber amoureux de ce type.

Je me suis levée pour aller chercher la cafetière.

— Christopher, Prakash n'est pas de l'étoffe dont on fait les partenaires stables. Crois-moi.

— Vina, je sais ce que je fais.

— Vraiment ? Sais-tu qu'il n'a jamais révélé son homosexualité à ses parents ? Tu envisagerais une liaison sérieuse avec quelqu'un comme ça ?

Je me suis interrompue, ruminant l'ironie de mes paroles. Christopher s'est levé.

— Tu penses que je mérite mieux, je sais. Mais j'ai ma propre définition de « mieux ». Personne n'est parfait. Tout le monde, tous les jours, accepte des compromis. Prakash est un type bien. Il me plaît. C'est un compromis que je suis prêt à accepter.

J'ai rempli la bouilloire d'eau et l'ai mise en marche. Puis j'ai fait face à Christopher.

— Tu n'as connu ce mec qu'une nuit.

— Sans vouloir te vexer, Vina, tu as connu Jon plus d'un an, mais cela ne semble pas avoir fait de différence. Je n'éprouve le besoin de me justifier envers personne. Je ne suis pas venu te demander la permission de sortir avec lui.

— Tu m'as dit de ne pas verser dans le mélo. J'en ai autant à ton service. En tant qu'amie, je me dois de te rappeler que vous n'avez partagé qu'une nuit. Vous n'aviez même pas rendez-vous. T'a-t-il rappelé au moins ?

— Ce n'est qu'une formalité.

J'ai ricané et sorti les tasses à café.

— As-tu déjà envisagé que ton incapacité à décider de ta vie te rendait incapable de juger objectivement les personnes désireuses d'assumer la responsabilité de leur propre bonheur ?

J'ai plissé les yeux.

— As-tu déjà envisagé que ton penchant pour les liaisons condamnées d'avance avec des hommes indisponibles faisait de toi l'équivalent d'un Kleenex à jeter après usage ?

Il a reculé d'un pas.

— La méchanceté ne te va pas, Vina.

— Pardon, ai-je murmuré.

189

Puis j'ai réfléchi à voix haute.

— Je m'excuse. Tu as raison. Je suis de mauvaise humeur ces temps-ci. Et toi tu as le droit de sauter qui tu veux.

— Tu sais vraiment y faire avec les mots.

— On me l'a souvent dit, ai-je acquiescé en versant du sucre dans les tasses.

— Mais ce n'est pas toujours une bonne chose.

— C'est ce que j'ai compris.

Après le départ de Christopher, j'ai décrété sans intérêt de me rendre au bureau seulement pour quelques heures. Désœuvrée, j'ai exploré le frigo à la recherche de quelque chose de comestible, avalé deux tasses de café et traqué la moindre rediff égarée de films d'action des années quatre-vingt. Puis je me suis connectée sur internet, j'ai fait le ménage dans ma boîte aux lettres, consulté mon horoscope et erré sur le Net sans rien chercher de particulier. J'ai même parcouru l'édition dominicale du *New York Times*. Mon état nerveux s'aggravait. La curiosité a fini par avoir le dessus. Je me suis mordu la langue, j'ai courbé les épaules et je me suis connectée à Salon.com.

Mon article s'y trouvait. A côté d'une diatribe sur deux colonnes intitulée « Pourquoi éviter les hommes dont le sourire suffit à faire tomber vos vêtements ».

Mon article était intitulé « Quand votre prince se transforme en pirate ».

Mon article. *Mon* article. Cela sonnait bien. Selon la page d'accueil du site, trois cents personnes se connectaient chaque semaine à Salon.com. Je m'installais dans ma nouvelle célébrité, jouissant de ma paisible matinée, quand la sonnerie de mon portable a retenti. Cette sonnerie avait-elle toujours été aussi forte ?

— Nani ! me suis-je exclamée avec la chaleur que je ne réservais qu'à elle. Que se passe-t-il ?

— Que se passe-t-il ? J'ai envie de parler avec ma petite-fille chérie.

J'ai souri dans le téléphone.

— Tu as déjà pris ton petit déjeuner ?

— Mon petit déjeuner ? Evidemment ! Je le prends à 8 heures. C'est l'heure de déjeuner maintenant. Tu as pris ton petit déjeuner ?

— Oui, oui. Tout va bien. Je lisais un peu.

— Tu es occupée ? Je peux te rappeler à un autre moment.

— Non, non. Même occupée, je préférerais parler avec toi. Or je ne suis pas occupée.

— Qu'ai-je fait pour mériter une petite-fille aussi adorable ?

— Les adorables petites-filles sont le produit des adorables grand-mères.

— *Beti,* j'appelais parce que je craignais que tu ne sois un peu déprimée à cause d'hier soir. Mais en entendant ta voix pleine de *shaanti,* de tant de contentement, je me demande ce qui te rend si heureuse.

— Je suis toujours heureuse quand je parle avec ma Nani.

— Je sais, *beti,* mais aujourd'hui ta voix est différente. Que faisais-tu lorsque je t'ai appelée ?

— Je...

J'ai pris ma respiration.

— ... je lisais quelque chose sur l'Internet. Un texte que j'ai écrit. Il a été publié, Nani.

— Et tu ne me l'as pas dit ? C'est merveilleux ! On peut le trouver en hindi ?

— Non.

J'imaginais sa réaction à la lecture d'un article signé de sa petite-fille concernant l'importance de la fidélité sexuelle dans les relations prémaritales interraciales. J'ai remercié le ciel qu'elle ne puisse pas le lire.

— C'est une nouvelle merveilleuse, *beti.*

— Ce n'est pas grand-chose, Nani. Juste un petit truc, vraiment.

— Pas si petit, s'il met autant de bonheur dans la voix. Quelque chose te tracasse ?

— Nani...

J'ai hésité.

— Tu te souviens de ce poème que j'avais écrit lorsque j'étais une petite fille ? Il y a environ vingt ans ?

— Oui.

— Eh bien, c'est pareil. Je ne suis pas certaine d'avoir envie que tout le monde puisse le lire.

— Il traite de choses honteuses ?

— Non, non. Enfin pas selon moi. Je n'ai rien fait de mal, mais tout le monde ne comprendra pas. Papa et maman par exemple n'approuveraient certainement pas les sujets évoqués.

— *Beti,* je crois que tu devrais publier tes textes.

— Tu m'as appris que les bonnes petites filles faisaient confiance à leurs parents.

— Tu n'es plus une petite fille, Vina. Quand j'avais ton âge, j'étais déjà mère et veuve.

— Que veux-tu dire, Nani ?

— Vina, une petite fille doit respecter ses aînés et faire confiance à ses parents. Totalement. Une femme doit respecter ses parents et se faire confiance à elle-même. Totalement. C'est la seule conduite possible. Le monde a évolué mais l'intuition d'une femme reste essentielle. C'est la source au plus profond de toi à laquelle tu dois aveuglément faire confiance. Il s'agit de notre vraie richesse. Le reste n'est qu'apparence.

J'ai failli fondre en larmes. Ma grand-mère était un vrai trésor, même si intérieurement je me répétais *Ce n'est pas si simple*. Mais je ne le lui ai pas dit.

# 19

C'était parfaitement déplacé. Et cela sabotait le sérieux professionnel apparent que j'avais soigneusement élaboré. Et ce à la vue de tous, lundi à la première heure, dans mon bureau.

Mais bon sang, pour qui se prenait-il?

Comme je n'avais répondu à aucun des dix messages qu'il m'avait laissés depuis le jour de la panne d'électricité, Jon avait été poussé dans ses derniers retranchements, et m'avait fait parvenir un télégramme chantant.

Ce qui ne m'amusait pas du tout.

— Nous somme un télégramme chantant, a entonné le premier chanteur.

— Et nous sommes venus nous excuser pour Jonathan, parce que c'est le dernier des ânes! a roucoulé le deuxième, à ma plus grande honte.

Avant que je n'aie pu protester, ils se sont lancés dans une atroce parodie, véritable agression pour mes oreilles. Aucun recours ne s'offrait à moi. Apparemment une entreprise s'était spécialisée dans les télégrammes chantés forçant les femmes à choisir entre pardonner aux hommes leur stupidité, ou risquer une totale humiliation sur leur lieu de travail. Le couple achevait son

194

interprétation de *I can't Smile Without You* quand Alan et Denny sont entrés pour profiter du spectacle.

Bien que ma couleur de peau m'interdise de rougir, dix nuances de rose se sont succédé sur mon visage. Un mot était attaché aux fleurs et aux ballons livrés par l'âne.

> *Pas très doué pour la subtilité*
> *J'avoue qui je suis*
> *Mais même un pirate mérite une chance*
> *De s'expliquer*
> *Tout comme de devenir meilleur.*
> *S'il te plaît ?*
> *Jon*

— Peut-on supposer sans se tromper que le tout t'est offert par ton petit ami ? s'est enquis Alan, riant comme un fou de ce qu'il croyait être mon embarras.

A tort. *Car en fait je bouillais de colère.*

— Non. Enfin, nous avons rompu. Jon n'est plus mon petit ami. C'est une longue histoire, qui se termine par cette idiotie.

— Désolé, Vina.

Alan s'est rassis et a adopté un ton plus formel.

— Je suis certain que tu rencontreras quelqu'un d'autre.

Denny s'en est mêlé.

— C'était de la part d'un admirateur secret ?

— Non. C'était bien de la part de Jon. Lui et moi c'est terminé, mais il ne l'accepte pas.

— C'est terminé, tu es sûre ? Tu sembles très affectée, a repris Alan.

— Sûre et certaine, crois-moi. Il est même possible que j'en aie définitivement terminé avec les hommes.

Denny a eu un grand sourire.

— Tu envisages des amours féminines ?

— Le célibat plutôt. Prends le week-end dernier par exemple. Mes amies et moi avons rencontré trois mecs dans un bar. L'un d'entre eux s'obstinait à me coller, tu vois ce que je veux dire ? Comme un chien qui aurait planté les crocs dans ma jambe et refuserait de lâcher prise.

Je me suis écroulée dans ma chaise.

— Que s'est-il passé ? a demandé Alan.

— Je préfère ne pas en parler. Inutile de vous ennuyer avec ça. Je préfère… tout oublier et entamer ma journée. Je suis ici pour travailler, pas pour me plaindre.

Surgit alors sur mon écran une demande de chat de la part de Jon. La goutte d'eau. J'ai craqué, et Alan et Denny n'ont pas eu d'autre choix que de m'écouter.

— D'accord, vous voulez tout savoir ? Jon et moi c'est fini. Terminé. *Kuthum. Finito.* Parce qu'il m'a trompée. Il y a longtemps, mais je ne l'ai découvert que récemment, et pas de la façon la plus sympathique. Là-dessus, ce week-end, je rencontre ce type insupportable qui n'imagine même pas que je puisse refuser de le suivre chez lui ! Un type d'une arrogance ! Pour le rembarrer en douceur, j'ai menti et prétendu avoir un petit ami… par considération envers *lui*… Et il a continué d'insister ! Il pensait m'impressionner au

point que j'allais tromper mon petit ami imaginaire !
Seigneur ! Ce monde est un cloaque. Pourquoi ai-je mis
autant de temps pour m'en rendre compte ? C'était là,
sous mon nez ! Toute décence a-t-elle disparu ?

Denny a soudain paru inquiet, à la façon attendris-
sante d'un petit frère qui joue les grands frères.

— Comment ça il a insisté ? Physiquement ?

— Non, non, non. Rien de ce genre. Si cela avait été
le cas, je lui aurais envoyé mon genou dans l'entrejambe.
Pire, mon amie Cristina lui aurait arraché les yeux sans
même se casser un ongle. Non, il se vantait de l'argent
qu'il gagnait, ainsi que d'être *vice-président de globe.
com* et voulait que je « fête » avec lui l'acquisition d'une
entreprise en sniffant de la cocaïne avec lui.

Sarcastique, je soulignais mes paroles de guillemets
imaginaires et m'exprimais dans un vocabulaire susceptible de plaire à Denny.

— Comme si son compte en banque allait me
convaincre de coucher avec lui. J'ai l'air d'une prostituée ou quoi ?

— Absolument pas, a assuré Alan, magnanime.
Calme-toi, Vina. Tu as eu la malchance de rencontrer
un néandertalien de trop. Au nom de la gent masculine
en sa totalité, je te présente mes excuses.

— Me draguer avec tant d'insistance était déjà
insultant. Mais supposer ensuite que je me laisserais
séduire par l'argent… ! Pourquoi aurais-je poursuivi
cette carrière, alors ? Je n'avais vraiment pas besoin de
ça en ce moment… Pardon de me défouler ainsi. Mais
ces temps-ci, je vais de déception en déception… Il me

faudrait des yeux derrière la tête pour surveiller mes arrières. Apparemment, il ne reste plus une seule âme masculine décente sur toute la planète, ai-je gémi.

Une troisième demande de chat de la part de Jon avait surgi sur mon écran.

— ... Et je dois gérer ce mec, qui de son propre aveu s'est conduit comme un abruti.


Moins d'une heure plus tard, Peter m'a coincée près de la cafetière.

— Alors ? Tu as entendu quelque chose ?

Mon regard a dû lui sembler inexpressif.

— Ton bonus. On t'en a parlé ?

— Oh. Non, Peter. Je ne sais rien.

J'ai remué le sucre dans ma tasse.

Il m'a regardée avec l'expression de quelqu'un qui vient de perdre son meilleur ami.

— Eh bien moi, si. Dix mille dollars. Je comptais sur trente mille.

— Désolée, Peter. Je vais me renseigner. Mais je sais que ça ne va pas être terrible. Cinq mille probablement, puisque tu as eu droit à dix. Je poserai la question afin d'être fixée.

J'ai réfléchi une seconde.

— ... D'ailleurs, j'y pense, j'ai une excuse pour poser la question. La compta m'a envoyé un mail ce matin afin d'obtenir confirmation du montant de la dernière paie de Wade. Trop élevée. Une erreur, certainement. Je vais appeler Alan, lui demander l'autorisation d'annuler le chèque et d'en émettre un autre. Je me renseignerai à propos de mon bonus en même temps.

— D'accord.

Il m'a piqué ma tasse de café.

— … Tiens-moi au courant. Je vais partir tôt. On ne me virera pas pour ça. Je ne viendrai pas ce week-end non plus. L'année dernière, j'ai bossé chaque foutu week-end pour rien. Quant à l'équipe – son moral va descendre en flèche. Enfin bon, que la force soit avec toi.

Il a simulé un salut militaire, a incliné la tête avec raideur et quitté la pièce. J'étais désolée pour lui. Personne davantage que Peter ne méritait un important bonus cette année. Si Alan ne m'avait pas appelée d'ici ce soir, je le contacterais le lendemain matin.

Contrairement à mon habitude, je me suis éclipsée du bureau de bonne heure, décidant de parcourir à pied le long trajet pour rentrer chez moi. J'avais prévu de traverser la 54ᵉ Rue, puis de descendre Lexington, mais j'ai été stoppée dans mon élan au coin de la 42ᵉ Rue, quand je l'ai aperçue, dansant pour tout le monde et personne en particulier. Je suis restée à la regarder tournoyer, fascinée par l'expression de son visage. Si calme. Si paisible. Si loin d'ici.

J'ignore combien de temps s'est écoulé avant qu'un livreur de plats chinois ne me percute, me ramenant à la réalité. Sans raison, je suis alors entrée chez Starbucks, de l'autre côté de la rue, et j'ai commandé deux grands cafés glacés.

— Bonjour, ai-je dit à la gitane en lui tendant l'un des gobelets.

Elle venait d'achever une lente chorégraphie sur *This Old Heart of Mine* de Rod Stewart.

— Eh bien. Et moi qui croyais exécuter une danse de la pluie !

Elle m'a adressé un clin d'œil.

— Mais j'aime aussi le café. Merci de tout cœur.

Elle a humé le gobelet comme s'il contenait un grand vin avant d'aborder avec délice une première gorgée.

— De rien, ai-je bredouillé. Euh. Je m'appelle Vina.

— Sincèrement enchantée de vous rencontrer, Vina.

Ses yeux se sont plissés aux coins, par habitude, ai-je supposé.

— … On m'appelle Ellie.

— Vous… vous faites ça tous les jours ?

— Que ferais-je d'autre ?

— C'est beau. Votre danse… c'est beau.

— Ça c'est un mensonge, a-t-elle dit en riant à gorge déployée avant d'avaler une nouvelle gorgée. Aucune personne saine d'esprit ne qualifierait mes danses de belles. Elles ne sont pas belles. Mais j'accepte tout de même le compliment, mon petit.

J'ai souri avec nervosité. Elle a arraché le bandana de ses cheveux et tressé ses longues mèches argentées.

— Vous ne devriez pas rentrer chez vous après une journée consacrée à votre important travail dans un de ces grands et importants bâtiments ?

— Je suppose que oui, mais… si vous n'êtes pas persuadée de bien danser, pourquoi dansez-vous ?

— Parce que ce que je pense importe peu. Ce n'est que le résultat de ce que je crois qu'*on* va penser. Seul compte ce que je ressens.

Elle m'a jeté un regard de biais.

— Moi aussi autrefois, je me suis laissé prendre au piège.

J'ai porté la main à ma poitrine.

— Je ne suis pas prise au piège. Que dites-vous ? Vous ne me connaissez même pas.

— Dans ce cas…

Elle s'est penchée vers moi.

— Pourquoi avez-vous quitté votre job, si important et si sérieux, et cet immeuble si important et si sérieux, pour venir me parler ?

— La curiosité, c'est tout.

— Mettons.

— Je vous avais déjà observée danser.

— Hum hum…

— Et…

— Et ?

— Et vous semblez toujours si heureuse…

— Bingo ! Elle a gagné le gros lot !

J'ai précisé.

— Complètement folle, mais heureuse.

— Je ne suis pas heureuse parce que je suis folle. Je suis heureuse parce que je me laisse aller. Parce que je me préoccupe de ce que je *ressens* plutôt que de ce que pensent les autres. Et c'est ce qui me rend heureuse.

— D'accord.

Mon côté sarcastique a réapparu.

— Donc vous êtes heureuse de vivre dehors ?

— Je ne vis pas là.

Elle désignait le trottoir.

— Je vis ici, a-t-elle repris en désignant son front.

J'ai haussé un sourcil.

— Vous connaissez quelqu'un qui vit ailleurs ? s'est-elle étonnée.

— Je ne crois pas.

J'ai commencé à m'éloigner.

— C'était sympa de discuter. Merci pour le café. Je vais travailler mon prochain spectacle. Je ne voudrais pas décevoir mes fans.

# 20

— Alan ?

Mon premier geste le mardi matin a été de faire tournoyer mon fauteuil face à la fenêtre, tout en entortillant le fil du téléphone autour de mon doigt.

— Bonjour, c'est Vina.

— Vina. Ravi que tu m'appelles.

— J'ai besoin de ton avis. Il doit s'agir d'une erreur. Deb de la compta me signale que le dernier chèque établi au bénéfice de Wade est de cinq mille dollars. Comme j'étais sa supérieure, ils m'ont avertie. Je voulais te signaler cette erreur administrative avant d'annuler le chèque. Je vais leur demander d'en émettre un autre pour le montant exact, qui doit se situer aux alentours de mille dollars environ, en incluant la prime de licenciement.

— Bien…

Il s'est raclé la gorge.

— … Merci de me le signaler. Je vais m'en occuper personnellement. Ne t'inquiète pas.

J'ai froncé les sourcils. De l'autre côté de la rue, un homme changeait de vêtements devant la fenêtre ouverte de son bureau.

— Vraiment ? Je peux m'en charger. Il suffit d'un coup de fil…

— Je sais Vina. Mais ne faisons pas tout un plat de cette simple erreur.

Sa voix s'est éclaircie.

— … Que dirais-tu de discuter ton évaluation et ton bonus ? Le moment est-il opportun ?

J'ai tenté de paraître enjouée.

— Pas moins qu'un autre.

Le mec qui changeait de vêtements m'a surprise en train de l'observer et m'a offert un gros plan sur son slip de dentelle rouge et son contenu, vue dont je me serais dispensée. J'ai frémi et pivoté face à mon bureau.

— Parfait. Parfait. Je suppose que tu as détaillé l'évaluation écrite que nous t'avons envoyée par mail ce matin ?

— Tout à fait, ai-je menti.

— Tu sais donc que tes supérieurs comme tes collègues apprécient tes solides capacités. A titre personnel, j'ajouterais que collaborer avec toi cette année s'est révélé un plaisir. Tu ne ménages pas ton temps, ne crois pas que cela passe inaperçu.

— Merci. C'est toujours agréable à entendre.

— Mais, soyons honnête, nous n'attendons pas moins de chacun de nos collaborateurs. Mais toi, tu apportes davantage encore. Tu travailles réellement en équipe, pas à l'esbroufe, et nous envisageons de t'intégrer à la direction. Steven et moi sommes conscients que tu agis au mieux des intérêts de la firme, et nous apprécions cette attitude. Bref, nous sommes plus que satisfaits de ta contribution. Nous attendons avec impatience de te voir manifester encore davantage d'enthousiasme dans ton travail durant l'année à venir et avons décidé de récompenser tes performances par un bonus de trente mille dollars. Nous désirons encourager ton enthousiasme et ton dynamisme. Continue dans cette direction.

— Vraiment ?

Je n'ai pas pu dissimuler la surprise dans ma voix.

— Cela pose un problème ?

— Non. Je veux dire… c'est juste que…

Les pensées se précipitaient dans ma tête.

— Vina… souhaites-tu prolonger cette discussion ? J'aimerais en terminer avec les évaluations, or je dois encore recevoir plusieurs personnes.

— Non, Alan. Non, pas du tout. C'est exactement ce à quoi je m'attendais, ou, devrais-je dire, ce que j'espérais mériter.

— Tu es une fille intelligente, Vina. Tu iras loin dans cette entreprise.

Le lendemain matin à 7 heures, je n'avais toujours pas fermé l'œil. Cette nouvelle nuit sans sommeil soulignait mon regard de poches sous les yeux assez vastes pour que je m'y dissimule. Je ne me suis accordé qu'une vingtaine de minutes devant le miroir de la salle de bains pour tenter de reprendre figure humaine, mais j'étais tout de même en retard pour le boulot. J'ai aspergé mon visage d'eau froide, me suis tartinée d'anticernes et me suis adjuré de *me conduire en mec*. Parce que je n'avais pas de temps à consacrer à ces bêtises.

Une dernière couche de poudre a fait l'affaire, effaçant presque les traces d'incertitude sur mon visage. J'ai respiré à fond, souri, et la femme que mes collègues s'attendaient à voir apparaître m'a rendu mon sourire. L'entreprise ne me payait pas pour jouer l'enfant, me suis-je répété. Mon salaire me permettait d'engager une baby-sitter. Et j'avais un job à faire. Une profonde respiration, le dos droit, j'étais prête à affronter la journée.

Mon immeuble n'est pas assez luxueux pour employer un portier refoulant les non-résidents, mais l'accès n'en est pas pour autant aisé. La triste vérité, c'est que la majorité des New-Yorkais sont capables de vous regarder droit dans les yeux en vous claquant la porte au nez. Pour se justifier, ils vous expliquent qu'ils ne disposent d'aucun moyen de s'assurer que vous n'êtes pas un maniaque à tendances homicides. Donc, à moins que vous ne soyez muni de votre propre clé, ils sont en droit d'imaginer que vous vous êtes évadé de l'hôpital psychiatrique de Bellevue, avez jeté vos médicaments aux orties et faites une fixation malsaine sur l'un des habitants de l'immeuble. D'habitude, je vivais ce cynisme comme un inconvénient. Par exemple lorsque, des paquets plein les bras, je ne trouvais pas ma clé et que mes soi-disant voisins refusaient de m'ouvrir la porte.

Mais mercredi matin, leur refus de faire confiance

à leurs semblables les a transformés en alliés. Devant l'immeuble m'attendait Jon qui m'a expliqué ses vaines tentatives depuis une heure pour y pénétrer. Il portait deux caramel macchiato de chez Starbucks et arborait la cravate que je lui avais offerte.

Je ne lui donnerais pas la satisfaction de montrer combien j'aime les caramel macchiato, me suis-je dit, à la place, j'allais lui offrir l'image de mon dos s'éloignant sans avoir marqué une seconde d'hésitation.

Il a tendu un gobelet dans ma direction. Je l'ai refusé d'un geste.

— Vina, attends. Ecoute-moi. Ne sois pas ridicule.

— Oh ! Tu as eu *un enfant* dont tu ne m'as jamais parlé, et mon comportement est ridicule ?

Je n'étais pas si douée que ça pour jouer les imperturbables.

— … je suis en retard au boulot.

Je suis passée sous son nez.

— … Pourquoi ne pas passer chacun à autre chose ?

Je n'avais pas prévu de discuter de cette situation maintenant, et mon retard s'aggravait. Je me suis dirigée vers le métro d'un pas vif, ma serviette serrée contre moi, les lèvres serrées elles aussi. Hors de question que je laisse transparaître ma douleur. J'ai tenté de me fondre dans la foule.

— Attends ! a-t-il crié.

J'ai accéléré le pas, me suis faufilée dans les escaliers

et ai failli renverser une ado innocente. Combien de victimes aura fait cette histoire ?

Je distinguais vaguement sa voix, mais le brouhaha de la ville la couvrait petit à petit.

— Vina, je t'en prie !

Le train numéro 7 est entré en station. A toute vitesse, j'ai gagné l'extrémité du quai et sauté dans le wagon juste avant la fermeture des portes, me glissant en sandwich entre une femme âgée et les portes. La femme ne tentait même pas de cacher son irritation, tandis qu'à un centimètre de mon nez une pancarte m'informait de l'interdiction de prendre appui sur les portes. Le wagon était bondé et l'air, irrespirable. Obligée de fermer les yeux pour maîtriser ma respiration, je me suis consolée à l'idée d'avoir échappé à Jon.

Pas pour longtemps. Les battements de mon cœur étaient presque revenus à la normale quand sa voix a de nouveau retenti. Difficile de me rappeler qu'un jour le son de cette voix ait pu me réconforter. Il était monté dans un wagon communiquant avec le mien et s'était frayé un chemin parmi les autres voyageurs. Il m'a finalement coincée contre la cloison, en même temps que la vieille dame et un ado goguenard qui s'est empressé d'arracher ses écouteurs.

Génial. Maintenant nous avons un public.

— Ecoute-moi.

Il a attrapé une barre au-dessus de sa tête pour garder l'équilibre. Je me suis reculée d'un mouvement brusque, me cognant le bras.

— Je n'ai pas le choix, tu ne crois pas ? ai-je dit en me massant le coude.

— Vina, si tu répondais au téléphone, à mes demandes de chat ou si tu avais tenu compte du télégramme chanté, je ne serais pas obligé de te pourchasser dans le métro !

— Tu oses prétendre que c'est ma faute !

Le sang m'est monté à la tête.

— Comment oses-tu ? Tu as perdu le droit de me parler. Je me rends à mon boulot, et toi tu discutes de nos vies privées devant la moitié de New York.

— Vina, je…

— Je ne veux pas t'écouter !

Ma voix s'est fêlée.

— Tu imagines combien ce télégramme chanté m'a fait paraître stupide devant mes patrons ?

— Ce boulot ne te plaît même pas, Vina. Il ne t'a jamais plu. Je te connais si bien.

— Pour commencer, ne… aaaargh !

J'ai déboutonné un bouton de mon chemisier. Il commençait à faire chaud.

— Je n'aime pas mon job, ce qui ne m'empêche pas de désirer l'exercer avec compétence. Cet âne chantant débile a entamé ma crédibilité ! Toi, mon ex, tu aurais dû t'en douter. Mais tu ne réfléchis à ce genre de choses que lorsque cela t'arrange.

— D'accord, je m'excuse. Maintenant que nous pouvons parler, laisse-moi m'expliquer.

— Non ! Il n'y a plus de « nous ». Tu ne comprends pas ? C'est fini. Volatilisé. Si tu as pu me mentir tout ce temps, alors c'est que ce « nous » n'a jamais existé. Et maintenant que nous pouvons parler, laisse-moi m'expliquer, moi. Je suis une fille bien, espèce de salaud !

— Je sais ! C'est pour ça que je te poursuis à travers tout Manhattan et que je me ridiculise devant tous ces gens.

Tous les passagers s'étaient tus. La plupart suivaient ouvertement la discussion, tendant le cou et échangeant des « chut » pour ne rien rater. A chaque nouveau regard fixé sur nous, ma gorge se resserrait.

— Et tu mérites une médaille pour ça ?

Ma colère montait de minute en minute.

— Je vais résumer très simplement la situation, pour toi et tous les gens de ce wagon qui vont se précipiter pour tout raconter à leurs collègues dès leur arrivée au bureau. Tu m'as trompée ! Tu m'as menti ! Je me fiche de ce que tu as à dire.

— Je ne l'ai jamais aimée, c'est toi que j'aime !

La vieille dame, dont seule ma sacoche me séparait, a traqué sur mon visage un signe de capitulation.

— Tu as eu un enfant avec elle et tu ne me l'as jamais dit ! lui ai-je crié au visage, clignant des paupières pour refouler mes larmes.

A proximité, quelques ados goths ont pouffé en murmurant.

— Ce n'est arrivé qu'une fois ! J'ai commis une erreur ! Je savais que tu ne me le pardonnerais jamais, alors je ne t'ai rien dit. Elle ne m'a prévenu de sa grossesse que quatre mois plus tard. A ce moment-là, je ne savais pas comment te le dire.

— Ainsi c'est ma faute ? Parce que j'espérais bêtement que tu ne couchais pas avec d'autres femmes ?

Tous les yeux étaient fixés sur lui. Même la vieille dame avait clairement pris mon parti. Un type chauve avec un bouc et une veste de cuir qui nous dominait de toute sa hauteur a secoué la tête à l'intention de Jon. Sur son cou s'étalait un tatouage – ÇA FAIT MAL.

— Tu as merdé, mon pote, a-t-il conclu avec un grand sourire complice.

— D'accord, écoute, je comprends que j'aurais dû t'en parler plus tôt, mais j'étais certain que tu me quitterais.

— Alors tu as préféré ne pas me donner le choix, c'est ça ?

— Si je t'avais tout expliqué et donné le choix, tu m'aurais quitté. Je ne voulais pas te perdre.

— C'est censé être une déclaration romantique ? Tu ne comprends pas qu'il n'y a aucune excuse.

— Vina, nous ne sommes pas obligés de vivre perpétuellement selon des principes. Parfois, on peut faire ce qu'on désire, et non ce qu'on se croit obligé de faire. Je sais que tu m'aimes encore. Fais ce que te dicte ton cœur.

Après un silence très fécond – parce que j'aurais dû accoucher de ces mots six semaines plus tôt, j'ai repris.

— Tu as raison Jon. Je devrais vivre selon mon cœur, je serais peut-être plus heureuse. Alors voilà ce que me dit mon cœur à ce moment précis, haut et fort : toi et moi, c'est fini. Et aussi que je devrais moins me préoccuper de l'opinion des autres concernant mes choix, et davantage de ce que je ressens.

Jon s'est tu. Les jeunes ne s'intéressaient plus à nous. Pour la première fois, j'ai senti ma gorge se desserrer.

— Je suis désolée mon petit, est intervenue la vieille dame.

— Ne fais pas ça Vina, a gémi Jon.

— C'est ton œuvre, ai-je dit avant de descendre du train.


Après le boulot, je me suis rendue droit chez Cristina.

— Je regrette tellement, a-t-elle hurlé, se précipitant pour m'enlacer la première.

— Non. C'est moi qui regrette. J'avais tort. Je n'avais aucun droit de te parler ainsi.

— Mais je n'avais pas le droit d'envoyer ton e-mail sans te demander la permission !

Elle m'a souri d'un air peiné.

Mon corps s'est détendu en partie.

— C'est fini. On n'en parle plus ?

— Tant que tu comprends que je ne te veux que du bien, *chica.*

— Tout comme moi. Mais j'aimerais vraiment savoir en quoi consiste le bien pour moi. Il ne s'agit pas seulement de Jon, mais de ma vie entière. Je suffoque, Cristy. Et je ne sais même pas où chercher de l'air.

# 21

Découvrir Peter en jean était presque aussi déconcertant que la première fois où j'ai vu ma mère en baskets. Nous ne sommes pas du genre sportif. Peter était assis sur un banc détrempé près d'une fontaine dans Central Park, coiffé d'une casquette de base-ball, et arborait une barbe de deux jours. Ce jeudi matin, quand son coup de fil m'a réveillée à 5 h 30, une sonnette d'alarme aurait dû se déclencher dans mon cerveau. Peter n'était pas du genre à dramatiser. Sans même un « Bonjour », il m'avait enjointe de venir le retrouver dans l'heure.

Je me suis assise à ses côtés et j'ai fixé avec solennité un type qui vendait de la marijuana à moins de vingt mètres.

— Tu attends un bébé, c'est ça, Peter ? D'accord, écoute, disons que c'est le mien. Sache que je ne te laisserai pas tomber. Nous pouvons aller à l'hôpital et régler la chose aujourd'hui même.

— C'est censé être drôle ?

Encore un peu et il aurait mordu.

— … Qu'est-ce qui ne tourne pas rond chez toi ?

Sa voix méprisante m'a atterrée. La main sur le cœur, j'ai expliqué.

— Peter, je suis désolée. Je… c'est tout ce mystère. Tu me sors du lit à une heure pas catholique pour me faire venir ici. Tu ne m'as même pas expliqué pourquoi.

— Tu devrais prendre les choses plus au sérieux.

Il s'est penché et a pris appui sur ses genoux, les mains tendues.

— Prendre *quoi* plus au sérieux, Peter ? Que se passe-t-il ?

Il a eu une mimique signifiant que nous savions tous les deux de quoi il parlait. Je suis restée bouche bée. Sarah approchait dans notre direction et il s'est levé pour l'accueillir. Aussi mal à l'aise qu'à l'église, je me suis levée aussi.

— Peter. Vina, a demandé Sarah sans me regarder, que se passe-t-il ?

Peter a entrepris d'arpenter l'herbe humide.

— Ecoutez, je ne savais quoi faire d'autre. Nous travaillons ensemble depuis longtemps maintenant. Je veux croire que cela signifie quelque chose pour vous. Alors je vous demande d'être honnêtes avec moi. J'avais vraiment beaucoup de respect pour chacune de vous… *J'ai* beaucoup de respect. J'espère que je ne me trompe pas.

Sarah et moi avons échangé un regard en haussant les épaules, complètement perdues.

Peter s'est immobilisé et nous a fait face.

— J'ai demandé à vous rencontrer ici toutes les deux afin de vous exposer la situation, et savoir si vous pouviez me fournir des éclaircissements. Hier, j'ai été contacté et interrogé par des enquêteurs de la Commission des opérations en Bourse. Ils croient que notre entreprise – en particulier notre équipe – a conclu certains marchés grâce à des délits d'initiés et par l'intermédiaire d'informateurs à l'intérieur des entreprises impliquées. Ils mettent principalement en cause Alan et Steve. La COB pense que toutes deux étiez au courant. Et ils ont de bonnes raisons de croire que toi, Vina, es complice.

— Quoi ? Pourquoi… pourquoi ? ai-je bafouillé.

L'air a déserté mes poumons.

— Pourquoi pensent-ils ça ? Quels marchés ? Tu en as parlé à Alan ?

— Je peux t'assurer sans hésitation que mon comportement est au-dessus de tout soupçon, Peter. Mais je ne peux parler au nom de personne d'autre, a déclaré Sarah, du même ton que si elle témoignait devant le congrès.

— Vina, a repris Peter d'une voix plus douce, comme s'il tentait d'obtenir d'un meurtrier qu'il lui indique l'endroit où trouver les cadavres, pourquoi as-tu renvoyé Wade ?

— Quoi ? *Wade ?*

J'ai porté la main à mon front.

— Peter, je ne suis pas censée en discuter. On m'a… demandé de ne pas en parler. Mais si cela reste entre nous, autant que je vous le dise. Je l'ai renvoyé pour harcèlement sexuel.

— Wade ? Il harcelait qui ? Comment *pouvait-il* harceler qui que ce soit ? C'était un stagiaire.

Il me parlait maintenant comme si j'étais une demeurée.

— Une secrétaire, ai-je soufflé.

— Laquelle ? a demandé Sarah.

— Je ne peux pas vous le dire.

La tête me tournait.

— Pourquoi pas ?

— Parce que je l'ignore, d'accord ? Alan et Steve m'ont demandé de le virer. Mais qu'est-ce que Wade vient faire là-dedans d'ailleurs ?

— Lui ne pense pas avoir été viré pour cette raison. Il est un témoin clé de la COB. Il prétend avoir surpris Alan dans son bureau lors d'une conversation téléphonique avec un informateur de Taiwan. C'est ainsi qu'ils ont décidé de cet investissement dans Luxor. Wade s'est rendu à la COB, pour expliquer que nous avions essayé de l'acheter. Et maintenant toute l'équipe est poursuivie en justice. Comme tu es celle qui lui a signifié son renvoi, tu es citée dans les accusations. Vina, tu es mon amie, je te demande de me dire ce que tu sais. C'est ma carrière qui est en jeu.

Je lisais la peur dans son regard.

— Eh bien, le dernier chèque qu'il a reçu était plus important que la normale, mais on m'a assuré qu'il s'agissait d'indemnités de licenciement.

— Depuis quand versons-nous des indemnités de licenciement aux stagiaires ? a lancé Sarah. Et comment cette somme importante ne t'a-t-elle pas mis la puce à l'oreille, Vina ?

— Au contraire, j'étais surprise.

Je me suis laissée retomber sur le banc humide, tentant de mettre de l'ordre dans mes pensées.

— Mais il s'agissait d'un genre d'indemnités de licenciement, pas de vraies. Et ensuite Alan m'a dit qu'il s'en chargeait.

Peter a secoué la tête.

— Je vais rentrer pour réfléchir à la marche à suivre. Je pensais obtenir ici la réponse à certaines questions, mais il faut croire que nous n'étions pas davantage que des collègues. Une dernière question, Vina. A combien se monte ton bonus cette année ?

Je n'ai pas pu me résoudre à les regarder dans les yeux.

— … trente mille.

Peter s'est écarté de moi comme s'il venait de remarquer du sang sur mes mains.

Sarah, sentant que j'étais au bord de l'effondrement, a ajouté sa goutte d'eau personnelle.

— Vina, merde, comment as-tu pu laisser passer ça ?

Satisfaite de me voir muette de stupéfaction, bouche ouverte et tétanisée, Sarah a décidé que ma réponse ne l'intéressait pas et s'est éloignée dans la fraîcheur matinale.

Encore sous le choc, j'ai parcouru à pied les trente blocs séparant mon appartement du parc, et la tête me tournait davantage à chaque pas. En chemin, j'ai laissé un message à Cristina, tentant d'expliquer, sans l'aide d'un esprit clair ou d'un vocabulaire sensé, que la COB enquêtait sur moi pour complicité de délit d'initié. Les vrais amis sont ceux avec qui on peut se permettre d'être incohérent.

Une fois rentrée, je n'ai pas eu la force d'ôter mes chaussures ou mon manteau, de m'asseoir sur le canapé, ou même de me verser un verre d'eau. Je comprenais qu'après avoir, toutes ces années durant, accepté l'autorité de mes parents, de mes aînés, de mes professeurs et tous les autres, j'étais incapable de remettre en question celle de quiconque. D'un point de vue professionnel, une telle attitude, même née des meilleures intentions, signifiait que j'étais un imposteur. Plantée au milieu de mon appartement, étonnée de le découvrir si peu familier, j'éprouvais le désir de me trouver n'importe où plutôt que dans ma propre peau…

# 22

Le matin de son mariage, ma mère était restée seule dans la cuisine de la maison où ses parents l'avaient élevée. Elle surveillait le thé, attendant qu'il se mette à bouillir, et attendant un signe. On avait consulté astrologues et swamis, ses parents et beaux-parents s'étaient mutuellement approuvés et elle avait consenti à donner sa main. Le marié était un ingénieur de vingt-neuf ans, grand, vivant aux Etats-Unis : fils d'un chef de police et fierté d'une famille de brahmanes du Punjab. Durant sa seule et unique entrevue avec lui, quelques semaines plus tôt, elle avait trouvé réconfortant son comportement, discerné quelques traces d'affection sur son visage. Même si les hindous croient que les époux sont liés par le karma durant sept vies, cette jeune femme qui avait remis son destin entre les mains des dieux se sentait mal à l'aise.

Sans bouger, elle avait parcouru la pièce des yeux, respirant les odeurs, mémorisant l'air figé de la seule demeure qu'elle ait jamais connue. En silence, elle avait mélangé les graines de cardamome et les sachets de thé dans la casserole d'eau bouillante, et avait imaginé sa nouvelle existence. Juste au moment où son humeur aurait pu tourner à l'amertume, l'inattendu s'était produit. Une salamandre avait lâché prise au plafond au-dessus de ma mère et était tombée sur le sol, rebondissant sur la tête, avant de s'enfuir. Ma mère avait souri. Elle savait maintenant avec certitude que ce jour était un jour bénéfique.

Je n'ai jamais accepté l'idée que tout événement avait une raison d'être. En partie parce que le système des causes et effets dans l'hindouisme était bien plus complexe que cela, et en partie parce que la notion de libre arbitre m'était trop précieuse. D'après moi, les événements se produisent, et nous apprenons à faire avec. Désireux de trouver un sens à nos vies, nous citons le bien comme preuve que le mal est nécessaire, puisqu'il a ouvert la voie à suivre. Mais j'attends toujours un signe prouvant que les événements sont destinés à évoluer d'une façon précise. A certains moments, je refuse de voir autre chose dans une situation que ce qu'elle est. Il apparaît parfois clairement qu'il est inutile de nier l'évidence.

Quand une fille se réveillait sur le carrelage froid et sale d'un ascenseur coincé entre le vingt-deuxième et le vingt-troisième étage d'un immeuble de Downtown où les enquêteurs de la COB se préparaient avec impatience à enregistrer sa déposition, peu d'options s'offraient à elle. J'aurais pu prétendre ne pas savoir pourquoi je me trouvais dans cette situation, mais cela aurait été un mensonge. La vie est terriblement ironique. Par terre dans cet ascenseur, roulée en boule, mon sac à main serré contre moi, j'avais l'impression d'avoir évolué dans un rêve la majeure partie de la matinée.

A 6 heures du matin, j'avais appelé mes parents, dans l'espoir de leur expliquer les récents événements, et leur apprendre que, selon toutes probabilités, j'étais au chômage.

— Nous sommes au courant, chérie, avait répondu ma mère. Nous l'avons lu dans le journal. Papa et moi sommes en chemin pour venir chez toi.

Les contours du monde autour de moi sont devenus flous. Mon regard a parcouru les murs, puis le plafond de mon appartement, et je me suis demandé comment tout pouvait demeurer aussi calme. J'ai frissonné, et le monde a brutalement repris sa forme première. Je ne sentais plus rien. J'ai méthodiquement boutonné ma robe de chambre, déverrouillé la porte d'entrée, et me suis baissée pour prendre le journal du matin. Là, mes jambes ont faibli. Sur la page un de la section « affaires », une photographie me renvoyait mon regard. Une photographie de mes collègues et moi lors de la fête de Noël de l'année précédente. Ivres, joyeux, arborant tous le même bonnet de Père Noël siglé du logo de la boîte. Dans les circonstances actuelles, nous apparaissions comme parfaitement conscients de l'image que nous présentions : de gros profiteurs de Wall Street d'humeur égrillarde, dopés au champagne et à la corruption. Et fiers de l'être. Derrière nous s'élevait un sapin de Noël de plus de dix mètres, décoré avec opulence, tandis que sous nos portraits s'étalait un énorme titre en gras proclamant « Leur avidité ne connaissait pas de limites ».

Quand ma mère et mon père ont pénétré chez moi, j'étais agenouillée dans la salle de bains, étreignant la cuvette des W-C comme s'il s'agissait d'un amant tentant de me quitter. Je ne me souvenais pas avoir ingurgité quoi que ce soit la nuit précédente, mais j'étais certaine d'avoir vomi la moitié de mon poids. Ma réaction physique n'était pas représentative de mes émotions. A l'intérieur de moi, j'aurais juré ne rien ressentir. Ma mère s'est agenouillée à mes côtés et a écarté de mon visage mes cheveux souillés. A la vue de ses yeux emplis d'amour et d'inquiétude, j'ai compris que quand vous compartimentez votre vie, les gens qui désirent vous venir en aide ne savent même pas où chercher les morceaux. Et qu'entourée de ceux qui souhaitent vous épauler, vous vous sentez encore plus seule.

Incohérente, ma capacité, déjà fragile, à m'autocensurer a disparu. Et j'ai commis l'erreur de défier les dieux, via ma mère, en lui demandant si la situation aurait pu être pire.

Donc je ne devais pas me montrer surprise que, après avoir repris mes esprits, expliqué la situation à mes parents et m'être rendue dans les bureaux de la COB où je venais d'être convoquée par un coup de fil, l'ascenseur m'emporte vers le vingt-deuxième étage, puis décide qu'il n'était pas d'humeur à monter plus haut.

Puis les lumières se sont éteintes.

*Note intérieure : Le moment est peut-être venu de contracter une assurance me garantissant en cas de chute d'enclumes sur mon crâne, et peut-être de concussion infligée par des cochons volants.*

Quand l'ascenseur s'est arrêté, j'ai conclu que c'était du plus haut comique. Je n'avais pas le choix. L'univers me mettait à l'épreuve. Peut-être affrontais-je le dernier obstacle, destiné à prouver que je ne craquais pas facilement, exact ? Exact. Donc il me suffisait pour m'en sortir indemne de mettre en pratique la technique de respiration profonde expliquée sur internet, où j'avais appris l'existence du groupe de soutien destiné aux claustrophobes de Sainte-Agnès. Pas de problème. Du gâteau. Je n'avais plus d'autre choix que de rire de moi.

Rire de moi, et appuyer sur le bouton alarme. Ce que j'ai fait. Mais il ne s'est pas allumé. Et naturellement la vitrine abritant le téléphone était fermée à clé. J'étais évidemment la seule personne dans l'ascenseur. Et comme il était prévisible, j'avais laissé ma mini-matraque réservée aux cas d'urgence à la maison.

*Minute, en quoi consistait cette technique déjà ? A respirer par la bouche ou par le nez ? Rentrer le ventre ? Oh mon Dieu, mon pantalon me serre. En fait tout me serre…*

Mon cœur a piqué un sprint. *Pas de panique, Vina. Reste rationnelle. Quelqu'un a dû remarquer que l'ascenseur ne fonctionnait pas. De l'aide va arriver.* Mais l'oxygène diminuait, et j'avais du mal à contrôler le tic nerveux qui avait saisi mon œil droit.

*Contrôle-toi, Vina. Ne te laisse pas aller. Ne transforme pas cet incident en catastrophe.* Je me suis réfugiée dans un coin, m'exhortant au calme. Dans ma tête résonnaient des voix ressemblant à celles de mes parents. *Tout ira bien. Ce n'est pas le moment de dramatiser ou de laisser l'émotion te submerger.*

Tremblante, je me suis jetée sur mon sac à la recherche de mon téléphone portable. Si je pouvais parler à quelqu'un et m'assurer qu'on savait que j'étais prise au piège, je me sentirais mieux et me montrerais plus raisonnable. *Prise au piège, mais pas seule.* J'ai ouvert mon téléphone, et découvert qu'il ne captait aucun réseau.

J'étais seule, c'est tout.

J'ai tapé de toutes mes forces contre les portes de l'ascenseur, frappant et criant afin que les secours m'entendent. Je savais qu'il se serait révélé plus efficace de m'interrompre, ôter ma chaussure et l'utiliser plutôt que ma main, déjà endolorie.

Une minute plus tard, à moins que ce ne soit une journée, ou n'importe quel laps de temps entre les deux, une voix est tombée du plafond.

— Hello, m'dame ? Vous allez bien ?

A terre, mon téléphone laissait filtrer juste assez de lumière bleue pour me permettre de distinguer l'image d'une folle se reflétant dans les portes d'acier devant moi. Je me suis tétanisée. *Qui était cette femme ?*

Qui qu'elle soit, elle s'exprimait avec calme au bénéfice de la voix venue d'en haut.

— Oui... ou... oui. Ça va. Ça va.

— Ne vous inquiétez pas. Nous vous sortirons de là dès que le technicien sera arrivé.

— D'accord, a-t-elle répondu en criant.

Je me suis émerveillée de sa faculté à parler si posément alors qu'elle offrait une apparence aussi atroce. La dichotomie était effrayante. *Comment peux-tu agir avec tant de sérénité alors que tout va si mal ? Comment parviens-tu à fonctionner ?*

— Nous faisons notre possible, m'dame. S'il vous plaît, gardez votre calme, a repris la voix quelques secondes plus tard.

La femme a obéi. Elle a continué de suivre les ordres venus d'en haut, à écarter ses cheveux de son visage, s'est assise là par terre, sur le sol, comme un robot, sans poser de question. A personne. Refusant de reconnaître la réalité, c'est-à-dire que respirer devenait plus difficile, que sa poitrine l'oppressait et que la tête lui tournait. Elle s'est contentée de rester assise, comme une idiote, à attendre.

Soudain les lumières ont clignoté. J'ai cligné des yeux devant mon reflet, me trouvant ridicule. Pourquoi avais-je pris le temps d'assortir mes boucles d'oreilles et mon chemisier ? Ou d'accessoiriser mon tailleur-pantalon avec ces fichus escarpins en croco que Jon aimait tant ? Pourquoi ne les avais-je pas jetés il y a une éternité ? Pourquoi ne les lui avais-je pas jetés à la figure ? Pourquoi n'avais-je pas protesté auprès de mes chefs quand ils avaient viré Wade ? *Qui avais-je cru tromper ?*

Puisque j'étais prête à consacrer tant d'efforts à

des détails idiots, comme accessoiriser cette tenue, pourquoi n'avais-je pas fait l'effort de me soustraire au poids de toutes ces exigences qui m'étouffaient ? Je me suis éloignée de mon reflet, glissant sur le sol afin d'aspirer un peu d'air. J'ai pris appui contre la paroi. La sueur perlait à mon front et un nœud grossissait à l'intérieur de ma poitrine. L'ascenseur a eu un sursaut. Et un sentiment vital à l'intérieur de moi aussi. Comme toute personne dont l'existence craque aux entournures, émotionnellement, professionnellement et maintenant mentalement, je me suis abandonnée.

— Détendez-vous. S'il vous plaît, gardez votre calme. Tout ira bien, a crié l'homme d'en haut.

Vingt secondes plus tard, je me balançais d'avant en arrière, le visage entre mes mains.

— Tout va bien ? a demandé ce crétin à la femme prisonnière d'un ascenseur suspendu vingt étages au-dessus du sol.

L'air autour d'elle se raréfiait lentement.

Alors elle s'est enfin autorisée à craquer. Elle a hurlé et frappé son reflet sur les portes. En larmes, son mascara striant son visage, elle a donné des coups de pied dans les murs et tiré sur le col de son chemisier. Quand enfin elle a faibli, la respiration lui manquait. Elle s'est totalement écroulée et effondrée sur le sol. Elle marmonnait que tout allait de travers. Qu'elle avait tout gâché et qu'elle ne pouvait s'en prendre à personne d'autre qu'elle-même.

# 23

Un cahot de l'ascenseur reprenant son ascension vers le vingt-troisième étage m'a réveillée. On m'attendait. Quand les portes se sont ouvertes, le gérant de l'immeuble et les enquêteurs de la COB m'ont trouvée, mon sac à la main, accroupie dans un coin de l'ascenseur, encore étourdie par l'épuisement et le choc de ce torrent d'émotions sans précédent. Sans bouger, j'ai demandé entre mes lèvres desséchées.

— Je peux avoir de l'eau s'il vous plaît?

La voix qui m'a répondu n'était pas celle que j'attendais.

— Bien sûr, Vina. Tu peux avoir de l'eau. Mais nous allons d'abord te sortir de là.

Je me suis retournée et j'ai croisé des yeux bruns pleins de réconfort. Prakash. Il m'a tendu une main.

— Quoi? Que se passe-t-il? ai-je bafouillé.

— Nous avons cru comprendre que vous aviez choisi M. Shah comme conseiller légal dans cette affaire, m'dame, m'a annoncé l'un des deux hommes d'âge mûr transpirant debout devant l'ascenseur. Mais il va devoir rester silencieux pendant votre déposition.

J'ai ouvert la bouche, complètement perdue.

— Il est bien votre conseiller légal, n'est-ce pas ? m'a demandé l'enquêteur.

— Hum, il… eh bien, oui, je crois ?

J'interrogeais Prakash du regard.

— J'ai lu l'article dans le journal ce matin. Apparemment l'enquête avait commencé en secret depuis longtemps déjà, aussi ai-je supposé qu'ils allaient te convoquer immédiatement, avant que la presse n'ait eu une chance de t'approcher. J'ai passé quelques coups de fil à un ami qui travaille pour le District Attorney, afin de découvrir où ils étaient susceptibles de t'interroger, et me suis proposé d'être ton conseiller légal, a expliqué Prakash en me prenant le bras. J'ai pensé que tu aurais besoin d'un peu de soutien.

— Oui…

Je me suis éclairci la voix, reconnaissante que Prakash ait décidé de venir me soutenir.

— … M. Shah est mon avocat.


— Je m'appelle Thomas Segal, a déclaré le plus âgé des deux enquêteurs de la COB.

Il nous a désigné les deux chaises aux dossiers raides derrière la table de conférence.

— Savez-vous pourquoi nous vous avons convoquée ?

Personnellement, je pensais que c'était parce qu'ils avaient eu vent du message que la vie tentait de me transmettre – incapable de gérer ma propre existence, je devrais être interdite de jeu avec les autres enfants – mais j'ai préféré répondre :

— Vous enquêtez sur mon entreprise. Je suis venue apporter ma coopération. Complète.

— Voilà qui va faciliter les choses à toutes les personnes impliquées, m'dame.

Le plus transpirant des enquêteurs avait repris là où son équipier plus âgé s'était arrêté.

— Et votre coopération poussera les autorités à vous manifester une certaine indulgence.

— Je n'ai rien à cacher, ai-je murmuré en m'enfonçant dans mon siège.

Prakash a pressé ma main d'un geste rassurant.

— Alors commençons. Vous vous rappelez avoir effectué des recherches concernant une acquisition potentielle par Luxor Corporation en novembre de cette année. Quelle a été votre recommandation concernant un investissement dans cette compagnie ? a demandé l'enquêteur Suant-et-Transpirant.

— J'ai… j'ai recommandé de ne pas investir. Rien dans les informations financières ne le justifiait.

— Et quand vos patrons ont tout de même décidé d'investir, qu'avez-vous pensé ? a aboyé Vieux Schnoque, aussi appelé Teigneux.

— Qu'ils étaient plus doués que moi en matière d'investissements financiers.

— Mmm mmm.

D'un geste théâtral, Suant-et-Transpirant a feuilleté quelques papiers.

— Vous vous rappelez certainement un ancien stagiaire du nom de Wade Smith, que vous avez renvoyé ?

— Oui.

Je comprenais où ils voulaient en venir. Je me suis mordillé la lèvre inférieure.

— On nous a rapporté que vous aviez licencié ce stagiaire suite à des contraintes budgétaires. Est-ce vrai ?

— Eh bien…, ai-je commencé.

Teigneux m'a coupé la parole.

— Une année où votre entreprise fait de tels bénéfices, il semble peu crédible qu'elle soit obligée de licencier un stagiaire pour réduire ses coûts.

Tous les regards étaient tournés vers moi.

— Je… je peux l'expliquer. Alan et Steve – mes patrons – ont prétendu que Wade harcelait sexuellement une secrétaire. On m'a demandé de le renvoyer, ce que j'ai fait.

Suant-et-Transpirant et Vieux Schnock ont échangé un regard, et un petit sourire. Je me suis sentie plus mal à l'aise qu'une rock star vieillissante dans une pièce pleine de femmes du même âge que lui.

Suant-et-Transpirant s'est tourné vers moi.

— C'est la raison que vous avez donnée à Wade ?

— Non.

J'ai baissé les yeux, évitant le regard de Prakash.

— Pourquoi non ?

Teigneux s'était penché en avant.

— Parce qu'ils m'avaient demandé de ne pas le faire.

— Et avez-vous enquêté sur ces accusations de harcèlement sexuel ?

— Non.

— Pourquoi ?

— J'ai fait confiance à mes chefs.

Ils se sont tus. Vieux Schnock s'est levé, a fait quelques pas et a regardé par la fenêtre.

— C'est tout ?

— C'est la vérité.

— Mademoiselle Chopra, depuis combien de temps travaillez-vous à Wall Street ?

— Presque cinq ans.

J'ai mordillé le bord de mon gobelet presque vide.

— En règle générale, éprouvez-vous l'impression que votre salaire est proportionnel à la valeur de votre travail ?

— Oui, je… je le crois.

— Mademoiselle Chopra, est-il exact que votre bonus annuel est basé en large partie sur l'exactitude de vos recommandations concernant les investissements ?

J'ai acquiescé.

— Comment qualifieriez-vous vos recommandations cette année, comparées à celles que vous avez effectuées les années précédentes ?

— Cette année, je me suis trompée davantage que d'habitude, ai-je admis de mauvais gré.

— Pouvez-vous s'il vous plaît nous préciser, pour notre information, à combien s'est monté votre bonus annuel cette année ?

— Trente mille dollars.

J'ai tenté de trouver une position confortable sur mon siège.

— Vous êtes sans nul doute consciente que cette

année vos collègues ont tous fait état de bonus bien inférieurs à ce qu'ils espéraient. Pensez-vous que c'est juste ? a demandé Vieux Schnoque.

— Je suppose que non.

Teigneux s'est reculé dans son siège, satisfait. Mon estomac a gargouillé. Prakash serrait toujours ma main.

— Vous ne le pensez pas, a-t-il répété, comme s'il en avait assez entendu. Une dernière question avant d'entrer dans les détails. Connaissez-vous une entreprise nommée Globe.com ?

*Dieu du ciel, pourquoi moi ?*

— Mademoiselle Chopra ?

— Hum, oui. Dans un sens. Je n'ai jamais fait de recherches sur eux, mais je les connais, d'une certaine façon. J'ai rencontré l'un de leurs vice-présidents une fois, à titre privé, ai-je expliqué avec prudence. Dans un bar.

— Hum mmm. Seriez-vous surprise d'apprendre que vos patrons ont effectué un investissement conséquent dans Globe.com il y a deux semaines ?

— Oui… je veux dire, non, me suis-je débattue. Nous n'avons jamais fait de recherches sur eux. Je n'en ai jamais fait. C'est la première fois que j'entends parler d'un investissement dans leur compagnie.

— Et vous dites que vous connaissez personnellement l'un de leurs vice-présidents ?

— Non, pas personnellement. A titre privé. Enfin… même pas vraiment en fait.

Suant-et-Transpirant ressemblait de plus en plus à

Teigneux qui lui commençait à ressembler à un sadique tandis que moi je suais et transpirais.

— Quelle est votre réponse, mademoiselle Chopra ? Vous le connaissez ou vous ne le connaissez pas ? a-t-il lancé, à environ dix centimètres de mon visage.

— Je l'ai rencontré. Une fois. Dans un bar. Il se vantait d'être un vice-président de Globe.com, d'avoir fait une acquisition majeure et de vouloir fêter ça. Mais… je veux dire, il ne savait pas qui j'étais ni… Oh mon Dieu !

Je me suis redressée. Les pièces du puzzle se mettaient en place.

— J'ai raconté cette soirée à Alan et Steve. Etes-vous en train de suggérer que leur décision d'investir s'est fondée sur ce que ce crétin m'a dit ?

— D'après ce que nous savons, a répondu Vieux Schnoque, ils ont compris que toute acquisition majeure entraînerait un bond énorme des actions Globe.com le lendemain matin. Alors ils ont utilisé l'information que vous leur avez communiquée, décidé d'acheter des actions tôt et de les vendre avec un gros profit quelques heures plus tard. Depuis les bénéfices hors normes de votre entreprise grâce à Luxor, nous surveillons de près ses ventes et ses achats. Les actions Globe.com ont été achetées et revendues à une vitesse anormale. Vos patrons ont parfaitement su utiliser l'information que vous leur avez donnée.

— Mais je ne leur ai pas *donné* l'information, ai-je plaidé. Je jure que je ne pensais même pas à ça. J'ai parlé de ce vantard de Globe.com en passant, parce que Alan m'a demandé pourquoi j'étais énervée. Ce type s'était comporté comme un véritable abruti. Il s'attendait sincèrement que je le suive dans sa chambre d'hôtel parce qu'il venait de conclure une affaire. Alan a essayé de me réconforter. J'ai peine à croire qu'il se soit servi de l'information.

Suant-et-Transpirant McMeanington a croisé les bras sur sa poitrine et m'a observée un moment.

— Vous espérez nous faire croire que vous ne vous en doutiez pas.

— Non, je ne l'espère pas. Je comprends combien la situation paraît mal engagée. Mais… j'ai besoin que vous me croyiez tout de même. Je jure que je n'en avais pas idée. Je le jure. Vous devez me croire.

Les yeux écarquillés, je me suis penchée sur la table dans leur direction, tentant presque de les atteindre physiquement malgré ma tête qui me tournait, me remémorant toutes les conversations échangées avec Alan et Steve, Denny et Wade, et Peter, et tout le monde dans la boîte. Les mécanismes devenaient si apparents. Concernant Luxor, ils avaient conclu l'affaire malgré mes recommandations parce qu'ils avaient une source interne à Taiwan. Wade avait dû découvrir la vérité, et avait été viré pour cette raison. Ensuite, ils avaient acquis des actions de Globe.com au mépris de toutes les règles. Et mon bonus obéissait à une stratégie. Ils voulaient me transformer en complice ! Je me suis tournée vers Prakash, dans l'espoir d'un signe qui me rassure un tout petit peu sur ma crédibilité et, à ma grande surprise, il m'en a adressé un. Il a hoché la tête pour m'encourager à poursuivre.

— Oh, vous le jurez ? Croix de bois croix de fer ? Vous plaisantez ou quoi ?

Segal avait haussé la voix, s'était levé et avait planté ses grosses mains sur la table afin de me regarder de haut.

— Espérez-vous me faire croire qu'une femme comme vous, une femme qui a réussi à exceller dans un coupe-gorge comme Wall Street, contrôlé normalement par des hommes, une femme qui de toute évidence est indépendante et consciente du monde qui l'entoure, une femme qui obtient cette année un bonus *trois fois* supérieur à celui de tous ses collègues, alors qu'elle a effectué plus d'une recommandation erronée, virerait son propre stagiaire sans approfondir les allégations de harcèlement sexuel, et croirait *aveuglément* en la parole de ses patrons ? Vous espérez réellement nous faire croire que vous auriez pu être aussi ignorante de ce qui se passait juste sous votre joli petit nez ? Ma petite fille, vous ne pouvez pas nous croire aussi naïfs, et il est impossible que vous soyez vous-même aussi naïve !

J'ai enfoui mon visage dans mes mains et ai bredouillé :

— Qu'avez-vous dit ?

— J'ai dit…

Les larmes ruisselaient sur mon visage.

— … apparemment *si*.

# 24

Après l'interrogatoire, Prakash et moi nous sommes retrouvés dehors, devant le bâtiment, seuls pour la première fois depuis la scène dans la cuisine de mes parents.

J'ai délibérément fixé un papier de chewing-gum sur le trottoir.

— Alors, tu penses que je m'en suis bien sortie ?

— Etant donné les circonstances, a-t-il répondu en se grattant le cou, oui.

Je me suis mordu les lèvres.

— Crois-tu… crois-tu que je risque d'aller en prison ?

— Non.

Il m'a regardée dans les yeux.

— … Pas si tu coopères et leur apportes le complément d'informations qu'ils désirent concernant les agissements de tes patrons. Mais nous affronterons cet obstacle le moment venu, Vina.

— Merci de dire *nous*. Je sais que tu ne me dois rien.

Silence.

Il fallait que je sache.

— Tu ne me demande pas si je suis coupable ou non ?

Il a souri du même sourire rassurant qui, lors du mariage, m'avait assurée qu'il ne me lâcherait pas en dansant.

— Inutile. Au fond de toi, tu es une fille bien d'origine indienne, qui a grandi à Long Island, une fille qui n'agirait jamais ainsi.

Je l'ai pris par le bras.

— Ecoute Prakash, je te présente mes excuses pour mon comportement lors du dîner samedi soir. Je me suis montrée injuste.

Prakash a haussé les épaules.

— Non Vina, tu avais raison. A ce sujet en tout cas. Et je te dois des excuses pour t'avoir entraînée dans mes problèmes. En fait, ta crise de colère dans la cuisine a été le coup de pied aux fesses dont j'avais besoin. Donc, d'une certaine façon, je te suis redevable. Dès le lendemain, j'ai déclaré à mes parents que j'étais homosexuel.

— Oh mon Dieu ! Je ne sais pas quoi te dire. Il ne m'appartient pas de te juger, mais je suis heureuse que tu aies parlé à tes parents. N'empêche, je n'aurais pas dû m'en prendre ainsi à toi, juste parce qu'il s'est avéré que ton copain Nick tournait des films porno. C'est à moi d'assumer la responsabilité des choix que j'ai effectués ce soir-là, et l'un de ces choix a été de rentrer avec lui.

Il a froncé les sourcils, incrédule.

— De quoi parles-tu ? Tu plais beaucoup à Nick.

Mais il m'a expliqué que tu t'étais enfuie le lendemain matin sans même le remercier.

— Le remercier ? De quoi ?

— Attends, de quoi parles-tu ? On peut reprocher beaucoup de choses à Nick, mais pas d'être un amateur de pornos. D'où te vient cette idée ?

— Des cassettes vidéo et des caméras aux objectifs tournés vers le lit, le lit dans lequel je me suis réveillée nue ce matin-là. Mais comme je l'ai dit, ce n'est pas ton problème. D'ailleurs, pour l'instant, j'ai bien d'autres choses en tête.

— Non, ça me regarde. Je crois que tu as mal interprété la situation. Ce n'est pas le genre de Nick. Il utilise cet équipement vidéo pour tourner une vidéo d'exercices de gym, distribuée au niveau national. Il travaille sur cette idée depuis un moment.

J'ai cillé.

— Tu crois qu'il vous a filmés vendredi soir ? Non. Tu te trompes du tout au tout. Ton copain Christopher a quitté la boîte en ma compagnie, et tes copines sont restées introuvables. Tu semblais si ivre et si bouleversée que Nick n'a pas voulu te laisser seule. Il t'a mise dans un taxi afin que tu rentres chez toi en toute sécurité. Mais tu es tombée dans les pommes avant de lui dire où tu habitais. Ton portable et ton porte-monnaie avaient disparu, alors il n'avait pas d'autre solution que de t'emmener chez lui. Tu n'as pas remarqué que ton porte-monnaie avait disparu le lendemain matin ?

— Bien sûr, j'ai tout de suite fait opposition sur

mes cartes de crédit. Je me suis félicitée qu'il me reste assez de liquide pour rentrer chez moi.

— Une fois chez lui, tu as repris tes esprits et dit que tu te sentais sale parce que tu avais vomi. Tu as pris une douche pour dessoûler, puis tu es tombée endormie dans son lit. Nick a dormi sur le canapé. Et s'est senti insulté quand le lendemain matin tu es partie sans même le remercier. Je t'en ai voulu parce que j'ai cru que tu le traitais ainsi à cause de ta colère à mon égard.

— Tu veux dire que nous n'avons pas…

— Non, Vina. Je connais Nick depuis longtemps. Ce n'est pas son genre. Tu étais complètement dans le cirage, il ne trouve pas ça séduisant. Zut, Nick n'est pas un collégien vicelard en manque.

— Prakash, je crois que… j'ai commis une erreur.

— Non Vina. Tu as porté un jugement hâtif sur un type bien et manqué de jugement en ce qui concerne tes patrons.

— Mais je… je ne savais pas… je ne me souvenais pas… je n'avais pas idée, ai-je bafouillé.

— Tu ignores beaucoup de choses au sujet de Nick. Et sur beaucoup d'autres sujets.

— J'aimerais m'excuser auprès de lui.

Prakash a secoué la tête.

— Trop tard, Vina. Passe à autre chose. Et réfléchis à tout cela par toi-même.

# 25

Stratégie mise au point afin de gérer les tuiles dont la vie m'assomme.

1. Emettre un son méconnaissable et peu féminin se situant entre le rôt, le couinement et le gémissement.

2. Rentrer chez moi et enfiler des vêtements plus confortables et moins flatteurs. Eviter les miroirs. Verrouiller les portes, fermer les fenêtres et tirer les rideaux.

3. Me rouler, physiquement et mentalement, en boule sur mon canapé, réchauffée par une montagne de couvertures et d'oreillers, et cernée par une barrière protectrice de plats livrés à domicile et de télécommandes.

4. Me reprocher de ne rien avoir vu venir (quel que soit ce qui venait), reprocher aux graisses non saturées de nous compliquer la vie et soupirer après l'époque où les gens étaient honnêtes, ce qui dispensait les femmes de se tenir en permanence sur leurs gardes.

5. Appeler des services du genre SOS Voyance (chose que je n'avouerais jamais devant aucun de mes amis), en me consolant à l'idée que cela coûte moins cher que d'appeler les sadhus agréés par ma famille en Inde (traduction : voyants se faisant

passer pour des religieux proposant thèmes astraux et lecture des lignes de la main).

Mais cette fois, ma désillusion était trop grande pour que je trouve le moindre réconfort auprès de voyantes ou de DVD. J'ai failli divorcer du monde réel, avant de me contenter d'une séparation provisoire, sous forme d'un billet d'avion pour les îles Fidji. L'idée n'a pas ravi mes parents, et plus qu'inquiété mes amis. Mais je savais que je devais le faire. Et que personne ne m'arrêterait.

Après un procès rapide, Alan et Steve ont atterri dans une prison pour cols blancs, condamnés à cinq et à dix ans de prison pour délits d'initiés. La réputation entachée de Wade a été lavée, et il a touché d'importants dommages et intérêts pour licenciement abusif. Sarah a donné sa démission et été immédiatement embauchée par une autre boîte, et Denny a été admis dans une école supérieure de commerce. Peter a été le seul membre de l'équipe à se voir attribuer une promotion, en grande partie parce que l'entreprise avait besoin d'un homme diplomate et digne de confiance pour rétablir les relations avec les clients, réduites en miettes par le scandale.

Moi, je n'étais pas allée au bureau depuis deux semaines, depuis le jour où j'étais rentrée des bureaux de la COB directement chez moi. Dieu merci, ma réputation professionnelle avait été rétablie, des enregistrements téléphoniques d'Alan et Steve m'ayant lavée de tout soupçon. Dix jours après ma déposition, j'avais été informée que la COB ne me considérait plus comme suspecte. Je ne serais jamais mise officiellement en examen. Incapable de me réjouir, je ressassais mon malheur. Comment avais-je pu me mettre dans une telle situation ? Je me terrais dans mon appartement, plongée dans mes pensées et mes regrets. Dès que les ondes provoquées par ce cataclysme professionnel s'atténuaient, l'amère culpabilité d'avoir fait si longtemps confiance à Jon ressurgissait. Parfois je ne voyais aucune issue.

Pour le département des Ressources Humaines, j'avais pris un « congé temporaire ». Ils n'avaient pas encore décidé ce qu'ils allaient faire de moi. Mon retour à la stabilité se révélait plus tortueux que celui de mes collègues. Parce que j'avais bien davantage à apprendre. Il ne s'agissait pas seulement de Jon ou de mon boulot. Ce que je ne pouvais plus refuser de regarder en face, de déchiffrer et d'analyser, c'était le schéma de mon existence entière. Comment et pourquoi avais-je tant tardé à réagir ? Entre mon refus de voir Jon sous son vrai jour, mon manque de discernement envers mes patrons et mon incapacité à exprimer mes doutes, quel était le lien logique ? Le fond du problème se réduisait à la question suivante : comment tout cela interagissait et pourquoi avais-je échoué à me protéger ? Cette question de fond ne m'effrayait pas, elle me paralysait.

Suite à moult messages de mes amis, ma famille et de journalistes laissés sans réponse, Cristina et Pam se sont résolues à forcer la porte de mon appartement. Cristy a menacé de me raser les sourcils si je ne consentais pas à prendre une douche. Paméla, qui jamais de sa vie n'avait rangé le sien, a nettoyé mon appartement. Puis elles m'ont toutes deux traînée chez une psy pour la première des trois visites qu'elles avaient pris la liberté de programmer et de payer à l'avance. Cristy a plaisanté en disant qu'il me suffirait de me tailler la moustache et de m'asperger d'after-shave pour que je passe pour un homme. Je n'ai pas réussi à rire. La déception dans son regard m'a fait de la peine, mais j'étais trop abattue pour m'attarder sur la certitude que j'aurais dû réagir.

Lors du premier rendez-vous, nous nous sommes contentées de nous fixer mutuellement. J'ai fini par comprendre que Suzanne appartenait à l'école des psys qui attendent que le patient entame la conversation. Quarante-cinq ans, l'allure jeune, chemisier rouille, veste de cuir brun et pantalon assorti. Devant son sourire, je me suis demandé si par hasard je ne portais pas une camisole de force invisible à mes propres yeux. Je détournais le regard, examinant mes doigts comme si je les découvrais, ce qui devait accentuer l'impression que j'étais dingue. Ou que j'avais commis un acte répréhensible. L'idée m'a mise sur la défensive. Et j'ai consacré une bonne partie de mon temps à lui décocher des regards noirs. Lorsque notre heure de silence a pris fin, Cristina m'a ramenée à la maison.

*
* *

Lors du deuxième rendez-vous, le jour suivant, j'ai demandé à Suzanne pourquoi elle se taisait. Ses pensées importaient peu, m'a-t-elle expliqué, alors que les miennes, oui. Avais-je besoin d'un psy ? Elle m'a répondu que c'était à moi de répondre à cette question. J'ai répliqué qu'une amie m'avait forcée à venir, mais elle m'a rétorqué que personne ne me forçait à rester. D'un ton qui signifiait que seul un être faible choisirait de partir, plutôt que résoudre ses problèmes. Malgré un ressentiment monumental envers elle, Cristina et le monde entier, je me suis incrustée dans ma chaise. L'idée que cette étrangère me juge inférieure m'était insupportable.

— Sans vouloir vous vexer, Suzanne, vous ne savez rien de mes problèmes.

— Pourquoi ne pas m'en parler ? J'aimerais les connaître.

Devant mon expression cynique, elle a ajouté :

— Ils m'intéressent.

Ils l'*intéressaient.* C'est ça. Et l'intermédiaire qui négocie la libération des otages est du côté des malfrats.

— Vous refusez de croire que je m'y intéresse ?

Je pouvais le croire. En théorie, je pouvais croire ce que bon me semblait.

— Ce n'est pas ça. C'est juste… sans vouloir vous vexer, vous êtes payée pour vous y intéresser.

— Vous pensez que je ne m'y intéresserais pas si je n'étais pas payée ?

— Ce n'est pas ce que j'ai dit. Mais l'essence même

244

de notre relation vous interdit d'être mon amie. Vous êtes mon médecin.

— Vos problèmes sont réels, Vina. Qu'est-ce qui vous oblige à me classer dans une seule catégorie ?

— Je ne sais pas… enfin, je ne vous ai pas classée.

Autant expliquer l'importance d'établir un budget à une pop star adolescente venant de signer son premier contrat avec une maison de disques.

— Vous semblez frustrée.

— Ecoutez, je ne souffre d'aucune maladie mentale. Seulement j'ai traversé trop d'épreuves pour parvenir à les expliquer à une inconnue.

— Essayez vous ferait peut-être du bien.

— Non.

— Vous pouvez expliquer pourquoi non ?

— Non, je ne le peux pas. C'est tout le problème. Je ne peux rien expliquer. Trop de choses envahissent mon esprit. Comment vous demander de comprendre ma situation ? Moi-même je ne la comprends pas. Mon univers professionnel et amoureux a été pulvérisé sans que je ne décèle aucun signe prémonitoire. Alors comment l'expliquer à une inconnue ?

J'ai éclaté en sanglots.

Elle m'a tendu avec précaution une boîte de Kleenex.

— Si le récit des événements est trop pénible, pourquoi ne pas simplement me dire ce que vous désirez ?

— Vivre à nouveau.

— Vous désirez retrouver le bonheur ?

— Mmm hum.

— Qui signifie ?

— Je veux vivre à nouveau. J'en ai marre de nous en vouloir à mort, à moi et au monde qui m'entoure.

Comme le matin du jour où je me suis réveillée par terre chez moi, entre Christopher et son chat, je suis rentrée ce soir-là persuadée que les choses devaient changer. Errer entre ma tanière et le cabinet de cette femme n'allait pas m'aider. Il fallait que je me vienne en aide à moi-même. Seul problème : j'ignorais comment.

Notre troisième entrevue a duré exactement cinq minutes. Je suis entrée dans le bureau de Suzanne, me suis assise, et elle m'a informée qu'elle me recommandait un traitement médical. Un médicament du nom de Zoloft. Elle pensait qu'il stabiliserait mon état et que je pourrais ainsi « me focaliser sur l'analyse de mes sentiments afin de parvenir à les exprimer ».

Je me rappelle avoir observé sa bouche former les mots. Et m'être demandé pourquoi elle imaginait que m'ôter le contrôle de ce qui me passait par la tête combattrait la sensation que je devenais folle. Certes, j'avais exercé un jugement déplorable, mais elle avait l'audace de vouloir détruire ce qu'il en restait. J'aurais aimé m'expliquer mais, assise sur la chaise en caoutchouc de son bureau, qui au moindre de mes gestes émettait des sons déplaisants, j'ai soudain compris que la seule personne capable de restaurer ma confiance en moi-même et dans le monde extérieur, c'était moi. Mes pensées étaient tout ce qu'il me restait. Je ne rejetais pas les psys. Seulement l'idée de recevoir des conseils sur les investissements boursiers de la part de quelqu'un qui a investi sa fortune dans l'immobilier.

C'est ce que j'ai expliqué le lendemain matin au téléphone à une Cristina surprise et inquiète, tout en cherchant sur internet les billets les moins chers pour les îles Fidji.

— Je suis la seule à habiter mon corps. *Qui d'autre* pourrait démêler cet imbroglio ?

— Je comprends, Vina. Mais pourquoi te crois-tu obligée de t'enfuir ?

— Il ne s'agit pas d'une fuite.

— Une retraite de méditation intensive ? Aux Fidji ? Pendant deux semaines ? Non mais tu t'entends, Vina ?

Je m'entendais, justement, peut-être pour la première fois. Mais je comprenais aussi pourquoi mon projet pouvait sembler ridicule. Pour être honnête, même moi je n'avais aucune idée de l'issue des événements. Mais j'étais en congé, je possédais quelques économies et la nuit précédente s'était écoulée sans sommeil, les yeux fixés au plafond, à me creuser l'esprit quant à la prochaine étape de ma vie. Soudain, aux alentours de 5 heures du matin, la réponse m'est apparue : Vipassana. Une forme de méditation dont j'avais entendu parler des années auparavant, qui promettait de vous guider sur le chemin de la connaissance de soi, de la sérénité, et ce sans intervention de la religion. Une rapide recherche sur le Net m'avait révélé le reste. Dans le monde entier, des centres de méditation entièrement financés par des dons proposaient à ceux qui le désiraient un entraînement intensif et gratuit à la méditation. La plupart des cours étaient complets des mois à l'avance, mais un stage à l'autre bout du monde qui débutait dans quelques jours avait encore une place. J'y ai vu un signe.

J'étais angoissée, évidemment, encore que bien plus effrayée à l'idée que ma résolution ne s'émousse. Mais à ce stade, j'aurais plutôt dévoré ma propre main qu'accepter ce *statu quo* une minute de plus. J'avais besoin d'opérer un changement. Et du soutien de Cristy.

— Cristy, tu parles comme mes parents.

Il lui en fallait plus pour laisser tomber.

— Parfait. Parce que je m'inquiète à ton sujet. A propos… Tes parents… tu les as mis au courant ?

Quelques heures plus tard, c'était fait. Il fallait avouer que, même si leur fille unique n'était pas en proie à une dépression nerveuse, peu de parents (indiens ou pas) auraient accepté sans sourciller un projet comme le mien.

— Papa, maman, j'ai besoin d'être seule, leur ai-je expliqué au téléphone en tirant ma valise des profondeurs de mon placard.

Expliquer pourquoi ils ne devaient pas attendre de coups de fil après mon départ s'était avéré difficile.

— J'ai besoin de m'éloigner. De tout et de tous ceux qui me poussent à douter de moi-même. Vous vous obstinez à nier ma claustrophobie. Quant à mes relations amoureuses, n'en parlons pas. Vous ne comprenez pas que vous devriez me respecter encore davantage de chercher de l'aide. Mais je ne cherche pas à modifier votre façon de voir les choses, surtout pas au moment où j'apprends à évoluer. Je dois me faire confiance et me préoccuper de moi-même. Je suis fatiguée. J'imagine que, pour des personnes élevées comme vous, vous faites de votre mieux. Mais cela ne m'aide pas. J'ai besoin de me découvrir, sans éprouver le stress de devoir me justifier. S'il vous plaît, essayez de comprendre.

J'ai tenté d'expliquer pourquoi cela devait se dérouler aux Fidji. Et pourquoi il s'agissait de ma dernière chance, avant que je n'abandonne et ne réduise en miettes la moindre de mes pensées. A contrecœur, mes parents ont tenté de comprendre et ont insisté pour m'accompagner à l'aéroport.


Juste avant que je ne passe les contrôles de sécurité à l'aéroport JFK, Nani a pris mon visage entre ses mains.

— Je ne suis pas folle, Nani. J'essaie juste de comprendre.

— *Beti,* tu essaies parfois trop fort d'être une bonne fille. Je suis fière de toi. Tu fais enfin quelque chose pour toi seule. Rappelle-toi, *beti. Jo undher se attha hai.* Ce qui compte est ta voix intérieure. Si elle te dit d'aller en Inde, à Fidji ou à Tombouctou, alors, pour l'amour du ciel, vas-y. Tu es une fille solide, mais si ton *shaanti* au fond de toi est perturbé, rien de bénéfique ne se produira plus dans ta vie. Or je vois bien que ton *shaanti,* ta paix intérieure, a été perturbée.

Quelques pas en retrait, mes parents s'arrachaient

un sourire. Je le leur ai rendu avant de murmurer à l'oreille de Nani.

— Ça va aller pour papa et maman ?

Elle a ramassé mon sac à dos et me l'a tendu.

— Je m'en occupe.

Mais ils avaient déjà commencé à s'occuper d'eux-mêmes. Quelques heures plus tard, loin au-dessus des nuages, j'ai trouvé cette lettre fourrée dans mon sac à dos.

> *Beti,*
>
> *Il nous est difficile de comprendre pourquoi tu t'envoles à l'autre bout du monde, alors que tu disposes ici d'une famille qui t'adore et ne désire que t'aider. Dans les circonstances que tu traverses, la famille représente le meilleur soutien. Peut-être n'avons-nous pas accordé assez d'importance à certains aspects de ta vie. Mais la raison n'en était pas un manque d'intérêt envers toi. Souviens-toi : presque tous les métiers s'apprennent dans des écoles spécialisées, sauf le métier de parents. Cette tâche est la plus importante qui nous incombe dans la vie, mais aussi la seule que personne ne pourra jamais nous enseigner. Prends ton temps, et fais ce que tu as à faire.*
>
> *Nous tenions pour acquis que la paix de l'esprit est un choix, mais peut-être ne l'est-elle pas toujours. Prends soin de toi. Trouve ton propre shaanti, beti. Si tu as besoin de nous, nous serons là pour toi.*
>
> *Avec tout notre amour,*
> *Maman et Papa.*

# 26

— Soyez à l'écoute de vos sensations. N'y réagissez pas.

Tandis que je luttais pour m'asseoir parfaitement droite, la voix du professeur semblait me parvenir depuis de multiples directions. Ma jambe droite s'était engourdie, mon dos me faisait mal et la couverture de laine dans laquelle j'étais enveloppée irritait ma joue gauche. Et garder les yeux fermés, pour une durée inconnue, me rendait folle.

La méditation vraie est à peu près aussi excitante qu'un contrôle fiscal, et aussi aisée que convaincre vos poils de ne pas pousser. Mais, dans le meilleur des cas, elle peut s'apparenter à une désintoxication psychologique. Elle réclame patience, isolement et un désintérêt total pour le retour à votre existence réelle. Par moments, j'avais l'impression que des ongles rayaient le tableau dans mon cerveau. Si l'idée de rentrer à New York sans résultat ne m'avait pas si peu séduite, je me serais très probablement enfuie par une fenêtre dès la fin de la première soirée. Rester assise et immobile n'a jamais été mon fort.

— Chaque fois que vous surprenez votre esprit à errer

dans les troubles du monde extérieur, contentez-vous de le ramener à l'observation. Concentrez-vous sur l'émotion comme sur la sensation physique. Chatouillis, picotements, de froid, de chaud, grattouillis… Colère ou regret. Ne laissez pas votre esprit vous frustrer. Observez son fonctionnement et ramenez-le sans hostilité à la perception des sensations physiques du moment. Concentrez-vous sur votre respiration.

Je me trouvais assise dans la salle de méditation d'une retraite isolée des Fidji, comateuse, au milieu de quarante-neuf autres aspirants à la stabilité mentale, dont tous approchaient de toute évidence plus que moi. Je le savais parce que, bien que ce soit contraire aux recommandations, je gardais les yeux ouverts pour vérifier que tous les autres les fermaient. Tous les fermaient. La seule personne qui vivait une expérience pire que la mienne sanglotait depuis vingt minutes. Mais la méditation devait commencer à faire effet, car ma perception auditive s'était assez aiguisée pour que je déduise, sans même regarder dans sa direction, qu'elle était assise deux rangs devant moi sur ma gauche. Le premier jour était brutal.

La méditation Vipassana en groupe dirigé consistait en une technique de quête de la sérénité vieille de plusieurs siècles, impliquant des vœux stricts d'abstinence, de silence et de végétarisme, de même que s'abstenir de lire, d'écrire, de regarder la télévision ou tout autre stimulation externe durant les onze jours d'introduction à la méditation. Les sexes étaient séparés et encouragés à se concentrer intérieurement.

On décourageait même les contacts visuels. A la fin du jour 1, la seule chose dont j'étais sûre, c'était que les deux paires de pieds qui partageaient ma chambre n'avaient jamais rencontré de pédicure.

Le jour 2 ne s'est pas révélé aussi difficile que le premier. Mais je me demandais quand même comment me dépatouiller dans ce qui ressemblait à une version adulte d'un camp disciplinaire pour ados. L'emploi du temps quotidien se déroulait ainsi :

**6 h 00 du mat** – Les professeurs bénévoles sonnent la cloche du réveil. Les élèves sautent du lit et se dirigent vers la place qui leur a été attribuée dans les salles de méditation séparées par genre, installent leurs coussins, s'enveloppent dans leur couverture et commencent à méditer dans un silence total.

**8 h 00** – Un petit déjeuner strictement végétarien est servi dans la salle à manger, où là aussi hommes et femmes sont séparés. Les élèves se servent eux-mêmes, déjeunent face à face, tout en s'efforçant de rester seuls avec leurs pensées.

**9 h 30** – De nouveau méditation de groupe obligatoire.

**Midi** – Déjeuner strictement végétarien consistant en légumes et racines, cuits à la vapeur ou bouillis, ainsi que des baies et des graines crues. Après le déjeuner, les participants font une sieste ou bien méditent en silence dans leurs chambres, marchent dans la nature ou réfléchissent dans les salles communes.

**14 h 00** – Toujours plus de méditation obligatoire.

**17 h 00** – « Dîner » consistant en un bol de fruits.

**18 h 00** – Une heure de cours donnée par un professeur de méditation concernant la philosophie de la retraite, ainsi que la méthode à approfondir le jour suivant.

**20 h 00** – Vous avez deviné…

**21 h 00** – Extinction des feux.

Peut-être en avais-je par-dessus la tête. Le but de Vipassana était apparemment d'apprendre à ne pas réagir. Mais je suis originaire d'un endroit du Punjab où même de sincères condoléances peuvent prendre l'apparence d'un match de boxe. Et j'ai été élevée à New York, où vos voisins n'hésitent pas à vous lancer leur sandwich à la tête s'il ne leur plaît pas. J'ai grandi en croyant que seuls les camés et les Californiens sont capables de garder un visage impassible en disant *Prends la vie comme elle vient*. Le reste d'entre nous réagit à la vie, et avec virulence.

Heureusement, le troisième jour, mon esprit a mis un terme à sa rébellion. Il avait conclu que s'il persistait à penser, il risquait de se retrouver privé de viande pour une durée indéterminée. Mes pensées ne tournoyaient plus en spirale, se cognant les unes dans les autres comme une troupe de hamsters ivres, et n'interrompaient plus ma concentration que de temps à autre.

*Je suis à l'écoute de mes sensations, du bout de mon nez au sommet de mon crâne. C'est froid… chaud maintenant… froid…*

*Je suis à l'écoute des sensations de mon menton, qui semble être chatouillé par un poil minuscule… qui j'en suis certaine ne s'y trouve pas… A moins que ce ne soit le début d'une barbe de femme. C'est dégoûtant. Je devrais me renseigner sur l'électrolyse. Je me demande si c'est d'un coût excessif. Mais je dois me concentrer. D'ailleurs cette pensée n'est pas de mise, puisque personne ici ne regarde personne en face. Bon… un chatouillis permanent ça n'existe pas… je ne sens plus le chatouillis… je suis à l'écoute de l'absence de chatouillis…*

*Au fait, que diable voulait dire le mec de Cristina quand il a qualifié mon potage d'« intéressant », lors de mon dernier dîner ? Tout le monde adore mon potage aux champignons. Je suis ravie qu'elle l'ait plaqué. Peut-être la prochaine fois devrais-je essayer une bisque de homard. Mais où ai-je la tête ? Je n'ai pas les moyens d'inviter des gens à dîner ! Je ne sais même pas si j'ai toujours un job ! Quelle idiote cette Vina. Vilaine, vilaine Vina. Je suis à l'écoute des sensations de mon cou…*

*Je suis à l'écoute des sensations de mon bras droit, au chaud sous la couverture. Je sens la laine rêche sur mon avant-bras, elle commence à m'irriter. Mais un grattouillis permanent n'existe pas…*

*Grattouillis mis à part, je dois faire payer Jon pour ce qu'il m'a fait ! Quand il a déclaré m'aimer, dans le métro, j'aurais dû le gifler en pleine figure. Je devrais appeler Alan et Steve en prison et leur dire d'aller se faire voir. Pourquoi ai-je tant de mal à me faire respecter ? Oh zut qu'est-ce que je fiche aux Fidji avec tous ces dingues ? C'est tout ce que je mérite, voilà pourquoi je suis là. Je suis une méchante fille, avec des idées reçues qui a établi des conclusions hâtives au sujet de Nick et a ensuite fui la ville sans même s'excuser. Peut-être Prakash a-t-il raison ; peut-être Nick est-il mieux loti sans moi. Pourquoi Nick voudrait-il avoir de mes nouvelles ? Et zut, pourquoi cette femme ne cesse de pleurer ! Je suis à l'écoute des sensations dans mes doigts…*

La bretelle de mon soutien-gorge me brûlait, et je déplaçais mes jambes avant qu'elles ne s'engourdissent, privées de circulation sanguine. Malgré mon ressentiment grandissant envers ceux qui méditaient, l'air supérieur, dans la même position, heure après heure tandis que je me débattais, petit à petit, ma tolérance augmentait. Peut-être l'esprit de compétition n'est-il pas si malsain après tout. J'avais atteint un stade où je pouvais vider mon esprit de presque tout ce qui n'était pas conscience du moment. L'inconfort, l'épuisement, et le manque de stabilité. Environ cinq minutes à chaque fois.

Le septième jour, j'étais capable d'une telle concentration sur mon corps et mon esprit, d'une telle conscience de la fugacité de mon inconfort, que seule subsistait l'immobilité. Armée d'un tel calme, la vérité enfouie au fond de moi m'est apparue dans toute sa clarté. La vérité, c'est-à-dire que la cause de tous mes problèmes résidait dans mon manque d'indulgence envers moi-même. Si je m'étais montrée plus sincère et plus tolérante envers moi-même et mes imperfections, j'aurais remis en question ce qui m'entourait. J'aurais remarqué certains détails. Et empêché quiconque d'essayer de m'abuser. Avant d'être capable de percevoir le monde, mes yeux devaient d'abord percevoir ce qui se cachait en moi.

La déception et les regrets m'ont envahie et les larmes ont jailli. Des larmes de regret pour le traitement que je m'étais infligé. De chagrin pour ne pas avoir stoppé le processus plus tôt. J'ai alors expérimenté une sensation physique indescriptible, bouleversante. Elle a pris naissance au sommet de mon crâne avant de m'inonder d'une multitude de minuscules parcelles d'énergie, surgies de partout et nulle part. Des vagues de chaleur ont lentement cascadé en moi jusqu'au bout de mes doigts et l'extrémité de mes orteils. Pour la première fois de ma vie, j'ai entendu ce qui venait du plus profond de moi parce que j'étais restée seule avec moi-même. J'ai reconnu cette femme, et n'ai éprouvé pour elle que compassion. Je lui ai demandé pardon d'avoir échoué à la protéger, et je lui ai pardonné pour toutes les fois où elle ne s'était pas battue pour elle-même. Puis je me suis assise, dans une immobilité parfaite, et je l'ai enlacée tandis qu'elle sanglotait sans pouvoir s'arrêter.

# 27

Finalement, les êtres humains ne sont pas si compliqués. Les hommes cherchent à se faire apprécier des femmes, mais les femmes ne les acceptent pas tels qu'ils sont. Les femmes cherchent un homme qui les adore, mais les hommes ne les comprennent pas. Enfant, je n'avais pas la patience d'attendre qu'on me pose les questions que j'attendais. J'ai pris l'habitude de m'expliquer à l'excès. Je ne suis pas la seule. Une femme utilise en moyenne cinq mille mots par jour, un homme, mille cinq cents. Donc mon projet consistant à observer un vœu de silence prolongé a déclenché un enthousiasme très mitigé de la part de mes amis et de ma famille. Comme beaucoup, ils associent la méditation à un culte. En temps normal, leur opinion aurait revêtu de l'importance à mes yeux, mais j'allais trop mal. Quand on ne tient plus qu'à un fil, on a le droit de se raccrocher à ce qu'on veut.

Donc, je suis sortie de cette bataille, qui m'avait paru durer cent jours, contre mon esprit au fin fond des îles Fidji, j'étais épuisée, régénérée, mais pas prête à me heurter aux difficultés de ma vie réelle. J'avais évolué jusqu'à me sentir en accord avec moi-même, et me persuader que mes jugements étaient les seuls qui importaient. Après une si profonde immersion dans la méditation, mes sens ont dû réapprendre le monde. J'avoue qu'au début, le son de ma propre voix déclenchait chez moi le même effet que les hurlements de rage d'un fou du volant à qui on vient de faire une queue de poisson sur le Queensborough Bridge. Chaque mot, amplifié, rebondissait à l'intérieur de mon crâne. Mais cela en valait la peine, je le savais. Parfois, abandonner tout ce que vous croyez savoir de vous-même se révèle l'acte le plus prémédité qui soit.

Quand, le dernier matin, notre professeur nous a relevés de notre vœu de silence, j'ai officiellement fait la connaissance de mes compagnes de bungalow. Valentina, une espagnole âgée d'entre trente et quarante ans, vivant en Nouvelle-Zélande, échappait par la méditation aux pressions pesant sur une femme au foyer mère de trois enfants. Lindsay, une Anglaise d'une vingtaine d'années arborant des dreadlocks blonds et un sourcil percé, gagnait sa vie en enregistrant les messages des boîtes vocales des entreprises, ceux qui vous disent : « Pour connaître le poste de votre correspondant, appuyer sur 1. » A ma grande surprise, lorsque tout en me servant de jus de fruits et de biscuits j'ai voulu me présenter à mon tour, Valentina a balayé mes paroles d'un geste.

— Nous te connaissons déjà. Tu as parlé dans ton sommeil toutes les nuits !

Une actrice intello dont les photos de nus artistiques auraient surgi sur internet aurait ressenti la même chose que moi à ce moment-là. Je savais que d'autres partageaient ma chambre, et je n'aurais jamais cru que je parlais dans mon sommeil. M'excusant abondamment, je les ai priées, Lindsay et elle, de me pardonner. Mais j'avais l'impression qu'elles avaient violé mon intimité.

— Pourquoi ne m'avez-vous pas secouée ou jeté un objet depuis l'autre bout de la chambre ?

— Sincèrement ? J'étais ravie d'entendre une voix humaine, a avoué Lindsay. C'est la première fois que je m'essaie à ce truc de la méditation, tu sais. Et le troisième jour, j'ai commencé à devenir cinglée. J'étais heureuse d'avoir de la compagnie le soir.

— Oui, oui, a approuvé Valentina. C'était très distrayant. Merci.

Je me suis forcée à sourire.

— Bon, dans ce cas… de rien ?

— Je peux te poser une question ?

Lindsay s'était penchée vers moi. Valentina lui a adressé un signe d'assentiment. Je me suis raidie.

— … Qui est Jon, et pourquoi t'a-t-il offert une photo de son congélateur ?

Les pensées décidées à se faire entendre finissent toujours par trouver leur voie, puis s'entrechoquent avec maladresse avant de jaillir via l'état illuminé du rêve ou d'une ivresse passagère, déterminées à rejoindre l'audience qui, elles en sont convaincues, les attend.

— Alors, qu'est-ce qui t'a amenée ici ? a demandé la femme au foyer coincée derrière moi sur le plancher du van. Tu ne ressembles pas à l'adepte habituelle de la méditation.

Quelqu'un avait offert à plusieurs d'entre nous de nous conduire à la ville la plus proche. Epaule contre épaule dans son véhicule, je nous trouvais déjà trop proches à mon goût. Avant d'avoir pu émettre une réponse polie mais évasive, quelqu'un a répondu pour moi.

— Je ne la trouve pas si décalée, a répliqué avec un accent anglais un homme à la chevelure poivre et sel, vêtu d'un coupe-vent et dégageant une chaleur peu commune. Peut-être que l'adepte type de la méditation n'existe pas.

Je l'ai remercié d'un sourire.

— J'essaie de trouver la réponse à certaines questions, ai-je risqué.

— Foutaises, a conclu ma voisine. Nous sommes tous là pour une raison. Une raison bien spécifique.

— Vous croyez ?

Je me suis tournée vers elle.

— Quelle est votre raison à vous ?

— D'accord, je vais vous le dire.

Elle a pris sa respiration et réfléchi un moment.

— J'étais une femme au foyer typique d'une banlieue de Nouvelle-Zélande. Tout se déroulait à la perfection. Mais quand mes enfants ont quitté la maison pour entrer à l'université, j'ai éprouvé une solitude terrible. Et j'ai commencé à boire. Trop. Au point de me faire peur pour de bon. J'en ai parlé à ma sœur qui m'a conseillé de venir ici, parce qu'une de ses amies ne jure que par cette méthode de méditation. J'ai décidé de découvrir si cela pouvait m'aider.

— Et ça vous a aidée ? a demandé Poivre-et-Sel.

— Je n'en saurai rien tant que je ne serai pas rentrée chez moi.

Elle a haussé les épaules.

— … mais je suis heureuse d'être venue.

— Je sais que cela vous aidera, a dit Poivre-et-Sel en lui souriant, parce que si cela m'a aidé, je suis certain que cela peut vous aider aussi.

— Pourquoi ? suis-je intervenue. Quelle est votre histoire ?

Il s'est rejeté en arrière et a contemplé le paysage qui défilait par la fenêtre.

— Je devrais être mort. Il y a cinq ans, les médecins ont diagnostiqué chez moi une leucémie. J'ai tenté tous les traitements possibles, mais la maladie ravageait mon corps. On ne pouvait rien pour moi. Au bout du rouleau, j'ai décidé d'explorer des solutions autres que l'hôpital. De m'ouvrir à des formes de guérison alternatives. Et un jour quelqu'un m'a parlé de Vipassana. Je n'avais rien à perdre. Je suis venu, bien que les médecins m'aient déclaré trop faible pour supporter cette retraite. Depuis, une fois par an, je reviens effectuer une retraite intensive. Mes médecins me traitent de miraculé. Parce que je devrais être mort.

La femme au foyer a protesté :

— Vous ne croyez tout de même pas pour de bon que la méditation a guéri votre cancer ?

— Non, non. Mais elle m'a aidé, énormément. Je n'ai pas besoin d'en savoir davantage.

Tous les regards se sont de nouveau tournés vers moi.

— Je… j'avais l'impression de me noyer, ai-je lâché. Dans ma vie. De ne plus avoir de voix. Et tout était ma faute. Je ne pouvais rien expliquer à personne parce que je ne pouvais pas m'expliquer à moi-même qui j'étais. Je ne trouvais plus ma respiration. J'avais besoin d'aide pour me faire de nouveau confiance. Et besoin d'être seule avec moi-même. J'habite New York, cette démarche n'y est pas facilement réalisable. Je crois que cette retraite de méditation me permettait de mettre la plus grande distance possible entre moi et ma vie.

— Qu'est-ce que tu fais dans la vie ? a-t-elle demandé avant de se pencher comme pour me renifler. Ecrivain ?

J'ai ri.

— Pas exactement.

— Alors qu'allez-vous en faire ? a-t-il demandé.

J'ai levé les yeux.

— Faire de quoi ?

— De ce que vous avez appris sur vous-même, jeune fille.

J'ai marqué un silence.

— Respirer, je suppose.

— Vous êtes prête à reprendre votre vie ?

J'ai secoué la tête.

— Je ne crois pas.

J'ai serré mon sac à dos sur mes genoux.

— Du moins pas encore.

— Alors où allez-vous ? a demandé la femme.

— Dans la ville vers laquelle nous nous dirigeons. De là nous verrons. Je dispose d'encore un peu de congé. La plupart de mes collègues doivent penser que j'ai perdu les pédales.

— Si ce n'est pas déplacé…

Poivre-et-Sel avait baissé la voix.

— … puis-je émettre une suggestion ?

J'avais tort, ai-je pensé le lendemain matin, de l'eau jusqu'aux genoux après avoir sauté d'un hydravion, le long de la côte de la petite île de Kandavu. L'endroit le plus éloigné de mon existence précédente, c'était ici.

Consciente de la lutte continuelle qui se livrait en moi, j'avais décidé de prendre davantage de temps pour domestiquer la cacophonie qui résonnait dans ma tête. Et il me fallait aussi m'essayer à la pratique de Vipassana en dehors des limites du centre de méditation, or je doutais que replonger dans le chaos de New York me serait bénéfique. Cela équivaudrait à aller à Las Vegas le jour où vous avez remis vos comptes à zéro. Alors quand l'Anglais m'a expliqué que, souvent, des élèves du centre de méditation louaient des huttes sur la plage de cette minuscule île des Fidji, dernière halte sur le chemin de leur retour au monde, ma seule question avait été : *Quand partons-nous ?*

L'archipel des Yasawa était ce qu'il y avait de plus éloigné du monde sans avoir recours aux voyages spatiaux. Et je ne fais pas seulement allusion à l'absence de Starbucks sur l'île. Ici, pas de routes bétonnées, de téléphones, de serrures ni de plomberie intérieure. Sur la plage, au-dessus d'une paillote, une pancarte « aéroport » indique l'endroit réservé à l'atterrissage de l'hydravion quotidien, transportant marchandises, alimentation et quatre passagers maximum qui sautent dans l'eau et barbotent jusqu'à la rive, leurs bagages sur la tête. A ma grande surprise, dès que nous avons atteint la plage, Poivre-et-Sel m'a adressé un geste amical d'adieu avant de s'éloigner dans une autre direction.

— Où allez-vous ? ai-je demandé, hissant mon sac à dos humide sur une épaule.

— Là-haut.

Il désignait le sommet de l'unique montagne de l'île. Il avait prévu d'y camper quelques jours dans une clairière et jouir du silence.

— Et moi ? ai-je lancé dans son dos qui s'éloignait à vue d'œil.

Derrière moi, l'hydravion a décollé. Exactement comme Poivre-et-Sel me l'avait expliqué, j'ai pu louer aux descendants d'une tribu de cannibales une hutte sur la plage, coiffée d'un toit de paille, avec du sable en guise de plancher et meublée d'un hamac. Le prix de la location incluait tous les fruits que je me révélerais capable d'avaler et toute la solitude dont je pouvais rêver, tant que je ne trouvais aucun inconvénient à être privée d'interlocuteurs et n'avoir rien à faire. Durant trois jours, j'ai erré sur la plage, dormi, médité et repoussé l'idée d'avoir à regagner New York et à m'expliquer. Puis un soir, j'ai reçu de la part de la famille qui me louait la hutte une invitation inattendue à me joindre à un rituel nocturne autour d'un feu de camp.

Le kava est une substance locale enivrante de la consistance d'une eau boueuse, dont la popularité est due au fait que, quelques minutes après son ingestion, la partie inférieure de votre visage s'engourdit. Le kava ressemble à de la craie et a le goût d'une eau qui aurait servi à rincer une bétonneuse. Je ne voulais pas paraître impolie ou ingrate, et j'étais consciente du fait que la porte de ma hutte ne comportait pas de serrure. J'ai cru comprendre que chaque fois que quelqu'un disait *Bula*, l'assistance était invitée à avaler le kava. Puis les récits ont commencé. J'ai bu le kava et apprécié le feu, tout en écoutant ce que je supposais être un folklore chantant les prouesses cannibales de leurs ancêtres pas si lointains. La concoction contenue dans mon écorce de noix de coco était peu appétissante, mais représentait tout de même un dépaysement bienvenu à la prédictibilité de sa cousine new-yorkaise, teintée de rose et bordée de sucre, baptisée cosmopolitan. J'avais envie de rester sur cette île. Je craignais la rudesse de la réalité. Je craignais en secret que la confortable solitude de cette île ne soit la seule chose me retenant de me raser la tête et plonger nue d'un rocher.

— Eh bien… *vous* ressemblez à une carte postale, vous ne trouvez pas ?

Le lendemain matin, sur la plage, une voix familière m'a arrachée à mon somme. Etrange. D'habitude j'étais totalement seule.

Après le kava de la veille, j'avais souffert d'un genre de gueule de bois et espérais que l'eau dissoudrait une partie de ce que j'avais ingurgité. Presque un mois après m'être effondrée sur le sol d'un ascenseur coincé entre deux étages, je me dorais au soleil sur une plage où les seules traces de pas dans le sable étaient les miennes. A des kilomètres de toute réminiscence de la civilisation, je savourais le soleil sur mes paupières, une noix de coco pour oreiller, tandis que la mer chaude tapissait le sol d'un sable poudreux. Cette intrusion inattendue m'a surprise.

— D'où sortez-vous ?

Je me suis hissée tant bien que mal sur un coude, abritant mon regard de l'autre main.

— … je croyais être seule.

— Nous sommes *tous* seuls, a rétorqué Poivre-et-Sel avec un grand sourire.

— Ne faites pas l'innocent. Vous m'avez surprise.

Il a haussé les épaules.

— Je ne connais même pas votre nom, ai-je repris, penchant la tête pour me protéger du soleil derrière son ombre.

— Est-ce important ?

Il a posé sa sacoche et s'est assis à côté de moi, face à l'océan.

— Je suppose que non. Comment était-ce là-haut ?

Il a ignoré ma question, scrutant les poches sous mes yeux.

— Vous n'avez pas l'air bien. Vous avez la gueule de bois ?

— Non, ai-je protesté en tentant de m'asseoir. Enfin pas exactement.

— Ne me dites pas que vous vous êtes adonnée à une beuverie de kava en compagnie des cannibales ?

Il employait le ton de la conversation ordinaire.

— Ce ne sont pas des cannibales. Certains de leurs ancêtres l'étaient.

— Oh, d'accord.

Il souriait, amusé.

— Venez-vous faire intrusion dans ma vie privée dans le seul but de me juger ?

— Non, je suis certain que vous faites ça très bien toute seule.

— De quoi parlez-vous ?

— Vous avez peur. Je le comprends.

J'ai détourné le regard.

— Vous êtes sympa, mais vous ne me connaissez pas.

— Je crois que si.

Il s'est interrompu assez longtemps pour ôter sa casquette de base-ball, puis s'en recoiffer. Plusieurs fois.

— Vous savez, je n'ai pas toujours été cancéreux, étudié la méditation et campé dans les montagnes du Pacifique Sud. Laissez-moi vous en dire davantage à mon sujet.

Je lui ai fait comprendre du regard que je lui accordais toute mon attention.

— J'étais prêtre. J'ai grandi dans une famille très religieuse, dans laquelle je ne me suis jamais senti à ma place. J'ai grandi et, comme on me l'avait ordonné, je suis devenu prêtre, comme mes deux frères. Je croyais être heureux. Je parlais avec des personnes très différentes, qui rencontraient des problèmes, et je les aidais. Je pensais ne rien désirer de plus. Puis un jour, j'ai rencontré une femme et en suis tombé amoureux, instantanément, et si profondément que je ne savais que faire. L'Eglise n'autoriserait pas un prêtre à se marier. J'ai lutté, mais finalement j'ai décidé d'abandonner l'Eglise pour elle. Ma famille m'a tourné le dos. Quelques mois plus tard, j'ai découvert mon cancer. Ma femme à mes côtés, j'ai tenté tous les traitements médicaux imaginables, puis j'ai décidé de me tourner vers d'autres méthodes de guérison, dans d'autres parties du monde. Ma famille m'a pris pour un fou et interdit d'essayer tout traitement ou méthode de guérison pouvant être qualifié par l'Eglise d'hérétique. Ils avaient décidé que je devais mettre mon destin entre les mains de Dieu. Mais j'ai choisi de me battre. Je ne comprenais pas pourquoi Dieu m'aurait fait connaître l'amour pour me faire mourir ensuite. Je me suis efforcé de trouver mes propres réponses, plutôt que d'accepter ce qu'on m'avait dit. Et je continue de me battre.

— Sans vouloir vous vexer, quel est le rapport avec moi ?

— La vie n'est pas du cinéma. Les événements ne se produisent pas tout seuls. On ne passe pas du désespoir à la révélation en un clin d'œil. La méditation ne réparera pas tous les dégâts. Mais chaque jour votre regard sur le monde évoluera imperceptiblement. Si vous êtes intelligente, vous y mettrez du vôtre. Vous devez explorer, trouver des endroits, des gens qui vous verront telle que vous êtes, et vous aideront à découvrir ce dont vous avez besoin. Je ne nie pas les épreuves que vous avez traversées, ou que vous traversez encore, mais vous soûler au kava ne vous fera pas progresser. A un moment, guérir nécessite une retraite. Mais une partie de la guérison consiste à s'appuyer sur ses nouvelles connaissances et à affronter ses démons. Vous devez accepter votre peur de risquer de vous trahir de nouveau. Certaines personnes n'ont jamais cette chance. Je le sais car la « peur de ce que les gens peuvent penser de moi » est un luxe dont je ne dispose plus. Je n'en ai plus le temps. Je regrette de ne pas connaître votre chance.

— Vous ignorez ce que j'ai traversé.

— Peu importe de quoi il s'agit. Vous marchez, vous parlez, vous pouvez aller de l'avant. Ce n'est pas grand-chose : c'est tout. C'est un mourant qui vous le dit.

— Avez-vous affronté vos démons ?

— Oui, je le crois. Comme dans votre cas, mes démons avaient en partie le visage de mes parents, qui m'avaient forcé à mener cette vie, et en partie mon propre visage.

— Mes parents ne m'ont jamais forcée. Ils ont cru faire de leur mieux.

— Alors cessez de les juger coupables.

— Je ne les juge pas coupables.

Il a haussé un sourcil.

— La guérison n'est pas un processus doté d'un début et d'une fin. C'est un chemin sur lequel on ne cesse d'avancer. Impossible de s'asseoir et d'attendre que la vie vienne frapper à votre porte. C'est à vous de vous exposer à la vie. Arrachez vos vêtements et observez ce qui se produit. Vous êtes capable de vous mettre à nu, d'exposer vos blessures à l'air libre afin que les croûtes tombent et que la guérison commence. Avec beaucoup de chance, vous rencontrerez quelqu'un qui comprendra votre quête, même si vous ne la lui avouez pas, parce qu'elle sera sur le même chemin. Quelqu'un capable de vous aimer pour celle que vous êtes autant que celle que vous voulez devenir. Ce ne sera plus la guérison, mais la vie. Ce sera comme être revenue à la vie.

— Pourquoi me dites-vous tout ça ?

— Parce qu'un hydravion décolle pour le continent dans quelques heures.

— Je ne suis pas prête, ai-je bafouillé.

— Qui l'est jamais ?

— Vous êtes un homme très difficile.

— Et vous une femme d'une grande richesse intérieure persuadée que quelque chose lui manque.

— Que voulez-vous de moi ?

— Que vous rentriez. Et éprouviez de la reconnaissance d'avoir la chance de le faire. Si ce n'est pas pour vous, faites-le pour un type un peu dingue avec qui vous avez eu une discussion mémorable, un jour de gueule de bois pour cause de kava sur une plage d'une île perdue du Pacifique Sud.

Avec le recul, il y avait peu à objecter. Je ne pouvais me cacher éternellement sur cette plage et je le savais. Le reste de l'humanité, qui ne bénéficiait pas d'un centième des bénédictions qui m'attendaient, se relevait, murmurait une prière et affrontait la journée. Je n'avais aucun droit de rester à terre.

J'ai secoué la tête, embrassé mon ami sur la joue et me suis levée. Il n'y avait rien à ajouter, alors j'ai souri, et il m'a souri en retour, d'un sourire qui suggérait que nous ne nous reverrions jamais. Une seconde plus tard, je courais à perdre haleine le long de la plage en direction de ma hutte. J'avais un hydravion à attraper.

# 28

Bien que, physiquement, je sois l'antithèse de Meg Ryan dans *Nuits blanches à Seattle*, et que près de trente ans d'existence m'en aient prouvé l'inutilité, je rêvais toujours d'une rencontre hasardeuse dans un aéroport, avec un bel inconnu qui transformerait mon existence. En attendant l'arrivée de mes bagages, ou bien quand je patientais à l'enregistrement, je repérais le plus mignon des inconnus. Puis j'imaginais les paroles pleines d'esprit qu'il m'adresserait pour briser la glace quand nous nous serions tous deux précipités sur le même bagage, identifié du même ruban distinctif. Ou comment, alors que nous nous dirigions d'un même mouvement vers l'unique siège disponible de la salle d'embarquement, il me sourirait et insisterait pour me le céder. Ou comment, durant *Casablanca* (le film projeté en vol), nos regards se croiseraient dans la pénombre quand on me servirait son repas kascher par erreur.

J'ignore pourquoi kascher. Mais peu importe.

Je ne suis pas en train de perdre l'esprit, simplement je m'ennuie. Et je suis une femme. Et c'est plus agréable qu'espionner les conversations, presque toujours ennuyeuses, des gens autour de moi. (Peut-être

devrais-je m'emporter un bouquin quand je voyage ?)
Et puis, durant ce trajet de retour vers mon ancienne
existence – qui en ce moment comprenait une boîte
aux lettres débordant de factures, des tentatives
amoureuses et professionnelles ratées, une famille et
des amis qui m'avaient déclarée folle, et une bizarre
amitié avec mon voisin gay et son chat –, je préférais
penser à autre chose !

Près de moi dans l'avion, un couple de jeunes mariés
se disputait. Le mari dudit couple m'a demandé si
j'accepterais d'échanger mon siège contre le sien. La
contribution de sa femme à la conversation s'est limitée
à lui lancer des regards aiguisés comme des poignards
dans le dos.

— Elle m'en veut parce que je n'ai pas forcé l'employé de l'enregistrement à nous attribuer des sièges
voisins, m'a-t-il implorée. Nous avons déjà plusieurs
problèmes conjugaux à régler. Etre assis à ses côtés
arrangerait la situation. Accepteriez-vous de changer
de place avec moi ?

Dans ces moments-là, je me félicitais d'être célibataire.
J'avais spécifiquement réclamé un hublot, mais je l'ai
abandonné sans discussion à cet homme si triste. Que
faire d'autre ? Sa femme irradiait d'ondes si négatives
que je craignais qu'elles ne me dévorent. Je soupçonnais
sa négociation avec moi d'être l'unique de la journée
à tourner en sa faveur.

Donc je lui ai offert mon siège afin que le couple soit
réuni. Quel bon Samaritain je fais, me suis-je dit. Dieu
a dû voir mon geste. En gagnant le siège laissé libre

par le mari si triste, je me repaissais de fantasmes où un sosie de James Bond se levait du fauteuil voisin et me décochait un sourire flamboyant. Il se précipiterait pour ranger mon sac et le hisserait de son bras aux muscles saillants. Puis il me distrairait du récit de ses voyages en tant que grand reporter pour le *National Geographic*. Parce que c'est ainsi qu'il tuerait le temps pendant son congé sabbatique de son poste de professeur à Harvard. Ai-je précisé qu'il entretiendrait un faible pour les petites brunes au teint mat à l'imagination délirante ?

Il me dirait que j'étais douée du rire le plus merveilleux qui soit et prendrait la liberté de m'inviter à dîner le soir même. Il m'emmènerait au Cirque, où on ne lui refusait jamais une table puisqu'il était le frère du sommelier, m'embrasserait sous le clair de lune devant la porte de mon appartement et me téléphonerait dès mon retour pour savoir si nous pouvions nous promettre dès maintenant de ne sortir avec personne d'autre. Il me demanderait ma main dans un mélange d'anglais, de français et d'hindi, langue qu'il aurait apprise en un an, sans même que je l'aie suggéré, afin de séduire ma famille.

Oh, et il y aurait des roses. Partout où nous irions. Toujours.

Mais au lieu de roucouler avec un mystérieux inconnu cosmopolite, je me suis retrouvée entre un préado obèse qui postillonnait des miettes de Doritos sur mes genoux chaque fois qu'il marquait un point sur sa Game Boy, et un prêcheur mormon, persuadé que ce vol constituait le moment idéal pour m'enseigner *la joie de Jesus*. Aucun des deux ne m'a accordé le privilège d'un accoudoir. Mais je n'étais pas surprise. Les coups de foudre où la piquante héroïne du film, s'efforçant de jouer les mademoiselles Tout-le-monde, perd la tête pour son partenaire masculin, romantique mais sexy, ne se produisent presque jamais dans la vie réelle.

Mon instinct maternel fonctionnait à plein régime depuis environ la terminale. Trois secondes. C'est à peu près le laps de temps qu'il me fallait pour oublier toute retenue, et tout comportement décent. Je régressais alors à un stade où je babillais avec les gamins comme si j'avais appris leur langue un été en visitant l'Europe à vélo. A la moindre apparition d'un potentiel compagnon de jeu potelé, au regard vif et aux joues rebondies, j'étais capable de gâcher la plus romantique des soirées, oubliant totalement l'homme qui m'accompagnait. On m'avait déjà vue me mettre à quatre pattes, en robe rouge et talons hauts, pour regarder un bambin dans les yeux.

Ce n'était pas tant que je désirais des enfants à moi tout de suite, mais plutôt que j'adorais ceux des autres. Peut-être leur enviais-je leur innocence. Je mourais d'envie de les croquer. Enfin quand ils appartenaient au genre adorables-malicieux-bien-élevés-et-chatouilleux-mais-pas-sujets-aux-gaz. S'ils se révélaient de l'espèce hurlant-mordant-et-envoyant-ses-crêpes-contre-le-mur, je prenais du recul afin d'admirer mes abdos. En me répétant *Jolis, ces abdos bien plats*, et me félicitant de ne pas avoir gaspillé mes ovules.

Mais indépendamment du nombre de crêpes jonchant le sol, je ne supportais pas de voir un adulte frapper un enfant. Comme si récupérer ses bagages à l'aéroport JFK n'était pas un acte assez violent en soi, je me suis figée à la vue d'une petite fille pleine de curiosité posant délicatement sa main sur le tapis roulant, émerveillée de le voir bouger. Dès que sa mère s'en est aperçue, elle a violemment tiré la petite fille en arrière, l'a secouée, grondée, avant de la gifler à la volée. Fort.

*Bienvenue à New York.*

Peut-être à cause de l'excès de sensations générées par un aéroport après deux semaines de méditation, je me suis retrouvée en état de choc. En temps normal, j'aurais tenu ma langue. La femme continuait de crier sur sa fille en larmes, sous les regards d'un nombre grandissant de passants incapables de détourner le regard. Je me suis décidée à parler, mais quelqu'un est intervenu avant moi. Un homme s'est dirigé vers la femme et l'enfant, et les a calmement interrompues. Je ne voyais que son dos, mais je savais qu'il arborait un sourire apaisant. Il s'est exprimé d'une voix délicate, contradictoire avec sa robuste constitution de guerrier.

— Excusez-moi, madame. Je crois que la gamine a compris. Ce n'est peut-être pas mon rôle de vous le dire, mais vous devriez vous montrer plus indulgente. Ce n'est qu'une enfant.

J'ai immédiatement reconnu la voix de Nick. Que faisait-il là ? Simple coïncidence ? Ou consacrait-il ses samedis après-midi à surveiller la récupération des bagages, à la recherche d'enfants à sauver de la rage de leurs parents ? Je ne me sentais prête ni à le rencontrer ni à m'excuser de mon comportement envers lui. Je n'aurais même pas su par où commencer. Comme il me tournait le dos, j'en ai profité pour m'enfuir, mais j'avais trop envie de voir la suite. Me dissimulant comme je le pouvais derrière les badauds, je me suis faufilée à portée d'oreille.

— Vous avez raison, a rétorqué la femme.

Elle s'est levée et s'est approchée du visage impassible de Nick.

— Vous n'avez pas à m'apprendre comment élever ma fille. Zut, vous croyez avoir le droit de me dicter mon comportement envers ma gamine ?

— Je ne voulais pas vous offenser. Mais je ne suis pas le seul que vos cris ont surpris. Je peux comprendre que vous soyez bouleversée et inquiète à l'idée que votre fille ait risqué de se blesser. Mais il est inutile d'élever la voix sur moi.

— Comment *osez*-vous !

De plus en plus consciente de la foule autour d'elle, elle a écarquillé les yeux.

— Merde, cela ne vous regarde pas !

Nick a levé les mains en un geste de protection et tenté de la calmer.

— Comme je vous l'ai déjà demandé, s'il vous plaît, baissez la voix. Et pour votre information, empêcher quelqu'un de frapper un enfant me regarde, comme cela regarde tout le monde. Peut-être n'ai-je pas le droit de vous dicter votre comportement, mais *j'ai* absolument

le droit de vous empêcher de maltraiter votre enfant.
Vous l'avez frappée beaucoup trop violemment.

— Va te faire voir ! Je ne maltraite *pas* ma gosse.
Tu ne sais pas ce que tu dis, et *putain* tu ferais bien
de t'écarter de mon chemin avant que je n'appelle la
police.

Elle a saisi sa fille par le bras et l'a traînée vers la
sortie.

J'avais assisté à la scène à quelques mètres de distance.
Embarrassée de ne pas être intervenue pour soutenir
Nick, j'avais envie de lui donner une tape dans le dos,
mais je n'en ai rien fait. J'ai pivoté sur mes talons et
me suis éloignée dans la direction opposée. Je n'étais
pas encore prête pour cette rencontre. Une minute plus
tard, il m'avait rattrapée et posait la main sur mon
épaule. Mon cœur a fait un bond. Je l'ai salué avec un
enthousiasme excessif.

— Nick ! Bonjour ! J'ai été témoin de ton intervention
auprès de cette femme. Elle était totalement justifiée.
Je suis désolée d'avoir pris la fuite. Une amie doit venir
me chercher et je ne voudrais pas qu'elle attende trop
longtemps.

— Moi aussi j'attends une amie.

Il a souri.

Peut-être *étais*-je revenue trop tôt à New York. Sa
bouche, ses yeux, me paraissaient bieeeeeeen trop
tentants. Je me suis soudain rappelé que je n'étais pas
maquillée et n'avais pas pris soin de mes sourcils et
de ma peau depuis des semaines. Son attention me
faisait plaisir, mais il était probablement venu attendre

quelqu'un d'autre. Mais bon, si la méditation m'avait enseigné une chose, c'était que je ne m'affirmais pas assez. Peut-être était-ce l'occasion de mettre en pratique les conseils de Poivre-et-Sel. Peut-être le moment était-il venu de m'exposer.

— Nick. Il faut que je te parle.

Avant que je n'aie pu continuer, Cristina a fait irruption et m'a serrée contre elle, en sautillant de joie. Puis elle s'est pendue au cou de Nick.

— Bon retour, Vina ! J'étais aux toilettes. Oh, tu as déjà rencontré Nick !

— Oui, ai-je dit, prise de court. Je ne savais pas que vous vous connaissiez.

— Je ne te l'avais pas dit ? Nous nous sommes rencontrés à la salle de gym. En fait c'est mon entraîneur personnel, a-t-elle pouffé.

Oooooooooh, alors comme ça, elle s'était entichée de lui et il était venu à l'aéroport pour lui rendre service. Bon, eh bien, il ne lui avait pas fallu longtemps pour surmonter son attirance pour moi. Et il avait le culot d'arborer ce sourire séducteur. Tu parles d'un super-héros ! Mais peu importait. Je ne m'étais toujours pas excusée de mon comportement passé et de mes injustes suppositions à son égard. Mes excuses devraient attendre.

— Je me suis mêlé de ce qui ne me regardait pas, a expliqué Nick en me fixant, et Vina me donnait son opinion.

— C'est peu de chose, vraiment. C'est marrant que vous soyez amis, ai-je ajouté. Si on y allait ?

J'ai foncé droit sur les portes automatiques, me jurant de trouver l'endroit et le moment appropriés pour faire mes excuses. Quant au reste de mes émotions, pour le moment, je le garderais pour moi-même.

— Je ne comprends rien, a gazouillé Cristy, mais le voyage a dû être long. Vina, je voulais attendre pour te l'annoncer, mais j'en suis incapable. Prakash et Christopher se marient le week-end prochain dans le Vermont. Et toi et moi sommes toutes deux *demoiselles d'honneur.*

Charmant. La vie de tout le monde suivait son cours, tandis que moi j'étais publiquement humiliée, probablement au chômage, et réduite à interpréter de travers l'attitude des mecs de mes amies devant les tapis roulants des bagages. Avec ma retraite aux îles Fidji, je me serai apitoyée sur mon sort. Maintenant, je me contenterai de me féliciter que Christopher ne risque pas de se comporter comme ces garces de femmes mariées qui vous imposent des tenues jaune vif ou à pois, ou encore ornées de gros nœuds peu flatteurs. Lui au moins, je savais qu'il ne me ferait jamais ça.

# 29

A propos de garces de mariées : Cristy et moi sommes drapées d'innombrables couches de mousseline couleur crevette, sciées en deux par un corset blanc trop étroit assorti à nos gants et aux – si si si – aux énormes nœuds de mauvais goût dans nos cheveux. Il faut vraiment que j'aime Christopher, ne cessais-je de me répéter. Je les observais, lui et Prakash, se donner la becquée avec le gâteau au chocolat fourré d'une ganache à la pêche. Combinaison surprenante, mais dont le résultat était plaisant. Pas comme le look que j'arborais pour assister à l'échange des vœux de Chris et Prakash. Nous avions pris place sur un podium face à deux cents personnes. Des flashes venant de toutes les directions nous éblouissaient. Ai-je précisé qu'un nœud ornait mon derrière, aussi élégant et bienvenu qu'une pancarte indiquant *Donnez-moi un coup de pied* ?

A ma droite, Cristina, prisonnière de la même monstrueuse tenue de demoiselle d'honneur, rayonnait tellement à la vue de Christopher que je craignais qu'elle ne disjoncte. Son enthousiasme servait peut-être d'antidote aux vapeurs toxiques qui émanaient de Paméla, assise au côté de William, et dont l'amertume à la vue de, eh oui, un nouveau mariage avant le sien, faisait plus d'effet que le kava. Directement en face de nous, au troisième rang de l'audience, se trouvait Nick. Qui dardait son infernal sourire rayonnant sur nous.

J'ai donné un coup de coude à Cristina.

— Hé. Ton mec essaie d'attirer ton attention.

— Mon quoi ?

Elle m'a regardée, les yeux plissés.

— Tu es partie trop longtemps. Tu as sniffé un peu avec les *drag queens* dans les toilettes, c'est ça ? Tu sais bien que je n'ai pas de mec. Mais si ce type au deuxième rang m'adresse encore un clin d'œil, ne m'attends pas ce soir.

— Quel type ? ai-je demandé sans me départir de mon sourire figé.

— Costume gris, cheveux bruns.

J'ai regardé de plus près.

— Ma belle ? Euh, je sais que je suis un peu en dehors du coup concernant la vie amoureuse, mais cet homme est une femme.

— Vina, voyons. Cette retraite de méditation était censée te guérir de ton cynisme. Qu'est-ce que tu racontes ? Impossible que ce type soit une... Oh mon Dieu ! Pour une femme masculine, c'en est une !

— Oh que oui. Je crois que le terme exact est camionneuse. Et, pour ta gouverne, la méditation n'était pas censée me guérir de quoi que ce soit. Elle était censée...

— Ouais. C'est ça. Très intéressant. Qui essayait d'attirer mon attention d'après toi ? Comme je viens de

consacrer une demi-heure à faire de l'œil à une camionneuse, j'ai besoin de réaffirmer mon hétérosexualité.
Sincèrement ces robes sont un cauchemar. On a l'air de
religieuses à la crevette. Je n'imaginais pas Christopher
capable d'une telle mesquinerie. La camionneuse en
costume a dû me prendre pour un travelo.

— C'était Nick.

— Nick quoi ? Nick est un travelo ?

— Quoi ? Non ! Laquelle de nous deux a sniffé, hein ?
Non c'est Nick qui te *regardait*, ai-je expliqué.

— Nick ? Ouais c'est ça. Il me regardait. Ne sois pas
naïve. On peut voir à l'œil nu qu'il bave sur toi.

— Tu n'as pas un faible pour lui ?

Elle a penché la tête.

— Il est sexy, mais je sais qu'il te plaît. A qui crois-tu
parler ?

— Mais je croyais… comme il t'accompagnait à
l'aéroport le week-end dernier…

— Vina, depuis quand je fixe mes rendez-vous
amoureux à la récupération des bagages ? Nous étions
chez lui, avec Christopher et Prakash, tout excités au
sujet de la préparation du mariage. Quand j'ai annoncé
que je partais te chercher à l'aéroport, Nick a bondi et
s'est proposé de m'emmener en voiture à JFK. La façon
dont tu l'as ignoré tout le trajet m'a surprise, mais j'ai
pensé que tu préférais ne pas te lancer dans une histoire
si rapidement après ta… *crise.* C'est une bonne idée,
Vina, tu as besoin de tenir debout d'abord.

\*\*\*

Un cousin fin soûl de Christopher s'est levé porter un toast.

— Quand j'ai rencontré Christopher, j'ai su qu'il allait épouser Rich…

Quand j'ai dit fin soûl, je parlais de soûl au point de tituber comme une figurine de danseuse du ventre suspendue au pare-brise.

— … mais Rich l'a plaqué ! Ou l'a trompé. Ou a fait annuler le mariage. Je ne me souviens plus. Peu importe, il y a deux choses que je sais : l'une c'est que le laser efface les tatouages sans laisser de traces, l'autre que les folies qu'ont commet à Las Vegas ne comptent pas ! J'ai pas raison ?

Personne ne riait. Les yeux de Prakash étaient exorbités et menaçaient de lui sortir de la tête. Une fois de plus, Nick est intervenu pour mettre fin au carnage. Prakash a agrippé la main de Christopher, et Cristina, la mienne. La mère de Prakash, les poings serrés sur deux verres de vin blanc, tentait d'étouffer ses sanglots, mais sa présence forçait mon admiration. Ce qui pour toute autre mère aurait représenté un pas en avant équivalait pour elle à l'ascension du Kilimanjaro. Je l'avais saluée en arrivant, mais je gardais mes distances. Je préférais lui éviter le rappel constant de ce qui aurait pu être. Après avoir prétendu accepter l'homosexualité de son fils, le père de Prakash avait refusé d'assister au mariage. *Un sur deux, ce n'est pas si mal,* m'avait dit Prakash, les yeux humides, quand j'avais rajusté son nœud papillon dans le salon nuptial peu avant la cérémonie.

— Blagues mises à part, a commencé Nick en arrachant le micro au cousin.

D'un regard sévère, comme celui qu'on lance à un enfant désobéissant, il lui a intimé l'ordre de s'asseoir.

— … il est très peu de choses dont nous soyons certains, excepté que l'existence se construit sur les choix que nous faisons, et qu'avec de la chance nous nous en sortons sans trop d'égratignures. Ni trop de regrets. Parfois les choses avancent si vite que nous oublions de prendre un peu de recul et de nous interroger sur ce qui compte réellement à nos yeux. Comme l'amitié. J'ai rencontré Prakash à la fac, et depuis il joue le rôle du grand frère homo que je n'ai jamais eu. Ce dont je suis certain, c'est que depuis qu'il vit avec Chris, Prakash est devenu un être plus riche qu'il ne le serait jamais devenu livré à lui-même. Ensemble, Chris et Prakash ont chacun plus à offrir que séparés. Or je crois que c'est le propre d'un couple. Alors, à l'heureux couple…

La mère de Prakash a marmonné. J'aurais juré que Nick inclinait sa flûte de champagne vers moi. J'ai levé mon verre, en même temps que tous les autres invités.

— *Bravo pour le discours*, ai-je articulé silencieusement à Nick depuis ma chaise.

— *Bravo pour la robe*, a-t-il articulé en retour.


En temps normal, c'est l'équivalent social de la procédure d'identification d'un suspect : debout devant votre famille et vos amis, afin que tout le monde puisse observer à loisir la femme non mariée. Ensuite, on s'emploie à nous démontrer que le célibat est une prison dont nous devrions rêver de nous échapper. Eventuellement aux dépens des autres femmes purgeant la même peine avec qui nous « rivalisons » auprès du dernier cow-boy, en route vers le ravin de la mort solitaire, situé à environ deux jours de chevauchée de la croisée sans enfants. Mais lors de ce mariage homosexuel, quelques travestis particulièrement agressifs participaient au rituel. Disons que malgré leurs efforts démesurés pour parfaire leur maquillage et sautiller d'une façon faisant passer les femmes biologiques pour des chars d'assaut, ils n'ont pas hésité à échanger leurs manières délicates contre des gants de boxe afin de récupérer le bouquet tant convoité.

Je n'ai jamais eu ma chance. Croiser le regard de Nick qui me suivait avec attention m'a distraite. Diverses pensées ont obscurci ma perception et je n'ai pas réussi à saisir le bouquet qui planait vers ma tête. Heureusement, derrière moi, un étudiant un peu enrobé a amorti ma chute quand un travesti nommé Cleopatra m'a bousculée de tout son poids pour m'écarter de son chemin. Quand j'ai repris mes esprits, la seule pensée qui m'est venue, après que Cristina m'eut aidée à me relever, était la suivante : « Pourquoi ne vois-je jamais rien venir ? »

Quelques minutes plus tard, pressant de la glace sur mon coude meurtri, j'ai vu Nick s'avancer dans ma direction. Je lui ai fait signe. Je lui devais au moins des excuses. D'ailleurs avec la tenue et la lèvre fendue que j'arborais maintenant, il me semblait un tout petit peu moins ridicule de m'être enfuie de l'appartement d'un type avec qui je n'avais pas couché, puis d'avoir ignoré ce type que je connaissais à peine.

— Je peux te parler une minute ?

Il a pris appui sur la table.

— Tu peux me parler aussi longtemps que tu veux.

— Je te dois des excuses.

— Oui, je crois.

Bon, je devais l'avoir mérité.

— Prakash a dû t'expliquer que j'ai... mal interprété mon réveil dans ton lit ce jour-là.

— Vina, il n'avait pas besoin de me l'expliquer. Le claquement de la porte était assez explicite. J'ai du mal à croire qu'une femme puisse imaginer que je profiterais d'elle alors qu'elle est ivre. Sobre, évidemment, c'est une autre histoire...

— Ce n'était pas le seul motif de ma fuite. J'avais aussi trouvé la caméra vidéo dans ton placard.

— Oui... et ?

— Et... j'ai pensé que tu nous avais filmés... en train de faire des trucs que nous n'avons en réalité jamais faits.

Il lui a fallu une minute pour saisir mes paroles. Quand il a compris, il a écarquillé les yeux et laissé échapper un grand rire.

— Pas étonnant que tu te soies enfuie ! Waouh ! Etre douée d'une telle imagination doit être épuisant. Comme tu as dû être mortifiée !

— Tu n'es pas vexé que j'aie imaginé des choses pareilles à ton sujet ?

— Evidemment, ce n'est pas très flatteur... mais bon, j'ai trois sœurs. Je sais que les femmes ne peuvent pas s'offrir le luxe d'accorder le bénéfice du doute à chaque homme qu'elles rencontrent.

Son rire ne cessait pas.

— Surtout si elles se réveillent dans le lit du mec.

— Je sais, je sais. Mais tu n'es pas obligé de trouver ça aussi drôle.

J'ai esquissé un sourire.

— Un peu de compassion, je t'en prie. Regarde la robe qu'on me force à porter. Je n'ai pas assez payé ?

— Pardon. Mais ce n'est pas un truc qu'on entend tous les jours.

Il s'est calmé.

— Mais s'il ne s'agissait que de cet incident et que Prakash t'ait tout expliqué avant que tu ne quittes New York, pourquoi tant de froideur à l'aéroport ?

J'ai joué l'innocente.

— Que veux-tu dire ?

— Tu le sais très bien, Vina. Ton air innocent manque de conviction. Nous discutions gentiment quand tout d'un coup tu es devenue de glace et m'as ignoré.

— Je ne t'ai pas ignoré.

Je me suis absorbée dans la contemplation des fruits autour de la fontaine de chocolat, comme s'ils me passionnaient.

— Si, tu m'as ignoré. Complètement. Or rien n'a changé entre le début de cette conversation et...

Attends… est-ce à cause de ton amie Cristina ? As-tu cru que nous sortions ensemble ?

— Non.

J'ai relevé le menton comme une ado vexée.

— Je n'ai pas cru que vous sortiez ensemble.

— Tu dois l'avoir cru. Pourquoi as-tu pensé un truc pareil ? Alors que j'avais clairement…

Il s'énervait.

— Tu sais quoi ? Laisse tomber.

A ma grande surprise, il est parti brusquement. Me plantant là avec une lèvre enflée, un coude douloureux et une grande question dans mon esprit. *Pourquoi ce que je pensais lui importait-il autant ?*

# 30

— La question est plutôt : pourquoi est-il si important pour toi qu'il s'intéresse autant à tes sentiments ?

Dans les toilettes pour dames, peu après le départ abrupt de Nick, les commentaires de Cristina m'ont encore davantage embrouillée. Elle a tenté de réappliquer du rouge sur ma lèvre enflant à vue d'œil et j'ai frémi.

— Désolée de t'avoir fait mal, princesse…, a lancé Cleopatra en se dirigeant vers le lavabo voisin.

— … Une femme ne connaît pas toujours sa force.

— J'imagine. Enfin, je ne veux pas me disputer avec toi, j'ai assez de problèmes comme ça.

Je me suis tournée vers Cristina.

— Et je n'ai pas envie non plus de jouer aux devinettes, d'accord ?

— Ouais. Et moi je ne veux pas rentrer seule ce soir, mais quand le destin te jette un travesti à la figure, il faut trouver des manières créatives de réparer les dégâts. Et s'il t'envoie une camionneuse au milieu d'une traversée du désert, tu rentres chez toi et vas te coucher seule.

— Depuis quand connais-tu une traversée du désert ? ai-je demandé.

Le crayon contour des lèvres qu'elle m'appliquait a bavé.

— Tu vas rester tranquille ? Au moins deux semaines !

— Deux semaines, ce n'est pas une traversée du désert. Je jure que si j'étais un homme, te regarder suffirait à mettre tous mes sens en alerte.

— Et alors ?

Je me suis adressée à Cleopatra.

— Quelqu'un peut me dire pourquoi je me donne tant de mal ?

Cleopatra a haussé les épaules dans le miroir sans cesser de retoucher son mascara.

Et Pamela a fait irruption dans les toilettes, son fond de teint strié de larmes.

— Chérie, que *se passe-t-il* ? a quasiment piaillé Cristy.

Nous avons poussé Pam vers l'une des tables de maquillage.

Elle hoquetait et gémissait des trucs incompréhensibles. J'ai tenté de l'aider.

— Qui a craché sept dents ?

— Nooooon ! a-t-elle hurlé.

Elle s'est mouché à grand bruit avant de parler plus distinctement.

— J'ai gâché sept ans de ma vie pour lui.

Cleopatra a extirpé un mouchoir de son décolleté et l'a tendu à Pam. Pam s'est mouchée, un peu requinquée, puis a commis l'erreur de se jeter un coup d'œil dans le miroir.

— Je ne peux plus ! C'est juste… je ne peux plus ! C'est pitoyable ! *Je suis* pitoyable !

Cristy l'a attrapée par les épaules.

— Pam, de quoi parles-tu ? De quoi tu n'en peux plus ?

— Nous nous sommes disputés. Vraiment disputés. Là. A la minute.

Je me suis agenouillée devant elle et lui ai pris son mouchoir qu'elle ne savait pas où jeter.

— William et toi ?

Elle m'a jeté un regard dont je ne l'aurais pas cru capable.

— Non. Mon dentiste et moi.

— Pardon ! J'ai reçu un léger choc et je suis un peu lente à la réflexion. Vous vous êtes disputés à quel sujet ?

J'ai tendu le mouchoir à Cleopatra dans l'espoir qu'elle le jette dans la corbeille derrière elle. Elle a haussé un sourcil, me signifiant, ai-je supposé, que j'aurais dû mieux la connaître.

— Lui n'a rien dit. C'est ça le problème. C'est moi. Moi ! J'ai crié et hurlé comme une folle.

Elle semblait revivre la scène.

— Je… je ne comprends pas ce qui s'est passé. J'étais heureuse pour Chris et Prakash, et je me souviens avoir dit à William combien ils paraissaient heureux ensemble. Il s'est tourné et m'a lancé : « Ouais, ça ne va pas durer longtemps. » Alors j'ai compris. J'ai compris que je le *haïssais.* Quel genre d'homme fait des réflexions de ce genre lors d'un mariage ?

Elle a sondé nos regards, à la recherche d'une réponse qu'aucune de nous ne pouvait lui procurer.

— Et quel genre de femme suis-*je* pour vouloir l'épouser *lui* ?

J'ai secoué la tête.

— Non, ne dis pas ça.

— Vina, ça va. Cesse de me protéger. Cette crise aurait dû se produire il y a longtemps.

Je croyais voir fonctionner les rouages de son cerveau.

— Je ne... Je ne crois pas que j'aime la femme que je suis quand je suis avec William. Cette folle, qui a complètement craqué devant tout le monde, n'était pas moi. *Ce* n'est pas moi. Il faut que je m'échappe d'ici !


— Vina, attends.

Quelques minutes plus tard au vestiaire, une main sur mon épaule m'a stoppée dans mon élan.

— Nick, ce n'est vraiment pas le bon moment.

— Accorde-moi une minute. Je suis désolé de m'être emporté, je suis un peu à l'ouest ce soir.

— Bienvenue au club. Pam et William se sont salement disputés. Pam est dans un triste état, Cristina et moi la ramenons chez elle.

— Je sais. J'ai assisté au feu d'artifice. Je peux faire quelque chose ? Vous voulez que je vous raccompagne en voiture ?

Je n'ai pu m'empêcher de sourire.

— Non. Une voiture nous attend. Mais merci de proposer de sauver une demoiselle en détresse. Une fois de plus.

— Le plaisir est pour moi. Ecoute…

Cristina a surgi et nous a interrompus, m'adressant un clin d'œil digne d'un subtil VRP en polices d'assurances et à la calvitie naissante qui vient d'avaler son troisième gin tonic au bar de l'aéroport.

— Vina, ne t'inquiète pas pour Pam. Je vais la ramener chez elle. Reste là et profite de la soirée, d'accord ? Allez, bye !

Avant que je n'aie pu répondre, elle avait disparu.

— Bon…

J'ai respiré à fond.

— … donc, tu disais ?

— Oui, oui. J'ai été impressionné par tes mots. Ton texte à propos de suivre son instinct.

— Tu veux dire en ce qui concerne les relations hommes-femmes ? Tu fais allusion à mon article sur l'infidélité sur Salon.com ? Mon Dieu, j'ai l'impression que tout ça date d'il y a une éternité.

— Non. Enfin, j'ai lu cet article, mais je faisais référence à un e-mail que tu as envoyé à Prakash durant ton voyage. Tu disais que le plus difficile dans la méditation était de s'autoriser à lâcher prise, qu'apprendre à faire confiance à ton instinct t'aidait à te faire confiance dans la vie en général. Jamais auparavant je n'ai vu quelqu'un réussir à mettre des mots sur cet aspect de la méditation. Prakash m'a parlé de cette phrase de ta grand-mère, et de la façon dont, grâce à la méditation, tu avais bouclé la boucle en revenant à son conseil.

— Ainsi tu t'intéresses à la méditation ?

C'était trop beau pour être vrai.

— Je suis curieux, c'est tout.

Il a tiré une chaise pour moi à une table voisine avant de s'asseoir sur celle d'à côté.

— Pas du genre de retraite que tu as effectuée, je ne me crois pas capable d'une telle immobilité. J'ai un peu pratiqué le yoga, des trucs comme ça. Ce domaine me fascine. Et tu es vraiment perspicace… enfin quand tu en prends le temps, au lieu de tirer des conclusions hâtives à propos de types super comme moi. Tu devrais écrire davantage. J'aimerais lire tout ce que tu écris d'autre.

— Merci. Mais tu me fais rougir, or les femmes indiennes ne rougissent pas.

Je n'ai pas pu m'empêcher de battre des cils. Et je me suis avoué que j'éprouvais un sacré penchant pour lui. Des voix familières ont surgi dans mon esprit. *Et l'ambition ? Et la religion ? Les hommes avec qui on sort sont-ils ceux qu'on épouse ?* J'ai reconnu ces voix et j'ai ri. Ces doutes n'avaient du pouvoir que si je leur en accordais. Le plus important était de vivre le moment présent. A l'instant où j'ai remarqué, sans nul doute possible, que Nick me fixait, tout ce qui m'entourait s'est évaporé. Non seulement j'aimais cette sensation, mais je ne me sentais pas coupable de l'aimer. Oh, et puis zut… Je me suis visualisée, en train de rentrer le ventre, de respirer à fond et de sauter à pieds joints.

— Au fait ai-je repris en me redressant, comment Prakash et toi êtes-vous devenus si proches ? Vous étiez ensemble à la fac ?

Demandez à un homme de parler de lui-même, peu importe le degré de détail exigé, et il rentrera persuadé d'avoir vécu la nuit de sa vie.

— Nous partagions la même chambre à l'école supérieure de droit, a-t-il expliqué, touillant sa boisson avec une paille fantaisie, inconscient de ma surprise.

— Je croyais que vous vous étiez rencontrés lors de vos premières années de fac. Je ne savais pas que tu étais avocat.

— Tu ne me l'as jamais demandé. Tu souffres vraiment d'une tendance à te fier aux apparences.

— C'est ce qu'on m'a dit. Alors pourquoi ne pratiques-tu pas ?

— Le droit m'a déçu. Défendre des gens que je savais coupables d'actes terribles ne me convenait pas. Comme je te l'ai dit, je suis issu d'une famille nombreuse. J'ai trois sœurs, des nièces, des neveux. Participer à l'engrenage judiciaire ne me plaisait pas. La justice est une notion subjective, c'est ce que j'ai découvert.

— Vraiment ?

— Pardon. Je m'emballe chaque fois que j'évoque le sujet. Je veux en savoir davantage sur toi, Vina. Je te trouve super. Mais avant...

Il s'est interrompu pour se lever.

— ... Je dois m'excuser de ne pas t'avoir encore offert un verre. Que désires-tu ?

— Un chardonnay, s'il te plaît.

Enfoncée dans mon siège, les bras croisés, je l'ai regardé s'éloigner.

Je vérifiais dans la lame d'un couteau qu'aucune miette n'était restée coincée entre mes dents quand quelqu'un s'est assis à la place de Nick. Une jolie petite rousse vêtue d'une robe verte décolletée et d'un sourire breveté épouse-idéale-de banlieue.

— Puis-je me permettre de vous donner un petit conseil ? m'a-t-elle demandé.

— Hein ?

J'ai posé le couteau pour lui faire face.

— Les femmes qui draguent les mecs déjà pris embarrassent tout le monde.

— Vous pouvez répéter ?

J'étais un peu perdue. J'ai exploré le bar du regard à la recherche de Nick, mais il me tournait le dos.

— Je m'appelle Kat.

Elle m'a tendu une main molle et moite dont elle savait que je ne la serrerais pas.

— ... et je sors avec Nicky.

— Vous voulez dire... vous et lui ?

— Je dors dans ses T-shirts, oui, a-t-elle répondu d'un air innocent en haussant les épaules.

— Et vous êtes sûre qu'il est au courant ? ai-je ironisé.

— Depuis la fac, nous ne cessons de nous quitter et de nous rabibocher. Il aime les filles. Mais ça ne va pas plus loin.

Elle s'est penchée vers moi avec un regard venimeux.

— Ne perdez pas votre temps. Il me revient toujours.

Cette scène commençait à me paraître un peu trop familière. Des flash-backs de l'appel téléphonique et de la dramatique je-suis-la-maman-du-bébé-de-Jon nouaient mon estomac. Cette fois, je n'hésiterais pas à me protéger.

— Eh bien, bonne chance, ai-je lancé.

Je me suis levée et j'ai gagné la porte.

*Super. Un avocat au corps musclé, sa petite amie souffrant en silence et moi la niaise à toute épreuve.* En me dirigeant vers le parking, j'ai souri poliment à tous les inconnus que j'ai croisés, me demandant si finalement la camionneuse en costume gris n'avait pas raison. Mais, durant le trajet de retour dans ma voiture de location, une pléthore de sensations a défilé en moi, sans que je m'apitoie sur moi-même. Nick flirtait avec moi alors qu'il avait une petite amie, et alors ? Les hommes ne cessaient de se comporter ainsi. D'ailleurs, pour l'instant, j'étais mieux lotie avec mon célibat. Lundi, je devais reprendre le boulot, et déterminer à quoi j'allais consacrer le reste de ma vie. Alors, niveau sentimental, la seule question qui me venait à l'esprit, c'était : Pourquoi se presser ?

# 31

Premier jour au bureau depuis mon retour de congé sabbatique. Les ressources humaines n'ont pas encore décidé ce qu'elles allaient faire de moi. Apparemment, quelqu'un avait réussi à convaincre mes collègues que je m'étais absentée afin de me barbouiller le visage à l'aide de feutres fluos, habillée en Superman.

— Oh, bonjour ! Bon retour, mademoiselle Chopra, m'a lancée la réceptionniste avec enthousiasme.

Puis son visage s'était crispé.

— Comment allez-vous ? m'a-t-elle glissé dans un murmure.

— Je vais bien, Jen. Super, même. Je ne me suis jamais sentie mieux. J'ai rendez-vous à 9 heures avec quelqu'un des ressources humaines.

— Oui, vous avez rendez-vous avec Gabe. Salle 306. Les ascenseurs se trouvent sur votre gauche.

Elle a souri en penchant la tête.

— *Bonne chance.*

Retrouver ces locaux me perturbait suffisamment. Inutile d'en rajouter en me traitant comme si j'avais oublié ma tête au vestiaire. Mais j'avais quitté le Pacifique Sud pour regagner New York, une ville où il valait mieux se fondre. Une ville où mon absence n'avait généré aucune inquiétude chez mes voisins, seulement des plaintes au sujet de la puanteur d'un plat de porc mooshu pourrissant, plaintes qui avaient obligé le concierge à pénétrer dans mon appartement. Une ville où personne ne prêtait attention à ses voisins, à leur absence ou aux violences domestiques, tant que des effluves malodorants n'envahissaient pas le couloir, ou qu'un individu louche ne débarquait pas chez eux par l'échelle d'incendie. Une ville où me réconfortait l'idée que personne n'exigerait de détails quant à mon congé, car ces questions auraient pu être assimilées à un signe d'inquiétude. J'ai décidé de tirer le meilleur parti de cette indifférence, et de travailler le minimum. Il me suffirait de grimacer ou de feindre de temps à autre, en pleine réunion, de retenir des sanglots imminents, pour que mes collègues me fichent la paix.

Dans toute entreprise, les locaux des ressources humaines semblent délibérément conçus pour empêcher tout confort, physique ou psychologique, probablement afin de jauger les réactions des candidats placés en situation vulnérable. Des canapés étroits et raides étaient disposés face à la porte. Là où auraient dû se trouver des œuvres d'art pleines de tendresse étaient accrochés les logos, intimidants, de l'entreprise. La température était toujours inférieure de dix degrés par rapport au reste du bâtiment. Et le personnel ne cessait jamais de sourire. J'ai traqué du regard les micros cachés et les projecteurs qui devaient être dissimulés un peu partout. Un « bonjour » m'a fait sursauter.

— Suivez-moi dans la salle de conférences, je vous prie.

Gabe Schmidt était insipide. Avant même d'avoir cessé de le regarder, je ne me souvenais plus à quoi il ressemblait. Il m'a proposé un siège, m'a tendu une main très moite, et présenté les excuses les plus sincères de l'entreprise pour les *difficultés* que j'avais rencontrées, suite aux *choix infortunés* de mes patrons.

— Je tiens à vous assurer que nous apprécions votre ardeur au travail et votre loyauté.

J'ai cillé. L'horloge faisait tic-tac. Quelque part, une rock star potelée avec une haute opinion d'elle-même demandait *si cette robe l'amincissait trop.*

— Et nous serions ravis de continuer à vous compter en notre sein durant les années à venir.

J'ai baissé la tête et haussé un sourcil. Il a lissé les cheveux étirés sur son crâne chauve.

— Plusieurs options s'offrent à vous, mademoiselle Chopra. Nous aimerions définir ce que vous souhaitez.

— Vous n'allez pas vous contenter de me caser dans le premier poste disponible ?

— Nous ne voyons pas les choses ainsi. Nous avons supposé que vous auriez des idées personnelles concernant le département le plus susceptible de vous intégrer avec succès, et sur les atouts que vous pouvez apporter à la société. Nous envisageons cette démarche plutôt comme une forme de collaboration. Que désirez-vous ? Où pensez-vous vous insérez le plus efficacement dans l'entreprise ? Quelles sont les qualités qui font de vous un atout pour telle ou telle équipe ?

Franchement, je n'avais aucune idée de ce que je désirais, de ce qui m'enthousiasmait, ni de ce que j'avais à apporter ou du secteur auquel j'étais destinée. Mais j'ai soudain compris que s'offrait à moi la possibilité d'affronter un de mes démons, de me faire entendre et de remettre en question l'autorité. Mon point de vue a changé. J'ai effectué un choix.

— Je veux repartir de zéro, avoir une seconde chance. Dans une nouvelle équipe. Je veux l'opportunité de découvrir ce qui me fait vibrer dans ce job.

— Très bien…

Il a souri sans bouger un cil.

— … je suis certain que cela peut s'arranger.

A la fin de la journée, j'étais installée à mon nouveau bureau, dans mes nouveaux locaux à mon nouvel étage, cernée de cartons contenant ce qui restait de mon ancien bureau. Pas de confettis, pas de fanfare. L'Amérique des affaires était homogène, impersonnelle et d'une prévisibilité rassurante. Peut-être en avait-il toujours été ainsi. Pendant que j'avais la tête ailleurs, la poussière des débris de mon ancienne carrière s'était déposée sur ce nouveau bureau, à côté des piles de documents que m'avait procurés ma nouvelle secrétaire. J'ai décidé de m'y plonger et envoyé balader mes chaussures, sachant que j'allais devoir lire toute la nuit afin d'être capable de débattre le lendemain matin du dossier avec ma nouvelle équipe. J'ai pensé à Poivre-et-Sel et l'ai remercié.

*
* *

La position dans laquelle je me trouvais le mardi matin suivant résultait d'un intéressant enchaînement d'événements. Tout était la faute de mon empotée de secrétaire qui s'était heurtée quelques minutes plus tôt dans mon bureau, et avait amorti sa chute en déclenchant l'avalanche des dossiers soigneusement réunis. Elle n'en ratait pas une. Craignant que, si je l'autorisais à m'aider, elle ne me transforme en torche vivante, je l'avais expédiée en mission chez Starbucks, insistant pour réparer moi-même les dégâts. Voilà pourquoi, lorsque mon téléphone a sonné, je me trouvais à quatre pattes, le derrière pointant de dessous le bureau, la joue pressée contre le sol froid et dur, tentant d'atteindre les dernières feuilles de papier. La sonnerie par défaut ringarde de mon nouveau portable, une mélodie country, me faisait chaque fois sursauter. Cette fois, le sommet de mon crâne a heurté le bureau. Par la même occasion, j'ai réussi à me mordre cruellement la langue.

— Flûte ! ai-je aboyé en me redressant péniblement pour me saisir de mon téléphone.

Le sang dans ma bouche n'était rien en comparaison du zozotement qui en résultait. Le tout, combiné à l'irritation provoquée par mon string, ne m'avait pas mise de très bonne humeur au moment de prendre l'appel.

— Quoi ?

Une voix masculine, rauque et amusée, s'est esclaffée.

— Pour quelqu'un censé avoir étudié la méditation, tu ne sembles pas très zen.

— Quoi ? ai-je aboyé, agacée. *Ze* me suis mordu la langue. Qui *f*'est ?

— Pardon. C'est Nick. De la salle de gym ? De l'aéroport ? Du mariage ?

On dirait que les hommes flairent la vulnérabilité comme les hyènes, le sang.

— Oooooh. *F*alut.

J'ai réintégré mon fauteuil et me suis examinée dans mon miroir de poche, m'attendant à découvrir une bosse, cernée, comme dans une bande dessinée, d'étoiles et d'oiseaux gazouillant.

— Quelle surprise.

— J'ai hésité à t'appeler, mais je crains de m'être montré un peu trop entreprenant lors du mariage. Comme tu reviens à peine de ton voyage… Je voulais m'excuser au cas où je t'aurais mise mal à l'aise.

— Comment as-tu obtenu mon numéro ?

— Par Cristina. J'espère que cela ne t'ennuie pas. Toi et moi ne cessons de partir du mauvais pied, et…

Je n'étais pas d'humeur pour une partie de cache-cache sentimental.

— Et *f*i on invitait ta petite amie à *fe* joindre à notre conver*faf*ion, ju*f*te pour *f*'a*ff*urer qu'on part tou*f* du bon pied ?

— Quelle petite amie ?

— Kat.

— Tu as parlé avec Kat ? C'est pour ça que tu es partie ? Que t'a-t-elle dit ? Ce n'est pas ma petite amie.

— *F*'est *fa*. Lai*ffe*-moi deviner. *F*'est une de tes *fœurs* ?

Excuse allant de pair avec « Si je n'étais pas chez moi au milieu de cette nuit pluvieuse l'automne dernier, c'est parce que j'étais sorti acheter des piles pour la télécommande ».

— Non, ce n'est pas ma sœur.

Etrange. Le mensonge, je savais gérer. Mais l'honnêteté ? Il devait jouer un jeu tordu. On allait bien rire.

— Ecoute, je ne *fais* pas à quel *z*eu tordu vous *z*ouez, toi et ta petite amie, mais *f*ervir de garniture à votre *f*andwich à la Vina ne m'intere*ffe* pas, OK ? Alors *ze* ne *fais* pas *fe* que tu cherches, mais cherche-le ailleurs.

— Vina, s'il te plaît, écoute une minute. Kat est une ex, de l'époque de la fac de droit. C'était aussi une amie de Prakash, raison de sa présence au mariage. Elle est folle, une vraie cinglée. Elle n'a pas cessé de se jeter à ma tête alors qu'elle ne m'avait pas vu depuis plus d'un an. Je lui ai expliqué que je n'étais pas intéressé. J'imagine que personne d'autre n'a eu envie de l'approcher à moins de dix mètres. Nous voir parler ensemble a dû la mettre en rage. Je jure que je te dis la vérité, mais si tu veux, appelons Prakash pour qu'il confirme mes dires. Je comprends que les apparences sont contre moi mais… as-tu vraiment dit « Un sandwich à la Vina ? ».

— Je m'e*fcuffe*.

J'ai baissé la tête, comme s'il pouvait me voir.

— Peut-être ai-je pa*ffé* trop de temps avec des

camionneuses et des travestis plus féminins que moi. Je *fuis fur* la défen*ff*ive.

— Ce n'est pas grave. Je ne me montre pas souvent si direct, mais vu notre lourd passif, moins je tournerai autour du pot, mieux ce sera, sinon nous allons encore nous comprendre de travers. Crois-tu pouvoir laisser tomber ta *defenfiffe* assez longtemps pour dîner avec moi ?

*Ooooh...* Je me suis tue, le temps de rassembler mes souvenirs des images de lui entrevues dans sa cuisine. En une milliseconde, j'avais pesé le pour et le contre, de la garantie de Prakash à la fragilité de mon état présent. Toute relation actuelle avec un homme représenterait une erreur. Une erreur très tentante, accompagnée de la garantie virtuelle d'un jus d'orange fraîchement pressé le matin. D'un jus d'orange susceptible de couler le long de ces avant-bras musclés, aux veines saillantes, sur ces tablettes de chocolat, que je pourrais lécher...

Et puis zut. Faisons face à un nouveau démon. Peut-être allait-il me faire souffrir, me quitter, me mentir ou je ne sais quoi. Peut-être échouerais-je à me protéger, ou peut-être cette fois verrais-je venir les événements. J'étais toujours debout et la vie m'appelait. Je devais courir cette chance. D'ailleurs, il ne s'agissait que d'un dîner.

— *Fe ferait fuper* ! ai-je gloussé comme une lycéenne tentant de paraître décontractée, battant des cils si fort que j'ai failli m'envoler.

# 32

Christopher et Prakash partis en croisière à Belize, j'avais accepté de baby-sitter le chat, une fois de plus. J'observais Bobo s'amuser à l'intérieur d'un sac Bebe abandonné sur le sol quand le téléphone a sonné.

— Bonjour chérie. Je ne te dérange pas ? s'est enquise la créature qui avait investi le corps de ma mère durant mon séjour aux Fidji.

Je peinais encore à intégrer l'idée que mes parents respectaient mon temps. Il s'agissait d'un des nombreux changements opérés depuis qu'ils m'avaient observée, impuissants, monter à bord d'un avion décollant pour le Pacifique Sud.

— Bien sûr que non, maman. Que se passe-t-il ?

Affalée dans le canapé, j'ai attrapé le sac d'un orteil et l'ai agité selon des rythmes différents. Convaincu que la chose était vivante, Bobo s'est préparé à l'attaque.

— Ta tante Neela m'a expliqué que son frère Amit avait souffert de sévères crises d'angoisse lorsqu'il était étudiant.

Je me suis redressée.

— Vraiment ? C'est surprenant.

Bobo a bondi sur le sac. Je l'ai tiré en arrière. Ses yeux sont devenus encore plus brillants.

— Cela n'a rien de surprenant. Nous n'évoquions pas ces problèmes auparavant, c'est tout. J'ai maintenant décidé que cela faisait partie de la vie, voilà tout. Nous vivons des événements agréables, et parfois nous traversons des difficultés. Comme tout le monde, non ? Notre fille a traversé une période difficile, et alors ? Cela arrive à tout le monde, mais dans notre milieu personne n'en parle. J'ai dit à ton père : nous ne nous cacherons de personne. Notre fille est une fille merveilleuse, tant pis pour ceux qui nous jugent.

— Bon…

— Bref, Neela m'a expliqué que son frère pratiquait des exercices de respiration inspirés d'une forme de yoga afin de calmer ses nerfs. Aimerais-tu essayer ? Si je trouve un cours à Manhattan, nous pourrions tenter l'expérience ensemble ? Cela pourrait m'aider moi aussi.

Je n'ai pu retenir un sourire. Je n'avais jamais entendu quelqu'un faire tant d'efforts pour parler le même langage que moi.

— Ce serait super, maman. Papa viendrait avec nous ?

Je connaissais déjà la réponse.

— *Beti…* Il essaiera.

— Merci, maman.

— Ne sois pas bête, tu n'as pas à me remercier. J'ai envie de passer du temps avec ma fille.

— Je sais maman. Je sais.

— Et c'est pourquoi j'ai intimé à ton père de ne pas te parler école de commerce ou mariage de sitôt.

— Vraiment ? Et comment a-t-il pris la chose ?

— Il a ronchonné mais il s'en remettra. Il se ronge les sangs à cause de ce chirurgien de Cold Spring Harbor qui achève son internat à l'université de Stony Brook. La semaine dernière, nous avons rencontré ses parents lors d'un dîner et ils nous ont questionnés à ton sujet.

— Maman, tu recommences. Que t'ai-je expliqué concernant ma vie privée ?

Bobo a grimpé sur le sac, aux aguets.

— Je ne suis pas invitée.

Elle avait parlé avec la voix d'une enfant qu'on avait grondée pour avoir joué dans la salle de réception.

— Ce ne sont pas mes mots, mais l'idée y est. Et puis je ne crois pas que le moment soit choisi pour moi de renouer une relation amoureuse.

— Bien, bien. Nous n'insisterons pas. Et alors ? Ces derniers temps, je suis arrivée à la conclusion que j'en avais assez de m'inquiéter du mariage de ma fille. Quand je déjeune avec des amies, il n'y a pas d'autre sujet de conversation possible. Pourquoi les enfants ne sont-ils pas mariés ? Quand vont-ils se marier ? Avec qui ? L'autre jour, j'ai déclaré à mes amies : « J'en ai fini avec ça. Que ma fille épouse qui elle le désire. Je l'ai élevée, éduquée. Elle épousera qui elle épousera. Ce que je sais, c'est que… moi je suis mariée. » Et tu sais quoi ? Elles ont toutes trouvé que je n'avais pas tort.

— Sans vouloir te vexer, maman, je le croirai quand je le verrai. Et papa, il approuve ?

— Je ne lui ai pas demandé son opinion. Bon, tu dois être occupée, non ? Je te rappelle demain. Bonne nuit.

Bobo a fermé les yeux et a détourné la tête, incapable de me regarder.

— Ne me juge pas, lui ai-je lancé en raccrochant. Ce rendez-vous avec Nick ne compte pas. Il ne mènera à rien. Et je ne suis pas encore prête à en parler à ma mère.

Moins de dix minutes plus tard, Paméla débarquait sur mon paillasson.

— C'est fini. J'ai rompu.

— Entre m'expliquer, ai-je dit, repoussant Bobo de la cheville à l'intérieur de l'appartement.

Pas d'évasion sous ma surveillance.

— Il n'y a rien à expliquer. J'ai rompu. Comme ça.

— Qu'est-ce que tu veux dire ? Que s'est-il passé ?

— Quelle importance ?

En jogging et sans maquillage, elle affichait un calme effrayant.

— Je lui ai rendu ses clés. Ses clés, Vina. Tu te souviens combien de remarques innocentes j'ai dû proférer avant qu'il ne me donne ses stupides clés ?

— Oui. Je me rappelle aussi que tes remarques innocentes ressemblaient plutôt à des annonces publicitaires géantes.

311

— Tu vois ? C'est exactement ça.

Elle s'est laissée tomber sur une chaise.

— C'est ce qui est stupéfiant. J'ai l'impression d'analyser clairement les choses pour la première fois depuis des années ! Je m'étais persuadée que si un jour je devais lui rendre ses clés, je m'effondrerais. Mais tout à l'heure, devant chez lui, je les ai détachées de mon porte-clés. Il ne s'agissait plus que de simples clés ! Pas d'une promesse, puisque j'avais été obligée de le manipuler pour les obtenir. Et lui, ce n'est qu'un mec. C'est idiot. Les choses ont de l'importance seulement si on leur en accorde. Or j'ai décidé que William n'en aurait plus. Et j'ai rompu avec lui.

— Qu'a-t-il dit ?

J'ai soulevé Bobo pour le poser sur mes genoux et éteint la télé afin de me concentrer sur Pam.

— On s'en fout ! Je ne me suis pas attardée assez longtemps pour écouter. Je me sentais si bien.

Même Bobo peinait à le croire.

— Sincèrement, nous a-t-elle rassurés.

— Waouh.

J'ai passé ma main sur mon visage.

— Je suis fière de toi. Que vas-tu faire maintenant ?

Elle a haussé les épaules et fait la moue.

— Je ne sais pas trop. Un jour, j'épouserai quelqu'un, c'est certain, mais pas lui. Peut-être vais-je prendre mon temps. Je n'ai jamais été vraiment célibataire, tu sais. Mais bon, peut-être demain matin t'appellerai-je en larmes en réalisant que je suis effectivement célibataire. Mais cela m'étonnerait. J'envisage de reprendre mes études. Seigneur, maintenant que je ne me soucie plus de William, je découvre des possibilités infinies. Libre de moi-même, je peux faire exactement ce que je désire, non ? Peut-être même décrocher un MBA ? Et devenir directrice d'une galerie. Je me demande si c'est possible. Mais je n'ai rien à perdre. Pourquoi ? Tu crois qu'obtenir un MBA est une idée folle ?

J'ai essayé de la calmer.

— Pam, je crois que prendre le temps de te poser et trouver une certaine sérénité, à l'intérieur comme à l'extérieur de toi, est une idée fantastique.

— Merci. Je pourrais dire la même chose à ton sujet.

— Peut-être sommes-nous devenues toutes deux adultes.

— Cristy ne nous approuverait pas, a plaisanté Pam.

— Oui, mais mes parents seraient très fiers de toi. Elle a ri.

— Moi aussi je suis fière de moi.

# 33

Vous vous rappelez que votre maman vous répétait de toujours porter des sous-vêtements propres au cas ou vous auriez un accident ? Eh bien, les bonnes petites filles du monde entier sont devenues des femmes avisées, persuadées que le même principe s'applique à l'inverse. Si avec des sous-vêtements impeccables les accidents de voiture deviennent acceptables puisqu'on ne risque plus de perdre l'estime des ambulanciers tentant de vous ranimer, des jambes non-épilées relèvent de la haute-protection contre toute escapade amoureuse éventuelle. Parce que, même au cœur du plus parfait des intermèdes romantiques, aucune fille ne laisserait un homme s'approcher d'une paire de jambes au naturel.

Samedi soir, vers 19 heures, je me dirigeais vers un restaurant franco-éthiopien pour retrouver Nick. Mon maquillage était délicat, mon parfum subtil et mes jambes, une vraie jungle. Maudit soit son sourire tentant. Emotionnellement parlant, j'étais sens dessus dessous. Or Nick était le genre d'homme-montagne dans lequel j'aurais adorer planter mon drapeau, aussi avais-je décidé de ne prendre aucun risque.

Je le connaissais peu, ce qui expliquait peut-être en partie mon attirance pour lui. Il incarnait la possibilité de m'exposer de nouveau et retrouver la sensation d'être désirée. Dangereuse tentation. Je suis arrivée tôt afin qu'il n'assiste pas à mon entrée. En traversant Lexington Avenue, le restaurant en vue, j'ai ajusté et réajusté toute ma personne, depuis ma coiffure jusqu'aux bretelles de mon soutien-gorge. Histoire de me convaincre, moi et personne d'autre, que j'étais sexy et charmante, bien que poilue et éprouvant un penchant superflu pour cet homme.

Dès que Nick a passé la porte, mes hormones se sont déchaînées et j'ai failli lâcher mon verre de merlot. J'ignorais si c'était parce qu'il aurait pu écraser d'une seule main n'importe quel autre homme présent dans le restaurant comme une vulgaire canette de bière vide parce que chaque fois que je le rencontrais il était en train de voler au secours de quelqu'un, ou bien parce que les oiseaux échappés d'une bande dessinée décrivant des cercles autour de ma bosse étaient entrés dans mes oreilles, avaient établi leur camp et entamé une version blues de *Sexual Healing*. Il ne me restait qu'à remercier Dieu que Cristina soit passée chez moi pendant que je me préparais afin de s'assurer que je ne m'épilais pas les jambes.

Nick assis en face de moi, j'ai laissé vagabonder mon esprit. Il était doté d'un accent de Brooklyn prononcé, d'une démarche qu'on n'acquérait pas dans l'Upper East Side et d'un sourire qui me donnait envie de lui donner des raisons de sourire encore. Il avait des mains comme des battoirs et un rire venu du fond des entrailles. Je regrettais secrètement de ne pas être à la place du bœuf siga wot dans son assiette quand il a interrompu le cours de mes pensées...

— Vina, tu sembles distraite. Tu m'écoutes ?

— Hum ? Oh oui, bien sûr. Je parais distraite parce que ma petite caboche souffre encore du coup reçu.

Je n'avais pas écouté un seul des mots qu'il avait prononcés durant les cinq minutes précédentes, mais j'avais imaginé le mordre en au moins trois endroits différents. Quand m'étais-je transformée en camionneur égrillard de la pire espèce ? Et avais-je vraiment dit « caboche » ?

— ... Quelle maladroite je fais ! ai-je ajouté.

Ces paroles allaient évidemment atténuer l'impression que j'étais une fille bizarre.

— Bon.

Il soutenait mon regard sans parvenir à dissimuler son amusement grandissant.

— ... Alors de quoi étais-je en train de parler ?

— Euh... là tout de suite ?

J'ai rougi et battu des paupières dans l'espoir de m'en tirer en lui faisant du charme. Je ne devais pas être aussi mignonne que je le croyais.

— Oui, là tout de suite.

Il a croisé ses bras aux muscles saillants sur sa poitrine, ajoutant à mon trouble. Son attitude équivalait à celle d'une nana remuant ses seins sous le nez d'un mec et s'attendant ensuite à ce qu'il raisonne clairement. Totalement injuste.

— Pardon Nick. Je crois que ce soir c'est moi qui suis un peu dans les nuages.

— Je comprends.

Il s'est penché en avant, le cou tendu presque jusqu'au centre de la table, comme s'il allait me confier la date prévue pour l'évasion de la prison.

— J'ai lu les articles concernant les problèmes de ta boîte dans le *New York Times*, et Chris et Prakash m'ont expliqué que tu venais de vivre deux mois plutôt durs.

Du coup, j'ai éprouvé la sensation de me conduire comme un mec lubrique et insensible. Un bellâtre. Le play-boy vicieux, au brushing impeccable, qu'on croise dans tous les films. Le fantasme du coach de gym personnel, bâti pour un test d'endurance physique plutôt que mentale, commençait à provoquer chez moi la même sensation qu'une pièce emplie d'aspirantes top models chez un jeune milliardaire du Net. Comme s'il était possible de le choisir sur le menu, telle une pile de crêpes, l'enduire de beurre, le noyer de sirop et le déguster.

Puis il avait émis cette remarque sympa, pleine de compréhension, et j'avais eu l'impression de mériter un coup de règle sur les doigts. Quel idiot ! Sexy et merveilleux idiot.

— Je disais donc, a-t-il repris, que tes deux semaines de méditation intensive m'avaient impressionné. J'aimerais que tu m'en parles davantage. Je peine à croire qu'une femme douée d'une imagination aussi active parvienne à se taire aussi longtemps. Les autres cultures et les traditions étrangères m'intéressent. En fait, le sujet me fascine. Tu dois me prendre pour un gamin sans cervelle.

— Non, pas du tout. C'est plutôt rafraîchissant. Une bonne surprise.

— Pourquoi ça ? a-t-il demandé en faisant signe au serveur de rapporter du vin.

— Aucune raison en particulier. Mais le mâle américain type qu'on croise à New York se révèle rarement ouvert à ce genre d'idées.

— Oh, tu as déjà décidé que j'étais un Américain « type ».

— Je ne connais de toi que ta chambre et ton métier. Je ne me permettrais pas de te donner une étiquette.

— Ne te fatigue pas. Cela m'arrive tout le temps ! Je suis un mordu de gym, donc je dois être un gros abruti, n'est-ce pas ? Sans compter mon accent de Brooklyn qui signifie que je ne m'intéresse qu'à la pizza et à la bière ?

Pauvre homme incompris. *Laisse Vina te consoler.*

— … maintenant que tu sais que derrière les muscles se cache un homme, que désires-tu savoir d'autre ?

— Eh bien…

J'ai cherché une question qui atténue sa sensation d'être considéré comme un homme-objet.

— Parle-moi davantage de ta famille. Tes parents. Où as-passé ton enfance ?

— A Cleveland. Nous avons déménagé à Brooklyn

quand j'avais environ sept ans, après le décès de ma mère. Je suis le plus jeune de quatre enfants et mon père a décidé de se rapprocher de sa famille, à New York, pour nous élever. C'est pourquoi la famille représente tant pour moi.

— Je suis désolée pour ta mère. Comment est-ce arrivé ?

— Cancer. Mes parents avaient vécu ensemble environ quinze ans, et mon père ne s'est jamais remarié. Il a préféré se consacrer à ses enfants. Mais j'ai eu de la chance. Nous avons grandi entourés de tantes, d'oncles et de cousins, et Dieu sait qu'il y avait assez de femmes à la maison pour me donner des ordres. Je crois que ce que j'ai appris de plus précieux en grandissant avec trois sœurs et aucun frère, c'est choisir mes batailles. La plupart du temps, les femmes l'emportent.

— C'est pourquoi tu es devenu avocat ? Pour apprendre à te défendre et gagner un différend familial de temps à autre ?

— Plausible. Mais non. Mon père avait promis à ma mère qu'au moins l'un d'entre nous deviendrait avocat, comme elle aurait souhaité l'être elle-même. Elle n'a jamais réussi parce qu'elle ne devait pas être âgée de plus de vingt ans lorsqu'elle est tombée enceinte, tout de suite après s'être mariée. Elle avait toujours le projet de reprendre des études, mais j'imagine qu'avec quatre enfants, ce n'est pas si facile. Cette promesse revêtait une énorme importance pour mon père. Finalement, trois d'entre nous sont devenus avocats. J'avoue que je n'en éprouvais pas une envie folle, mais j'avais été témoin de la déception de mon père lorsque la seconde de mes sœurs n'a pas choisi cette voie. Alors j'ai contracté un paquet de prêts étudiant et je me suis inscrit à l'école supérieure de droit. Et j'ai découvert que j'aimais ça.

— Alors pourquoi as-tu changé de carrière ? Je parle de la gym.

— Comme je te l'ai plus ou moins expliqué, la pratique du droit ne s'est pas révélée aussi gratifiante que je l'espérais. Je défendais des gens que je ne me vantais pas de défendre. J'ai traversé ce qu'on pourrait appeler une « crise de conscience » et décidé de faire une pause. La gym a toujours représenté une part importante de ma vie, alors quand un poste de responsable s'est libéré à mon club, j'ai tenté l'essai, le temps de décider de la suite. J'avais quelques économies, un sentiment d'insatisfaction… C'était maintenant ou jamais. Je me suis autorisé à en finir avec mon sentiment de culpabilité envers ma mère. Bref, l'univers du sport m'a plu, alors je suis resté. J'ai éprouvé quelques difficultés à apprendre à passer outre les conseils bien intentionnés de ceux qui pensent savoir ce qui me convient. Bien sûr, je gagne moins d'argent, mais je suis bien plus heureux maintenant que lorsque j'étais avocat. Pourquoi exercer un job qui ne vous emballe pas ?

J'étais sciée. Et, aussi loin que je me souvienne, muette pour la première fois.

— Tu n'es pas d'accord ? J'aurais cru que tu serais du même avis que moi sur le sujet.

— Je le suis. En théorie. En pratique, c'est plus compliqué.

Un serveur nous a interrompus pour nous présenter un gâteau au chocolat sortant du four, dégoulinant de crème fouettée et de fraises.

— J'espère que tu ne m'en veux pas d'avoir commandé ce gâteau. J'ai suivi mon instinct, a-t-il expliqué.

Il a porté à mes lèvres une cuiller débordant de crème.

— Ne me dis pas que tu fais partie de ces femmes qui ne mangent jamais de dessert.

— Ton instinct me plaît, ai-je répondu la bouche pleine de ce nirvana chocolaté. Quand cela s'est-il produit ? Ton changement de carrière ?

— Il y a environ deux ans. Mais pour être honnête, avec toi, l'ambition recommence à me titiller. Je travaille sur le projet d'ouvrir ma propre salle de gym, puis de créer, ensuite, une chaîne dans tout le pays. Le concept diffère des salles existantes. Les abonnés travailleraient exclusivement avec des entraîneurs top niveau. Personne n'aurait accès à la salle sans avoir pris rendez-vous avec son entraîneur. Le nombre de membres serait limité, comme dans un country club, donc il faudrait s'inscrire sur une liste d'attente qui ferait très chic. Ce n'est pas gagné, mais le concept de Starbucks ne l'était pas non plus, non ? D'ailleurs je peux toujours reprendre mon métier d'avocat. Mais je n'aurai peut-être plus jamais cette chance. Alors j'ai commencé à chercher comment financer la première salle.

Si j'avais bougé d'un cil, j'aurais eu un orgasme sur-le-champ.

— D'accord, je retire ce que j'ai dit. Tu n'es vraiment pas « type ».

En fait, il s'était métamorphosé en homme idéal. Ce qui me posait un problème. Rien de plus facile que repousser un homme hyper-séduisant mais idiot, alors que pour une femme sensée, l'ambition est le *plus puissant* des aphrodisiaques. Or, niveau amoureux, j'étais pour l'instant incapable de gérer davantage qu'une aventure sans lendemain. Dégoulinante de chocolat ou pas.

— De temps à autre j'effectue des choix peu conventionnels. Il faut bien que je me distingue, non ? Sinon comment attirer l'attention d'une femme superbe comme toi ?

— Je parie que tu dis cela à toutes les femmes.

J'ai porté un verre d'eau à mes lèvres, luttant pour raidir ma main tremblante.

— Non, pas du tout. Rencontrer une femme aux multiples facettes n'est pas courant. Une femme capable de prendre des décisions comme les tiennes et de se tailler une place parmi les durs à cuire de Wall Street ne peut être banal.

— Tu es gentil.

— Et tu es superbe.

Une nervosité d'adolescent perçait dans son sourire. Elle m'a donné envie de le serrer dans mes bras.

— T'a-t-on déjà dit que tu ressemblais à une sicilienne ?

— Une fois ou deux.

Je me suis demandé comment était sa mère.

— Sérieusement, tu n'es pas « type » toi non plus,

loin s'en faut. Il suffit de te lire. J'ignore l'intensité de l'intérêt que tu portes à ton job, mais tu as des choses à dire. As-tu déjà envisagé d'en faire ton métier ?

*Peut-être ai-je le temps de me faufiler par la fenêtre des toilettes, courir au drugstore d'en face, acheter un rasoir, me raser les jambes dans les toilettes et être revenue avant l'arrivée de l'addition ?*


L'avantage de vivre votre vie comme un film, c'est que vous pouvez choisir la musique. L'inconvénient, c'est l'indignation qui, en tant que réalisateur, vous bouleverse lorsqu'un acteur oublie son rôle. Cette chaude soirée d'été new-yorkais semblait taillée sur mesure pour se balader main dans la main, s'attarder sous les auvents au coin des rues et échanger des premiers baisers à la lumière des entrées d'immeubles. A l'angle de ma rue, Nick et moi avons ralenti, afin de prolonger, ai-je supposé, la conversation et nous délecter de l'attente de notre baiser imminent.

Tout se déroulait comme prévu. Cinq heures de conversation délicieuse étaient passées. Nous avions dû établir un genre de record du premier rendez-vous. Il avait exprimé son intérêt pour les subtils sentiments déclenchés par la mort du poisson rouge de mon enfance. J'avais ri comme il était requis à l'anecdote la plus dingue de ses vacances d'étudiant. (Il s'était réveillé par terre dans les toilettes d'une station-service mexicaine avec un tatouage de cheeseburger sur les fesses.) Je m'amusais tant que je n'ai pas remarqué la grille de bouche d'aération du métro. J'ai perdu l'équilibre et le talon de huit centimètres de mes Versace préférées en python rouge plongeait droit entre les barres de métal. Attentif et doué d'un regard d'aigle, Nick avait anticipé le danger. Il s'est élancé exactement au bon moment, m'enlaçant par la taille et me soulevant comme une plume avant que je ne tombe. Mais à ma grande déception, aucun baiser passionné n'a suivi. Il m'a reposée à terre et a repris son chemin en direction de la porte de mon immeuble. Seules deux explications étaient possibles : soit il manquait des pages dans son exemplaire du scénario, soit il me trouvait trop grosse.

— J'ai passé une très bonne soirée. C'était très agréable, a-t-il déclaré.

Puis il s'est rapproché pour me gratifier d'un baiser que ma grand-mère aurait qualifié de chaste. Enfin peut-être pas *ma* grand-mère. Mais une grand-mère normale.

— Oui, n'est-ce pas.

Un rire nerveux m'a échappé. De chaleureuse, l'expression de son visage est devenue inquiète et il s'est penché pour me demander ce qui n'allait pas.

— Rien ! ai-je prétendu, un brin trop enthousiaste.

— C'est faux. Tu penses à quelque chose. Qu'est-ce que c'est ?

— Rien, vraiment !

Afin d'éviter son regard, j'ai fouillé dans mon sac, comme si la réponse avait pu tomber dedans. Mais il ne semblait pas prêt à négocier un compromis pour éviter le procès. Alors je me suis rendue et ai cédé à sa curiosité, prise d'un accès de diarrhée verbale particulièrement horrible.

*Nouvelle règle : plus de vin rouge à proximité d'homme sexy, sensible et capable de me soulever d'une main au-dessus de sa tête.*

— C'est juste que je… Ce n'est rien… c'est juste que je… C'est étrange. Normalement, c'est moi qui repousse le mec. Je suis la *fille*. C'est ainsi que les choses sont censées se passer. Et tu t'es montré si charmant. Peut-être as-tu simplement de bonnes manières ou es-tu démodé. Je ne me plains pas. C'est juste que je… je suis habituée à ce qu'un homme se montre plus entreprenant. Nous avons passé une soirée si agréable, et… mon Dieu. J'ai du mal à croire que je te raconte tout ça.

Qu'est-ce qui fonctionnait de travers chez moi ? Il m'a regardée comme si je l'avais visé avec un revolver électrique et qu'il allait tomber à la renverse d'une seconde à l'autre. J'ai envisagé de m'écarter de sa trajectoire mais j'ignorais si, après avoir été atteint par une arme de ce genre, un ours tombait en avant ou en arrière.

— Je trouve étrange que tu me trouves aussi… *résistible*. Oh zut, ce n'est pas ce que je voulais dire. Je donne l'impression d'une telle arrogance… Ce n'est pas ce que je voulais dire.

Peut-être qu'en me concentrant de toutes mes forces, je parviendrais à me liquéfier et couler à travers cette maudite grille de métal ou les crevasses du trottoir. Comme un personnage de bandes dessinées. Un super-héros. Ou un méchant. Un super-méchant des rendez-vous amoureux qui gâcherait les plus romantiques des moments en lâchant des paroles complètement déplacées, puis disparaîtrait avant qu'on ne lui demande des comptes ! Je serais surnommée Love Terminator, vêtue d'une cape rouge ornée de délicates broderies indiennes, et j'assommerais les gens d'une bouteille de Dom Pérignon.

Impossible de m'arrêter.

— Waouh, j'ai transformé cette soirée de rêve en moment bizarre, n'est-ce pas ? Je jure que d'habitude, je ne suis pas si bizarre, euh… Ecoute, peut-être devrions-nous nous souhaiter bonne nuit.

Il a enfin repris conscience, à moins que *bonne nuit* n'ait tenu lieu de formule magique, parce qu'il m'a adressé un grand sourire et mis fin à mon supplice.

— Vina, tu es la femme la plus drôle que j'aie jamais rencontrée. Et à propos, je ne te trouve pas du tout… quel mot as-tu utilisé ? *Résistible ?*

— Merci, mais pourrais-tu éviter de me regarder dans les yeux pour l'instant ?

J'ai repris l'exploration de mon sac à la recherche de mes clés.

— Je craignais de ne me montrer trop entreprenant…

Il s'est emparé de mes mains, me forçant à le regarder dans les yeux.

— … tant que tu ne m'avais pas donné le feu vert.

Il a tendu la main vers mon cou, l'a glissée avec

tendresse dans mes cheveux, attirant mon visage vers le sien. Un instant plus tard, je l'embrassais avec une passion qui m'a surprise moi-même. Et j'ai persévéré, comme si déclencher chez lui la même intense réaction allait effacer le ridicule de ma tirade. Et ça a marché. Dieu merci pour mon ego, il a semblé trouver la chose agréable et nous avons passé la majeure partie de la demi-heure suivante appuyés contre la façade de mon immeuble, à nous lécher comme un couple d'ados lancé dans une course contre la montre contre la permission de minuit. Il a fini par s'écarter et sourire, à demi essoufflé et couvert de traces de mon rouge à lèvres du menton jusqu'au nez.

— Waouh. Toutes les filles de Long Island embrassent comme ça ?

— Je ne sais pas, ai-je rétorqué sans réfléchir, ivre de phéromones et toute fière de mes prouesses. Je n'en ai pas embrassées beaucoup.

Minute. Est-ce que je venais de sous-entendre que j'en avais embrassé quelques-unes ? Merci mon Dieu pour les hommes sachant me faire taire d'un baiser. Pour la première fois de ma vie, je n'ai pensé à rien d'autre qu'à l'instant présent.

# 34

Je me suis enroulée plus étroitement dans la couette, savourant le contraste entre la chaleur et l'air glacé du matin d'octobre filtrant par les fenêtres. J'ai roulé sur la moitié du lit abandonnée juste un peu plus tôt par Nick, et respiré une grande bouffée d'une odeur devenue familière. Celle des pancakes en provenance de la cuisine. Des pancakes aux pépites de chocolat, pour être précise, puisqu'on détectait facilement dans l'air un effluve de chocolat brûlé. Le frigo ne contenait aucune pépite, donc mon chéri avait dû se glisser dehors de bonne heure pour faire des courses avant mon réveil. Pour notre quatrième rendez-vous, il m'avait offert quatre roses et demandé si nous pouvions nous engager à ne sortir avec personne d'autre. Pour l'anniversaire de nos trois mois, il m'avait déclaré ne désirer qu'un seul cadeau : un texte écrit juste pour lui, parce que ce texte contiendrait bien davantage de mon cœur que n'importe quel autre objet. Quand, le visage baigné de larmes, je lui avais expliqué combien il allait être difficile de le laisser toucher mon cœur après avoir été si blessée, il m'avait écoutée en silence avant d'embrasser mes joues pour les sécher.

J'ai laissé retomber ma tête sur l'oreiller et souri avec un regard vague en direction de la cuisine. Cette fois, laisser tomber mes défenses s'était révélé payant. Peu importait la suite. Nick ne saurait jamais le bien qu'il m'avait fait.

Mon portable a sonné…

— Héééééé! As-tu une gueule de bois aussi carabinée que la mienne? a demandé la voix enrouée de Cristina.

— Personne n'a une gueule de bois aussi carabinée que la tienne. Nous nous sommes couchés tôt. Nous n'avons pas bu beaucoup après être sortis du restaurant. Au fait, ton mec est super.

— François n'est pas mon mec.

— Il est au courant? Parce que vu comment il dévorait ton coude de baisers hier soir…

— Je l'ai jeté dehors il y a environ une heure. J'ai passé la nuit à l'écouter parler, et je n'ai rien entendu d'original, tu me comprends?

— Oui, oui.

J'ai dégluti afin de cesser de saliver à l'odeur des pancakes.

— Est-ce que Nick t'agace ainsi? Tu n'en as jamais marre de lui?

— Pas vraiment. Peut-être le sexe et sa cuisine m'aveuglent-ils. Mais je continue de vibrer.

— Un vrai couple marié, s'est-elle plaint.

— Je ne suis pas un couple marié, ai-je rétorqué, un petit peu trop fort.

La vue du diplôme accroché au mur qui me remémorait toujours la première fois où je m'étais réveillée chez Nick m'a arraché un sourire.

— A quoi es-tu occupée ?

— A rien. Je renifle tous les cartons de lait dans mon frigo afin d'en trouver un d'un qui n'aurait pas tourné et me faire un café au lait. Et toi ? Tu veux aller prendre un brunch ?

— Je me réveille à peine, je ne suis même pas levée.

J'ai empilé un à un les oreillers derrière moi.

— … et je crois que Nick est en train de cuisiner des pancakes aux pépites de chocolat.

— D'accord, je m'invite.

— Non.

— Evidemment non.

Je l'ai entendue lever les yeux au ciel.

— Tu es une veinarde.

— Et lui un veinard.

— Et il le sait. Tu peux parler du grignotage de mon coude. Nick ne remarque même pas les autres femmes dans une pièce. Ma prédiction ? Dans moins d'un an, il te demande en mariage.

— Waouh stop, tu as la gâchette facile ! Je suis heureuse avec lui, mais…

— Mais quoi, *chica* ? Je ne sais pas quoi te dire. Ta vie est de nouveau sur les rails. Tu as décroché un mec merveilleux qui te confectionne des fichus pancakes aux pépites de chocolat, même après t'avoir vue dans cette robe hideuse hier soir.

— Hé !

— Je t'ai toujours dit que le brun n'était pas ta couleur. C'était presque aussi moche que la tenue que nous avions au mariage de Chris. Si je ne suis pas honnête avec toi, qui le sera ? Enfin bon, où ailleurs trouveras-tu un homme à l'apparence si séduisante mais si peu attaché aux apparences ? C'est un équilibre délicat.

— Je sais, je sais.

Niveau stress, rencontrer les parents d'une fille s'apparente aux tests d'entrée dans les grandes écoles (peu importe le sérieux de votre préparation, il est impossible de connaître toutes les réponses, alors remercions Dieu d'être jugé sur une moyenne). Mais rencontrer mes parents équivaut à l'examen de fin d'études concocté aux ingénieurs trilingues. Personne ne l'a jamais réussi.

Alors que pour moi, la première rencontre avec les parents de mes partenaires s'était, dans la majorité des cas, soldée par un succès. Et je n'en tirais guère de fierté, parce que, à part me pencher en arrière assez bas pour être un as du limbo, il était peu de choses que je réalisais mieux que les autres femmes. Christopher pensait que ma capacité à deviner et dire à chaque parent ce qu'il avait envie d'entendre faisait de moi une prostituée du sentiment. Moi je croyais que sa capacité à n'être attiré que par des mecs frais émoulus d'une rupture faisait de *lui* un torchon du sentiment.

Peut-être les ex-petites amies de mes ex s'étaient-elles révélées si atroces que les parents se félicitaient que je n'arbore aucune trace de piqûres d'aiguille. Ou que

331

mes ex aient tant manqué d'intérêt que la perspective d'une conversation adulte avec leurs parents m'ait plongée dans le ravissement. Peu importe. Mais j'ai souvent différé une rupture par répugnance à rompre avec les parents. Dans ce genre d'environnement, je fonctionnais à merveille – les rencontres étaient planifiées des semaines à l'avance, chacun connaissait les allergies de chacun et les sujets *pas touche*. Jugée à l'aune des *femmes qui avaient fait souffrir leur fils*, je resplendissais tel un bouchon de bouteille luisant au soleil au sommet d'un tas d'ordures.

Les clés du succès pour gagner le cœur de ceux dont vous avez envoûté le fils consistent à :

**1. Se vêtir comme pour se rendre à l'église, au temple, à la mosquée ou je ne sais où encore.**

Tenue chic (c'est une occasion qui en vaut la peine), mais classique (vous êtes toujours consciente que Dieu vous observe). Rien en-dessous du cou ou au-dessus du genou. Le même maquillage que sa mère à votre âge, détail que vous connaîtrez pour vous être renseignée à l'avance. Bijoux de bon goût, mais aucun bijou de prix. Vous êtes assez bien pour leur fils, mais pas supérieure à lui.

**2. N'hésitez pas à sourire. Plus le sourire est large et idiot, mieux c'est.**

Un certain genre de rousse, genre décalée, casse la baraque dans toutes les cultures et tous les milieux. Il y a une raison. Quand vous dites ou faites un truc idiot, riez de vous-même et ses parents rirons avec vous. Jetez même un coup d'œil timide à leur fils afin de guetter sa réaction, et assurez-vous que ses parents le remarquent. Mais assurez-vous aussi qu'ils ne remarquent pas que vous voyez qu'ils le remarquent. Ce coup d'œil leur rappellera que votre fils vous aime déjà, et leur donnera envie de trouver des raisons de l'approuver.

**3. Ne parlez pas trop. Répondez à leurs questions et posez-en encore plus.**

Ses parents n'ont aucune envie de tomber amoureux de vous. Ils font seulement des efforts pour vous accepter. Gérer l'interaction de vos émotions respectives, ça c'est son problème. Enfin le sien et celui de votre psy. Sur deux parents, il y en a toujours un qui réclame d'être le centre de l'attention. Déterminez lequel, et faites-lui plaisir. Même si vous vous fichez royalement de la collection de timbres de papa ou de l'été que maman a passé à Dijon lorsqu'elle était étudiante.

Comme mes parents ont toujours supposé que je ne sortirais qu'avec des hommes qu'ils m'auraient présentés, il s'écoulait un an minimum avant que je ne leur parle de mon petit ami. S'il n'était pas indien, cela virait à *Mission impossible*. Avec pertes humaines frôlant le carnage, larmes et cauchemars persistants pour les parties impliquées. Pas étonnant que j'aie si longtemps épargné cette indignité à la plupart de mes partenaires. Je gardais l'espoir de les munir en prévision de l'épreuve d'une assurance hypertrophiée. Parce qu'il était virtuellement impossible à *un étranger croisé dans la rue, dont ils ne connaissaient même pas la famille* de gagner l'approbation de ceux dont il tentait de kidnapper la descendance. Le pauvre pouvait s'estimer heureux s'il repartait sans traîner sa confiance en lui dans un sac en papier, frite et hachée menu.

C'était une mauvaise idée. Quelques mois à peine après le début de notre liaison, Nick a insisté pour rencontrer mes parents. Je les ai appelés pour les inviter à déjeuner. Ma mère m'a interrompue pour m'expliquer qu'elle avait décidé de ne pas lier de nouvelles amitiés d'ici mon mariage.

J'ai souri d'un air de conspiratrice à Nick qui traversait mon salon.

— Je suis fiancée sans le savoir ?

— Non chérie, bien sûr que non. Mais tu le seras certainement dans les années à venir.

— Maman…

— Je ne fais pas pression sur toi, non, non. Je m'organise c'est tout.

— *Pourquoi* refuses-tu de te faire de nouveaux amis d'ici mon mariage ?

Nick a soulevé mes cheveux pour mordiller ma nuque. J'ai fait mon possible pour garder une attitude neutre.

Ma mère a repris sur le même ton que si elle m'expliquait, pour la cinquième fois, pourquoi il ne m'était pas permis de me rendre à l'école en pyjama.

— Aucune de mes amies n'accepterait de ne pas être invitée au mariage de ma fille. Limiter la liste des invités est toujours difficile. Les gens sont si mesquins.

— Pourquoi ne pas avertir tout le monde que nous désirons un mariage intime ?

— Pourquoi ne pas avertir tout le monde que je vais subir une liposuccion ? a-t-elle singé.

— Quoi ?

J'ai bondi et failli faire tomber Nick du canapé. *Pardon*, ai-je murmuré en me dirigeant vers la fenêtre.

— Vina, tu nous connais mieux que ça. Certaines choses ne se font pas. Dans la société indienne, les choses ne se passent pas ainsi, et tu le sais. On ne peut pas modifier la tradition à notre convenance. Je n'ai pas envie de nouer de nouvelles amitiés maintenant, et les détruire dans les deux années à venir à cause du mariage.

— Oh alors je vais me marier dans les deux ans à venir ?

— Vina, calme-toi. Je disais ça en passant.

— D'accord, donc tu disais que le fait que je ne sois pas mariée handicape ta vie sociale.

— Ce n'est pas ce que j'ai dit.

Je le savais bien.

— Pourquoi parlons-nous de ce genre de choses ? Ecoute, il est temps que papa et toi rencontriez Nick. Il propose de tous nous inviter à déjeuner chez lui dimanche.

— Pourquoi ?

— Parce que… nous aurons peut-être envie de déjeuner ?

— Ne te moque pas, Vina. Ça ne va pas plaire à ton père. Mais j'essaierai de le convaincre. Ça devrait se faire. Donc tu es… euh… sérieuse vis-à-vis de ce… Nick ?

— Maman…

Je déclamais comme une directrice d'école coincée.

— ... je ne vous invite pas à déjeuner pour vous annoncer mes fiançailles. Mais pour que vous fassiez la connaissance de Nick. Point. Du calme. Et s'il te plaît, dis à papa de ne pas mordre.

# 35

Faire les courses au supermarché avec son petit ami le week-end, quoi de plus agréable ? On en tire le même plaisir que du shopping, si ce n'est qu'il n'est pas obligé de mentir à propos de ce short qui vous grossit, et que vous, vous n'êtes pas obligée de feindre d'ignorer qu'il évite la joaillerie. Ma main avait effleuré la sienne quand nous avions tendu le bras vers le même avocat. Au rayon fruits et légumes, nous n'avions pu retenir un petit rire en nous demandant si une banane pouvait vraiment être trop ferme. Nous nous étions pelotés de façon éhontée au rayon surgelés afin de nous réchauffer, jusqu'à ce qu'un employé nous demande gentiment de restreindre nos démonstrations affectives, des enfants étant présents. Vous pouvez vous épanouir dans l'illusion de créer un foyer, sans pour autant déclencher une crise de spasmophilie chez votre partenaire.

Du moins dans des circonstances normales. Parce que, à moins de trois heures de l'arrivée de mes parents, Nick se montrait bien trop calme à mon goût. Ne comprenait-il donc pas qu'inviter mes parents à un repas en guise de première rencontre était à peu près aussi simple qu'une inauguration présidentielle ?

Au beau milieu du rayon fruits et légumes, il m'a tendu les bras. L'un tenait un cantaloup, l'autre un melon d'eau.

Il m'a adressé un clin d'œil.

— Alors lequel ? L'honneur aux dames.

— Je ne sais pas. Disons le cantaloup.

— Disons ? Disons ? Ce n'est pas assez.

Un sourire sarcastique s'est étiré sur son visage.

— Tu ne comprends pas que l'opinion de tes parents à mon sujet repose sur ce qu'ils vont penser de ma salade de fruits ?

Cela ne m'a pas amusée.

— Vina, tu devrais manifester plus d'enthousiasme. Je suis un mec qui cuisine. D'après les magazines féminins, cela ne fait-il pas de moi un super-parti ?

Il se débarrasse du melon d'eau sur une pile de citrons près de nous, pose le cantaloup dans le chariot et se penche pour pousser.

— Je ne lis pas de magazines féminins, ai-je rétorqué.

— Je sais, et c'est l'une des choses qui me plaisent chez toi. Enfin ça, et ton joli petit cul. Qui savait que les femmes indiennes étaient si bien faites ?

— Tous ceux qui se sont donné la peine de regarder.

J'ai souri, et me suis mise au diapason. Mon regard a croisé celui d'une gamine assise dans un chariot poussé par sa mère. En entendant notre conversation, la mère nous a fusillés du regard. La gamine me rappelait moi au même âge, et la femme ne devait pas être beaucoup plus âgée que moi. D'un coup, je me suis sentie très, très vieille.

— Très juste. Rappelle-moi quand même de remercier ta mère à ce sujet.

— Je te l'interdis, ai-je grondé en le suivant vers le rayon Vins et Spiritueux. Que nous faut-il d'autre ?

Il a agité deux bouteilles de vin, comme s'il s'agissait de clochettes que moi seule entendais tinter.

— Qu'est-ce que c'est ?

— Euh… une super-bonne bouteille de chardonnay…

Il jouait les idiots.

— … si j'en crois le prix sur l'étiquette ?

— Nous ne pouvons pas leur servir ça.

— Pourquoi ?

La bouteille à bout de bras, il l'observait en louchant.

— D'après toi, 1999 est une mauvaise année ? Pour moi elle était super.

— Rien à redire sur 1999, ai-je dit en me tâtant le front.

— Alors pourquoi est-ce impossible de le servir à tes parents ? Ne me dis pas que…

Les yeux écarquillés, bouche bée, les yeux fixés sur mon ventre, il a affecté le regard d'un mec dont la petite amie insiste pour utiliser des préservatifs alors qu'elle prend la pilule.

— … tu es *enceinte* ?

Pourquoi les hommes font-ils toujours ça ? Pourquoi baissent-ils la voix pour prononcer le mot « enceinte » ?

— Ce n'est pas drôle.

J'ai reposé les bouteilles sur l'étagère.

— Si tu sers du vin lors d'un repas sans apparat, mes parents vont croire que tu bois à chaque repas. Du coup, ils vont avoir peur que tu sois issu d'une famille d'alcooliques et te jugeront indigne de leur fille.

— Pourtant tu t'y connais bien mieux en vin que moi, a-t-il protesté.

— Aucun rapport. Je suis leur petite chérie. Et la première impression est vitale.

— Je croyais que tu étais ma petite chérie.

— Plus après aujourd'hui si tout ne se déroule pas à la perfection.

J'ai haussé un sourcil, incapable de réprimer un sourire.

— D'accord chérie. Pas de problème.

Il a levé les bras en signe de reddition.

— Relax. Nous servirons des jus de fruits et du thé glacé. Enfin, à moins que servir une autre boisson que du thé indien ne fasse de moi un individu imperméable aux cultures étrangères ? Bon, aucune importance.

— C'est très important. Je suis folle de toi, mais je jure que te voir prendre les choses aussi calmement me stresse.

— Tu es folle de moi ?

Il a passé ses doigts dans les passants de la ceinture de mon jean pour m'attirer vers lui. En temps normal, ce genre de comportement *Moi-Tarzan-toi-Jane* m'aurait mis la tête à l'envers et coupé les jambes. Mais au regard de la journée qui nous attendait…

— Mon Dieu, j'ai la nausée.

Je me suis pliée en deux, une main sur mon ventre, l'autre pinçant mon nez.

— Vina.

Il s'est agenouillé pour me regarder dans les yeux.

— … tu n'as aucune raison d'être si nerveuse. Quand j'ai rencontré les parents de mon ex, ils m'ont adopté sur-le-champ. Moins de six mois plus tard, son père m'a attiré à l'écart lors d'un barbecue en famille pour me signifier que si je désirais épouser sa fille, j'avais sa bénédiction.

— Mmm mm. Et pourquoi ça n'a pas marché déjà ?

— Nous nous sommes éloignés l'un de l'autre. Après un temps, je n'éprouvais plus pour elle des sentiments aussi forts qu'au début.

— D'accord. Ce que mes parents traduiraient par : pour toi l'amour est un agréable passe-temps, et leur fille aussi. Tu devrais peut-être éviter de leur raconter cette histoire.

— Notre rencontre alors ?

— Oui, cela produirait un effet certain. Monsieur et Madame Chopra, un matin votre fille s'est réveillée nue dans mon lit, a trébuché sur trois caméras directement pointées sur elle, a supposé que j'étais un producteur de films porno diffusés sur internet et s'est enfuie terrorisée. Mais ne vous inquiétez pas, rien ne s'est passé entre nous cette nuit-là. Elle était bien trop soûle pour que j'envisage même de passer à l'acte. Cela s'est produit plus tard.

Il a ri et m'a embrassée sur le sommet du crâne, a déclaré que j'étais adorable et s'est dirigé vers le rayon jus de fruits, m'abandonnant entre Johnnie Walker et Jose Cuervo. J'éprouvais la sensation d'avoir échoué à lui faire comprendre combien il était éloigné des critères exigés par mes parents.

J'imaginais qu'il ignorait que la moindre lueur de déception dans le regard de mon père me forcerait à le considérer d'un œil totalement différent. Je détestais le reconnaître mais, si je rejetais le code de conduite de ma famille, l'opinion de mes parents m'importerait toujours. Oui, toujours. Je ne pouvais qu'espérer que Nick le comprenne, respecte mon sentiment et continue de me soutenir. Je pouvais aussi faire mon possible pour l'aider. Je lui ai enjoint de cuisiner n'importe quel plat qu'il considérait comme épicé, puis d'y ajouter au moins trois cuillères à café de paprika par personne. Je lui ai conseillé de ne pas appeler mes parents par leurs prénoms sans qu'ils ne l'aient autorisé à le faire, ce qui n'arriverait jamais. Et d'interroger ma mère sur son jardinage, tout en en profitant pour glisser qu'il rêvait de posséder un jour son propre jardin afin d'y cultiver des légumes frais. De questionner mon ingénieur de père sur sa reconversion dans l'immobilier et d'en profiter pour expliquer tous les méandres de sa propre carrière, avant que le véritable interrogatoire ne commence. La victoire appartiendrait à celui qui frapperait le premier. Il s'agissait d'une guerre. La nuit précédente, je l'avais secoué par les épaules, tentant de lui faire comprendre que, sans une solide stratégie, nous finirions la tête sous l'eau. Je lui avais aussi offert un pull, pas trop chic ni trop décontracté ou trop moulant à leur goût. Moins Nick exhiberait son physique aux muscles de pro de la gym, et ce qu'il impliquait quant aux penchants charnels de leur fille unique, mieux ce serait.

J'avais rencontré pour la première fois le père et les sœurs de Nick environ un mois après le début de notre liaison. Il m'avait prévenue moins de vingt-quatre heures à l'avance, et ne m'avait appris leurs prénoms qu'une fois dans l'ascenseur nous menant au restaurant. Depuis, sa famille organisait ses visites en fonction de mes horaires, afin que je ne me croie pas tenue à l'écart. Quand elles appelaient, ses sœurs demandaient même à me parler, juste pour bavarder. Et tout cela lui paraissait tout à fait normal. Le pauvre garçon n'avait aucune idée de ce qui l'attendait.

# 36

C'était presque aussi drôle que lorsque ma mère avait décidé de faire mon éducation sexuelle.

— Dis « non » aux garçons, m'avait-elle déclaré en agitant un doigt sous mon nez.

Puis elle m'avait laissée me débrouiller seule avec mes hormones et mes révisions d'examen.

Comment les trois personnes censées être le plus à l'aise avec moi pouvaient-elles se révéler aussi mal à l'aise en présence les unes des autres ? Je les connaissais tous assez bien pour traduire la signification réelle des paroles prononcées. Dieu merci, ma grand-mère avait insisté pour venir. Elle était la seule qui semblait ne pas faire semblant d'ignorer la gêne monumentale planant sur la pièce.

Par exemple, quand ma mère demandait :

— Alors, dites-moi, est-ce votre mère qui vous a appris à cuisiner, ou bien avez-vous appris seul ?

Elle voulait dire en fait : y a-t-il quelqu'un dans votre famille à qui je puisse expliquer que ce magma fade et sans goût n'est pas mangeable ? Ou bien êtes vous né sans papilles ?

Et quand mon père avait lancé « Bonjour ! » ses

yeux transmettaient le message : « Ecarte-toi de ma fille, espèce d'Américain superficiel et lubrique. Elle ne le sait peut-être pas, mais moi je sais qu'elle ne représente pour toi qu'une aventure sans lendemain. Je vais manger ce que tu as cuisiné et je t'adresserai des sourires depuis l'autre bout de la table parce que ma femme m'a dit que je n'avais pas le choix. Mais je te tiens à l'œil, *Monsieur Muscles.* »

Dans un sens, je m'étais rendue coupable du même délit quand j'avais demandé :

— Nick, chéri, tu peux servir le thé glacé s'il te plaît ?

Alors que je voulais dire : « Double Scotch. Sec. Sans glace. Et apporte la bouteille. »

Ma mère avait entrepris d'éduquer Nick sur la sensibilité à la lumière de certaines variétés d'orchidées, tandis que mon père fronçait le nez avec suspicion devant les tranches de poire caramélisée que sa fourchette poursuivait autour de son assiette. J'avais prévenu Nick que les poires donneraient l'impression qu'il en faisait trop.

— Merci de m'avoir invitée à votre table, Nicholas, a dit Nani, avec un regard blessé en direction de ma mère. Certaines personnes m'avaient laissé entendre que je n'étais pas invitée.

— Je suis si content que vous ayez décidé de venir, Nani. Vina parle sans cesse de vous.

— Evidemment. C'est une bonne fille. On croit pouvoir me dicter ma conduite, simplement parce qu'il m'arrive d'oublier les noms de certaines personnes. Et alors ? Certaines personnes ont des noms faciles à oublier. Mais cela ne m'empêche pas de rendre visite à ma petite-fille. Et à son mari. Je suis née avant l'électricité !

— Maman, tiens-toi bien, l'a interrompue ma mère.

A la mention du mot « mari », l'œil de mon père a été pris d'un tic nerveux.

Nani a décoché un sourire malicieux à Nick, avant de faire signe qu'elle allait désormais garder bouche close. Puis elle m'a demandé d'un geste de lui passer la salade.

— Nick, penses-tu que les pasta fagioli soient prêtes ? ai-je demandé en m'emparant de la pince à salade.

— On prononce fah-*zsioi*, chérie, m'a-t-il repris avec tendresse, maintenant mon visage d'une main, comme pour m'aider à prononcer correctement. Je vais voir.

Là-dessus il s'est dirigé vers la cuisine d'un pas sautillant.

J'avais rêvé ou il venait de me toucher devant mes parents ? Comme s'il s'agissait d'un geste anodin ? Il avait consommé du crack ou quoi ? Il aurait aussi bien pu surgir de la cuisine nu comme un ver et tartiné de crème fouettée en clamant que c'était l'heure du Banana-Nick !

— Je sais que je prononce mal, ai-je dit dans une tentative dérisoire de détourner leur attention des démonstrations d'affection déplacées auxquelles je les forçais à assister.

En fait, son hindi devenait meilleur que mon italien.

— La seule chose qui m'ait jamais contrariée chez votre fille, c'est sa façon de prononcer le mot *mozza-rella*, a repris Nick en regagnant la pièce, casserole fumante et louche en main. « *Mott-zuh-reh-luh* ». On dirait un dragon crachant assez de feu pour réduire Tokyo en cendres. On prononce *Moot-za-relle*. Il faut rouler tes *r*, bébé.

— Je sais, je sais, ai-je répondu avec sérieux, envisageant pour de bon de lui planter ma fourchette dans l'œil.

— Hum…

Mon cher papa s'est éclairci la gorge. Le son produit relevait davantage du rugissement que d'un simple passage d'air dans la gorge.

— Alors Nicholas, où avez-vous obtenu votre diplôme de droit ?

Traduction : « Je ne trouve rien de tout ça le moins du monde amusant ou attendrissant. Parlons des raisons qui font que vous n'êtes pas l'homme qui convient à ma fille. »

*Bravo de te comporter en mâle dominant, papa.*

— Georgetown.

Que mes parents expriment enfin un soupçon d'intérêt à son égard a paru ragaillardir Nick.

— Et pourquoi avez-vous abandonné le droit ?

Merde, où se planquent les alarmes incendie quand on en a besoin ?

— Monsieur, je ne dirais pas que je l'ai abandonné.

Je me suis accordé un congé. J'éprouvais quelques scrupules moraux à l'égard de la façon dont on exerçait le droit dans mon entreprise.

— Vous voulez dire que le cabinet qui vous employait était impliqué dans des activités illégales ?

La possibilité de faire incarcérer Nicholas, et s'assurer ainsi qu'il ne pose plus les mains sur moi, a éveillé l'intérêt de mon père.

— Non, non. Mais j'ai appris, malheureusement, que l'interprétation de la loi est parfois très éloignée de son esprit. De toute façon, cette profession n'était pas aussi plaisante que je l'avais espéré.

— C'est pourquoi on l'appelle travail et non loisir. Dans le monde du travail, la majorité d'entre nous ne peuvent s'offrir le luxe de la moralité, a rétorqué mon père, l'air plus satisfait de lui-même que de ses paroles.

— Je comprends ce que vous voulez dire. Le droit ne me passionnait pas tant que ça. J'ai décidé de prendre le temps de trouver un moyen lucratif de mêler tout ce que j'aime dans l'existence. Comme je ne suis pour l'instant ni marié ni père de famille, j'ai jugé important d'effectuer cette démarche maintenant. Un peu comme Vina vis-à-vis de ses frustrations professionnelles.

C'était un peu comme observer un blondinet de seize ans tenter de convaincre un videur qu'il s'appelait *vraiment* Eminem. Mes parents allaient considérer ses paroles comme les délires fantaisistes d'un hippie lunatique incapable de comprendre la notion d'engagement. Ou de labeur. Ou de n'importe quelle autre vraie valeur de l'existence. Et ils en déduiraient que j'approuvais son manifeste.

J'allais reprocher vertement à ma Nani de ne pas intervenir mais, en me tournant vers elle, j'ai découvert qu'elle s'était endormie sur sa chaise.

— Evidemment, Vina ne peut pas quitter son job sous le simple prétexte qu'elle ne le trouve pas toujours drôle. D'ailleurs, avant toute autre chose, elle doit obtenir son MBA, a repris mon père, parcourant allégrement la carte de mon existence qu'il avait établie dans son esprit. Elle a toujours parlé de ce projet. Il n'existe qu'une façon de le mener à bien.

Etais-je présente dans la pièce ?

— A moins qu'elle ne devienne écrivain de best-sellers internationaux, et dans ce cas l'école de commerce ne présente plus aucun intérêt.

Nick m'a souri, probablement persuadé que démontrer son intérêt pour les moindres détails de mon existence allait lui gagner l'estime de mes parents.

Il attendait que je saute dans le train qu'il venait de mettre en marche en mon honneur. Pourtant, ce matin, cherchant un de mes pulls, j'avais trouvé, caché dans sa table de nuit *L'Hindi pour les nuls*. Comment un homme capable de tant d'efforts pour comprendre les autres pouvait-il se montrer aussi maladroit ?

— Vina peut écrire autant qu'elle le désire. Ou peindre, chanter ou danser dans les rues. Comme un hobby. Une activité parallèle. Elle est d'ailleurs trop sensée pour un mode de vie aussi romantique. Au fond d'elle-même, sa carrière à Wall Street lui plaît réellement.

Si blessantes que soient ces paroles, je n'ai pas pu me résoudre à contredire mon père devant Nick. La famille restait la famille.

— Si nous changions de sujet ? suis-je intervenue, remplissant les verres encore pratiquement pleins de tout le monde.

— Alors Nicholas, avez-vous de la famille en Italie ? a lancé maman en se resservant de pasta fagioli pour le rasséréner. J'ai suivi récemment un documentaire sur Channel 13 sur l'Italie contemporaine. Vous savez quoi ? Il paraît que leur courbe de croissance démographique décroît.

— Oh, il doit s'agir d'une statistique mal interprétée.

Je ne sais pas pourquoi j'ai éprouvé le besoin irrépressible de défendre l'Italie.

— En fait, Vina, c'est vrai, m'a interrompue Nick. Nous en parlions avec mon oncle l'autre jour. Je pense que c'est sacrément dommage, excusez mon langage. Je soutiens absolument le droit des femmes à profiter de la vie et choisir qui elles souhaitent épouser. Or, peut-être que certaines femmes ne rencontrent jamais l'homme idéal. C'est compréhensible. On croise pas mal d'abrutis. Mais je crois que le vrai problème réside dans le refus de certains d'accepter des compromis en faveur de leur conjoint. Ou de leur famille. Ces personnes désirent vivre une relation à jamais romantique. Elles ne comprennent pas que sans la famille, tout s'écroule.

Quoi d'autre que la famille constitue le tissu moral de la société ? L'Italie n'est plus le même pays que lorsque mon père y a grandi. Pour être honnête, c'est ce que j'apprécie dans la culture indienne. Je crois que c'est pourquoi je me suis senti tout de suite aussi à l'aise avec Vina. Ses valeurs ont un sens pour moi. Elle est ambitieuse, certes, mais elle est issue d'une famille aimante. Et je sais qu'elle ferait n'importe quoi pour vous rendre heureux, parce qu'elle sait qu'en fin de compte, c'est la seule chose qui importe.

Papa s'accrochait désespérément aux résidus de sa méfiance réduite en lambeaux.

— Et que pensez-vous de l'importance de la culture ? a-t-il demandé.

— Eh bien…

Nick a marqué un silence. Je savais qu'il choisissait soigneusement ses mots.

— J'ai toujours éprouvé l'impression que la culture de la femme était prépondérante dans le foyer.

Qui était cet homme ? Pourquoi mon père lui souriait-il ? Et pourquoi ma mère souriait-elle à ma Nani ? Soudain, ma nausée a empiré.

# 37

Un froid glacial s'est instantanément abattu sur l'appartement. Nick a refermé la porte sur mes parents et s'est dirigé vers la cuisine sans un regard pour moi.

Je l'ai suivi devant l'évier et l'ai enlacé.

— Tu as été très bien.

— C'est vrai ?

Il a pressé le flacon de détergent vaisselle assez brutalement.

— Oui.

J'ai relâché mon étreinte pour me jucher sur le comptoir en face de lui.

— Bon.

— Chéri, qu'est-ce qui ne va pas ?

— Rien. Tout va très bien.

L'assiette qu'il récurait était à deux doigts de se briser.

— Ecoute, je m'excuse de t'avoir forcé à faire ce numéro pour eux.

Je lui ai touché le bras.

— Je ne m'étais pas rendu compte de tout ce que cela impliquait.

La veine sur le côté droit de son cou a gonflé, et il

a pris une profonde inspiration avant de se tourner vers moi.

— Vina, je me fiche de m'habiller comme tu le souhaites afin d'impressionner tes parents. Je veux bien parler hindi, exécuter une danse traditionnelle, peu importe. Je comprends qu'il est important pour toi qu'ils m'acceptent. Alors je l'ai fait. De bon cœur.

— Alors quel est le problème ? Il s'agissait d'un simple après-midi !

— C'est ça le problème.

Il s'est essuyé le front de son bras savonneux, révélant un regard plus contrarié que je ne l'espérais.

— Pour moi il s'agit d'un simple après-midi. Mais toi… c'est toute ta vie. Tu vis ainsi. Et je ne sais pas comment réagir.

J'ai cillé.

— De quoi parles-tu ?

— Laisse-moi te poser une question. As-tu honte que je ne sois pas indien, ou bien te crois-tu obligée de t'excuser chaque fois que tu fais des choix différents de ceux de tes parents ?

— Ce que tu racontes est insensé.

J'ai glissé du comptoir et me suis dirigée vers le salon.

— Pas du tout, c'est très sensé.

Il a jeté une cuillère à melon savonneuse dans l'eau avant de me suivre.

— Ce sont les deux seules raisons possibles à ton comportement. En présence de tes parents, tu n'es plus toi-même, ce que je n'avais jamais constaté depuis que je te connais. Tu ravales tout ce que tu as à dire, tu marches sur des œufs, Vina. D'habitude tu ne marches sur des œufs avec personne !

— Ecoute…

J'ai rétrogradé en mode professoral, m'intimant de me montrer patiente, puisqu'il n'avait aucune idée de ce qu'il racontait.

— Je me comporte comme toutes les personnes que je connais qui sont affligés de parents aussi conservateurs que les miens. Tu ne peux pas…

Pour la première fois, il s'est moqué de moi.

— *Je ne peux pas comprendre,* a-t-il singé, parce que je ne suis qu'un mec blanc. Eh bien, pour te dire la vérité, je me fiche de les comprendre. Je veux te comprendre *toi*. Et je veux qu'ils te comprennent ! C'est l'homme qui vit avec toi nuit et jour qui te parle. Auprès d'eux, tu t'excuses de tous ces détails qui font que tu es toi. Or j'aime tout ce qui te fait toi ! La moindre bribe ! Je refuse que tu changes pour eux. J'aime que tu affirmes ton opinion, même si tu sais que je ne serai pas d'accord. Je sais combien tu es compliquée, que cette femme si sûre d'elle se ronge les ongles quand elle croit que je ne regarde pas. J'aime toutes les choses qui te passionnent, même si elles sont si différentes les unes des autres. Et j'aime qu'avec moi tu ne dissimules aucune de tes émotions. J'aime cette personne que j'ai appris à connaître et qui a déjà transformé ma vie, bien plus qu'elle ne le pense. Mais en présence de tes parents, tu deviens une autre personne. Et cela me brise le cœur. Je ne reconnais plus la femme que j'aime.

Je me suis laissée tomber sur le canapé.

— Vina, je ne comprends pas. Pourquoi ne pourrais-tu pas faire ce que tu désires ? Ecrire, travailler à Wall Street, danser dans les rues si ça te chante, comme l'a dit ton père ? Je veux te voir entreprendre tout ce que tu as envie d'entreprendre, même si tu as peur d'échouer. J'ai toujours cru que tu passerais aux actes, quand tu serais prête. Maintenant, je me demande si tu ne te retiens pas parce que tu recherches l'approbation de tes parents avant de t'autoriser tes propres désirs. Je te comprends en partie parce que je me suis comporté de la même façon pour faire plaisir à mon père, en mémoire de ma mère. Mais je ne supporterai pas de te voir faire de même. Pourquoi repoussent-ils chacune des idées qui diffère des leurs ? Plus grave, pourquoi les laisses-tu faire ?

— Ils ne m'ont jamais obligée à abandonner l'écriture, pas vraiment. Simplement pour eux, ce n'est pas… important.

— Je me fiche de ce qui est important pour eux. Ils se montrent si… méprisants.

Instantanément, je les ai défendus.

— Nick, ce sont mes parents.

— Et toi, tu es une femme adulte. La question est : qu'est-ce qui est important pour toi ?

A cet instant, j'ai compris soudain que ce n'était pas leur faute, mais la mienne. Parce que je ne m'étais jamais posé cette question auparavant. Et pour la première fois devant Nick, j'ai éprouvé de l'embarras. J'ai baissé la tête.

— Je suis désolée.

Il s'est agenouillé devant moi.

— Ne sois pas désolée, Vina. Tu es déjà une femme d'une richesse exceptionnelle. Ce qui vient en plus n'est que la cerise sur le gâteau. Je vois au fond de toi avec tant de clarté… Je refuse ce gâchis que tu fais de toi. Aucune personne qui t'aime ne peut l'exiger de toi.

C'était la première fois qu'il le disait. J'ai su que c'était réel. J'avais rencontré le genre d'amour que j'espérais, et que je n'aurais jamais reconnu si je n'avais pas traversé toutes ces épreuves auparavant. Poivre-et-Sel l'avait dit. Un homme qui m'aimait sincèrement comprendrait ma quête, et m'aimerait pour la femme que j'étais, autant que pour celle que je voulais être. La colère de Nick était la preuve qu'il refusait que je taise mes sentiments et mes désirs. Depuis le début, je savais qu'il me voyait telle que j'étais, mais j'avais gardé cette pensée pour moi. En partie parce que la partager revenait à dire que l'eau était mouillée. Maintenant, l'exprimer semblait la chose la plus logique du monde.

Alors j'ai dégluti, j'ai souri, et pris son visage si précieux, éclaboussé de savon, entre mes mains. Mes paroles m'ont semblé ne former qu'un murmure évoquant à peine la force de mes sentiments pour cet homme.

— Moi aussi je t'aime.

Je faisais les cent pas devant la table de la salle à manger, tentant de ne pas me laisser distraire par les bruits de dispute en provenance de la cuisine. Depuis qu'ils avaient entamé, le mois dernier, le processus d'adoption d'un orphelin chinois, Prakash et Christopher ne cessaient de se disputer. Il devait s'agir d'une tentative inconsciente d'expérimenter le stress d'une grossesse qu'ils n'auraient jamais à endurer.

— Que fabrique Nick ? ai-je demandé à Bobo.

Il a répondu en se léchant le ventre.

Dans les mois qui avaient suivi la rencontre entre Nick et mes parents, j'avais envoyé chaque semaine, en secret, une chronique au *New York Times*, sur tous les sujets qui me passaient par la tête, depuis le clonage d'une brebis jusqu'aux émissions de télé-réalité. Je possédais maintenant tant de lettres de refus de leur part que j'envisageais d'en tapisser les murs de ma cuisine. J'avais fini par comprendre le message transmis par les lettres – ce que j'avais à dire n'intéressait personne. Aussi quand, trois jours plus tôt, le *Times* avait appelé afin de nous annoncer la publication de mon dernier envoi, même Nick avait eu du mal à dissimuler sa surprise. Apparemment, ma vie se révélait plus intéressante que mes opinions, et mon dernier envoi était digne d'être imprimé. Mais, lorsque remise de ma stupéfaction, j'ai réalisé que le monde entier allait prendre connaissance de mes pensées et mes sentiments les plus intimes, j'ai éprouvé comme une raideur dans le cou. Que penserait-on de moi ? Quelles réactions allais-je provoquer ? Qu'allais-je éprouver à voir mes mots imprimés ? Heureusement que je connaissais des gens aux Fidji – personne n'irait me chercher là-bas. J'avais fait jurer le secret à Nick et, comme nous n'avions pas le temps de repasser chez moi avant de nous rendre chez Prakash, je l'avais expédié à la recherche du journal.

Dès la première sonnerie, je me suis jetée sur la porte.

— Ah, c'est toi.

J'ai tourné les talons et ai gagné la fenêtre.

— Je m'excuse d'être en retard pour le brunch, mais quand même, est-ce une façon d'accueillir une de tes meilleures amies ? a déclaré Paméla. Depuis que je bûche l'examen d'entrée à l'école de commerce, j'ai perdu la notion du temps.

Elle a ôté son écharpe et inspecté du regard le loft de Prakash.

— Où sont les autres ?

— Hein ?

J'ai regardé derrière elle, guettant un signe de l'arrivée de Nick dans le couloir.

— Je ne sais pas. Cristy est en chemin. Chris et Prakash font l'amour ou se disputent dans la cuisine, je ne sais pas trop, mais si j'étais toi, je m'abstiendrais d'y entrer.

— Quoi d'autre ? Et Nick ? a-t-elle demandé, s'interrompant dans la préparation de son mimosa, champagne-jus d'orange.

Je suis retournée à la porte, sachant très bien qu'elle aurait oublié de la refermer derrière elle.

— Oh, il devrait arriver d'une minute à…

La porte s'est ouverte avant que je n'aie pu la verrouiller.

— Voilà chérie.

Nick m'a soulevée dans ses bras et fait virevolter avant de me reposer à terre.

— Voilà quoi ? a demandé Pam.

— Ma nana est publiée dans le *New York Times* ! a annoncé Nick d'un air triomphal, en nous distribuant chacun un des trente exemplaires, minimum, qu'il transportait. Prenez-en un.

— Merde alors !

Prakash nous avait entendus et s'était précipité hors de la cuisine.

— … Dans ce cas on va sortir le bon champagne. Pas la merde qu'on met dans les mimosas.

— Ce n'est pas de la merde, a protesté Chris, s'essuyant les mains sur son tablier « Petit déjeuner compris », les sourcils froncés, à l'intention de son mari.

— Oh je t'en prie. Un peu de sérieux.

Prakash s'est dirigé vers le bar.

Cristy fut la suivante à franchir le seuil, et à manquer me renverser.

— Pourquoi ne m'as-tu rien dit ? C'est incroyable ! *Chica,* félicitations !

— Merci.

Je me sentais rougir. Le journal étalé devant moi, j'avais toujours du mal à en croire mes yeux, surtout quand je me rappelais à quelle occasion désastreuse le *Times* s'était intéressé à moi auparavant. Mes pensées imprimées, pour le plaisir et la réflexion de millions de personnes à travers le monde. Je me suis laissée tomber à reculons sur le nouveau canapé de daim caramel que Christopher nous avait interdit d'effleurer.

— D'accord, mais nous ne boirons pas beaucoup, a sermonné Nick. Je veux que ma Vina ait toute sa tête ce soir. Je l'emmène fêter ses débuts.

— Où allez-vous ? a demandé Cristy en me tendant une flûte de champagne.

— C'est une surprise, a dit Nick en m'embrassant sur le sommet du crâne. Oh, j'y pense ! Je dois confirmer notre réservation pour le dîner.

Il a disparu dans la cuisine. Pam et Cristina se sont glissées de chaque côté de moi sur le canapé.

— Alors ? a murmuré Cristina.

— Alors quoi ?

J'ai fait tourner ma gorgée de champagne dans ma bouche.

— C'est une soirée spéciale ? s'est enquise Pam.

— Oui bien sûr.

J'ai cillé, le regard toujours fixé sur mon nom imprimé noir sur blanc.

— Ne joue pas les idiotes, tu ne trompes personne.

Je l'ai regardée, puis je suis revenue au miracle sur papier entre mes mains, souhaitant que le temps s'arrête.

— Tu crois qu'il va te demander en mariage ce soir ?

Sa voix avait grimpé de trois octaves.

— Je ne sais pas.

J'ai posé les pieds sur la table basse en marbre.

— … je n'ai pas réfléchi à la question.

— Tu n'as pas cherché la bague pendant qu'il était sous la douche ?

— Non.

— Pourquoi non ? a demandé Christopher, s'asseyant sur la table basse après avoir repoussé mes pieds.

— Parce qu'en général j'y suis avec lui.

— Cesse de tourner autour du pot, a ordonné Cristina.

— Ecoutez, je l'aime, oui. La vie est géniale, et la savourer telle qu'elle se déroule actuellement me suffit.

*Drrrring !*

Pour une fois, j'étais sauvée par un coup de fil de mes parents. J'ai ouvert mon portable et me suis levée pour me réfugier près de la fenêtre, serrant toujours mon journal dans les mains.

— Chérie ! s'est exclamée ma mère avant même que je ne puisse dire bonjour, quand nous avons vu le nom de notre fille dans le *New York Times* ce matin, nous avons eu du mal à le croire. Notre propre fille !

— Vraiment Vina, *Kamaal keeya*, a enchéri mon père.

J'ai tourné le dos aux autres pour m'appuyer sur le rebord de la fenêtre.

— … Nous sommes très fiers. Je n'imaginais pas ma fille capable de raisonner ainsi, encore moins d'écrire ainsi. C'est réellement magnifique.

— Pas tant que ça, papa.

J'ai rougi, regardant Nick s'avancer vers moi, une flûte de champagne dans une main et une bouteille dans l'autre. Derrière lui, mes amis se rassemblaient pour le toast qu'il allait porter.

— Nous sommes si fiers de toi, a repris ma mère. Ne quitte pas, ta Nani m'arrache le téléphone.

*Je le suis aussi*, ai-je pensé, levant mon verre pour qu'on le remplisse, attendant que résonne la voix de ma grand-mère. *Je le suis aussi.*

# Post-scriptum

*De la panique, du placard de la claustrophobie
et pourquoi craquer constitue une libération.*

Environ six millions de claustrophobes vivent dans cette ville. J'en fais partie. Et j'en remercie Dieu. Jusque très récemment, je n'avais pas trouvé le courage de partager cette information, même avec mon entourage le plus proche. Mais je n'écris pas ce texte pour sortir du placard, selon l'expression consacrée. Mon placard m'a expulsée par la force. J'écris ce texte pour aider beaucoup d'entre vous à sortir de leur propre placard, par choix. Parce que affronter ce trouble signifiait affronter d'autres faits plus importants me concernant. Moi et ma vie d'adulte. Je m'explique.

Un jour, quelques mois plus tôt, je me suis réveillée extrêmement déçue par moi-même. Non, je ne me suis pas éveillée dans une décharge du Connecticut, et non, je n'étais pas étendue nue au côté d'un inconnu vêtu de sa seule ceinture à outils et enduit de confiture à la framboise. Vous autres New-Yorkais souffrez vraiment d'une imagination mal placée. J'étais déçue parce que je n'avais plus d'autre choix que de reconnaître que la

363

source de tous mes problèmes me regardait dans la glace. Les jours précédant cet après-midi, j'avais perdu à peu près tout ce qui pour moi revêtait de l'importance.

J'ai eu la révélation sur le sol dur et froid d'un ascenseur de Manhattan, roulée en position fœtale après que mes nerfs ont sérieusement craqué. J'étais en chemin pour effectuer une déposition auprès de la Commission des opérations en Bourse. Et mon esprit a reçu l'illumination, comprenant que ma carrière, mes relations amoureuses et ma foi en mon propre jugement avaient été victimes de cette perfection que je tentais d'atteindre, une perfection définie par les autres. J'avais consacré vingt-sept années de ma vie à préparer mon échec. Durant les semaines et les mois qui ont suivi, je me suis demandé pourquoi je m'étais infligé pareil calvaire à moi-même, et si j'étais la seule dans ce cas. Impossible d'expliquer pourquoi, mais je ne le pensais pas.

La majorité des claustrophobes souffre d'un dysfonctionnement handicapant, au niveau personnel et professionnel, qui se déclenche sans intervention de stimuli émotionnels, qui leur interdit d'évoluer aisément dans des espaces fermés. Dans les cas les plus sévères, la simple idée de pénétrer dans le métro, une petite pièce ou un ascenseur provoque une hyperventilation, de peur de mourir asphyxié pour cause de diminution d'oxygène. Dieu merci, je souffrais d'une forme plus bénigne, qui ne se déclenchait qu'associée à une détresse émotionnelle. Ma claustrophobie me poussait aux limites de ma résistance émotionnelle. Mais ce que je n'ai compris qu'après ma dépression nerveuse, c'est combien j'aggravais mon propre cas. Souvent, j'avais expérimenté une grande détresse dans des endroits clos, mais pour la première fois ce jour-là dans l'ascenseur, j'ai basculé dans une crise de panique, puis dans une dépression nerveuse. Je comprends maintenant pourquoi.

Quelle que soit la sévérité de la claustrophobie, la cause réside dans la terreur de perdre le contrôle. Comme beaucoup d'autres adultes, par ailleurs fort raisonnables, j'entretenais l'idée ridicule que je contrôlais un minimum mon existence. Ainsi que l'idée que, approchant la trentaine, ma vie devrait être toute tracée. Que je devrais savoir ce que je faisais, où j'allais, et pourquoi la terre tournait. Réussir dans mon job et faire de mon mieux dans mes relations amoureuses ne suffisaient pas. J'avais besoin de croire que rien n'avait été laissé au hasard. Que je maîtrisais mon destin.

Comme je l'ai déjà dit, Dieu merci pour ma claustrophobie, parce que j'étais passée maîtresse dans l'art de marcher en équilibre sur ce fil tendu au-dessus de la réalité, avec la ferme intention d'y rester, dressée sur la pointe des pieds, pour l'éternité. En compagnie de beaucoup d'entre vous. Cette illusion soigneusement élaborée que « j'avais les choses en main » était réconfortante. C'est alors qu'une chose merveilleuse s'est produite. Tout s'est écroulé. Et moi avec, sur le sol de cet ascenseur. Quand on a refermé le dossier concernant les malversations de mon entreprise, j'ai été blanchie de tout soupçon. La Commission des opérations en Bourse a abandonné l'accusation de délit d'initié, et ceux qui m'avaient abusée ont dû affronter les conséquences de leurs mensonges. ⟩

Une fois innocentée, j'ai découvert que j'étais loin d'être libre. Certaines questions ne cessaient de me torturer. Celle qui se faisait le plus entendre était : *Comment ai-je pu ignorer tous les signes ?*

Alors j'ai crié, je me suis cachée, j'ai réfléchi et médité, et la seule réponse qui me soit venue à l'esprit a été : parce que j'ai choisi de les ignorer.

Et toutes les pièces du puzzle se sont mise en place. Mon dernier souvenir d'une existence exempte d'angoisse remontait à mes quatre ans. Les cheveux bouclés, joufflue, devant une glace au chocolat, perdue dans un T-shirt clamant *Les ennuis commencent*, je me trémoussais au rythme des chansons résonnant dans ma tête, balançant mes jambes sur le côté de ma chaise, comblée d'un câlin et d'un sourire de ma mère. Qu'était devenue cette petite fille ?

Comme l'enfant inconscient qui dort au fond de chacun de nous, cette petite fille a-t-elle été enterrée sous le poids de l'âge, du cynisme et de la honte, émotions qu'elle avait par bonheur ignorées jusque-là ? En souscrivant à l'idée que je me devais de viser la perfection, j'avais choisi d'intérioriser la nécessité de tout savoir. Et de m'imposer des critères que personne n'aurait imposés à une enfant. Et quand j'ai oublié cette enfant, je suis devenue ma pire ennemie. Je l'ai fait taire et j'ai vécu ma vie en fonction des autres.

Il a fallu ma dépression pour que j'en prenne conscience. L'illusion que je contrôlais tout avait pris une telle importance que je n'imaginais même plus me poser de questions. Consciemment ou non, j'ai refusé de voir les signes annonciateurs. J'ai refusé de poser des questions ou faire un pas en arrière. Je ne me suis plus autorisée à aiguiser mon regard afin de distinguer la mince frontière entre mon instinct et mes mécanismes de défense. Ma peur que mes idées ou mes choix soient contredits était si forte que je refusais même de les discuter intérieurement.

Cela vous dit quelque chose ? J'en suis certaine. Nous fonctionnons tous à l'identique, à des degrés différents. Nous nous mentons à nous-même. *Chut, chut*, murmurons-nous à cette voix intérieure, jusqu'à ce que le vacarme des vies que nous édifions la rende inaudible. D'où ma déception envers moi-même. Depuis lors, j'ai découvert quelque chose de merveilleux. Cette voix intérieure ne disparaît jamais. Elle se contente d'attendre, patiemment, d'être de nouveau entendue.

Après ma dépression, le calme est devenu tangible, c'est pourquoi je vous recommande une dépression à tous. Quant à ma claustrophobie, je n'en ai plus honte. Le truc marrant, c'est qu'à l'instant où vous acceptez d'en finir avec l'illusion que vous contrôlez tout, vous commencez, sans le savoir, à abandonner vos angoisses et vos phobies, et à exprimer ce qui est important.

Ma claustrophobie m'a enseigné que j'étouffais autant de mes propres exigences que de ma maladie. La force véritable est d'être assez humble pour douter. Douter qu'on contrôle quoi que ce soit. Et comprendre que c'est le plus merveilleux des cadeaux.

Je comprends maintenant que ma claustrophobie était pour beaucoup l'expression du phobique qui dort en chacun de nous. Loin de moi l'idée de prétendre que, dans la majorité des cas, la claustrophobie n'est pas un trouble réel diagnostiqué par le corps médical. Mais ce dont j'ai la certitude, c'est que la dernière année de mon existence a tout changé. En proie au genre de crise qui, je l'espère, ne se produit qu'une fois dans une existence, j'ai découvert que j'étais fragile, faillible, comme tout le monde.

Alors j'ai choisi de viser à l'amélioration plutôt qu'à la perfection, et de me réjouir de l'effort produit plutôt que des résultats. Parce que l'important, ce n'est pas la perfection, l'ego, ou je ne sais quoi. L'important, c'est cette petite fille que j'ai tenté d'enterrer. C'est admettre que mon instinct est peut-être un écho de sa voix. C'est lever mon verre quand la vie le mérite, produire une objection quand il est nécessaire, et élever ma conscience au point que je n'omettrai plus jamais de choisir ce qui est le plus bénéfique pour moi-même. Et savoir que tant que je vivrai ainsi, la fillette de quatre ans que j'ai été un jour me rendra mon sourire, sa glace au chocolat à la main, telle une version enfantine de moi-même.

# REMERCIEMENTS

Merci à…

Mon agent, Lorin Rees, pour m'avoir aidée à sauter le pas vers la fiction.

Mon éditrice, Kathryn Lye, qui a amélioré le roman sans en altérer le propos.

A Red Dress Ink, pour m'avoir accueillie.

Et à ma famille, source d'inspiration, d'humilité, parce que ses membres n'abandonnent jamais et n'oublient jamais de dire merci.

DANS LA MÊME COLLECTION
par ordre alphabétique d'auteur

… / …

... / ...

DANS LA MÊME COLLECTION
par ordre alphabétique d'auteur

\*       titres réunis dans un volume double
\*\*      titres réunis dans un volume double
\*\*\*     titres réunis dans un volume double
\*\*\*\*    titres réunis dans un volume double
\*\*\*\*\*   titres réunis dans un volume double
\*\*\*\*\*\*  titres réunis dans un volume de cinq nouvelles : *Cinq citadines branchées*

**RED DRESS INK®**

*La collection
des citadines branchées*

*Bon d'accord, je plaide coupable ! Moi, Abby Foote, vingt-huit ans, je suis tout simplement incapable de distinguer un menteur patenté, infidèle et immature comme il se doit, d'un vrai prince charmant. Résultat : je multiplie les désastres amoureux. Certes, cette fâcheuse habitude me désole, mais pas au point de me donner des envies de meurtres !*

*C'est pourtant précisément ce que semble croire le très séduisant inspecteur Benjamin Fargo, qui depuis la mort prétendument inexpliquée de l'un de mes ex petits-amis, a décidé de ne plus me quitter d'une semelle. Et croyez-moi, même si cet homme est scandaleusement sexy, je n'ai pas l'intention de le laisser me traiter comme une criminelle !*

## Dès le 1er Avril

**RED DRESS INK.**

*La collection
des citadines branchées*

---

# 2 titres
# à paraître
# le 1<sup>er</sup> juin 2010

---